CREIGIAU ABERDARON

Creigiau Aberdaron

Gareth F. Williams

Argraffiad cyntaf — Tachwedd 2010

ISBN 978 0 86074 268 5

Mae'r cyhoeddwyr yn cydnabod cefnogaeth ariannol Cyngor Llyfrau Cymru.

Cyhoeddwyd gan
Wasg Gwynedd, Pwllheli

CYFLWYNEDIG I
RACHEL

AM RANNU ENLLI, LLŶN . . .
. . . A CHYMAINT MWY

'Come back! Come back!' the boy cried to the girl.
She ran on unheeding over the sand and was lost among the sea . . .

DYLAN THOMAS, 'A PROSPECT OF THE SEA'

SHE: You'll not forget these rocks and what I told you?
HE: How could I? Never: whatever happens . . .
I said: 'Whatever happens.' Are you crying?
SHE: You'll not forget me – ever, ever, ever?

ROBERT GRAVES, 'DIALOGUE ON THE HEADLAND'

Prolog

Deuai'r sŵn i fyny drwy'r lloriau. Doedd o ddim yn fyddarol, i fyny yma yn yr atig oedd wedi cael ei throi'n ystafell wely – roedd yn ddigon uchel i Siôn fedru adnabod y gân ond nid i glywed ei geiriau.

Eminem hefo Rihanna, 'Love the Way You Lie', dyna be oedd hi. Doedd hi ddim at ei chwaeth o. Ond gobeithiai ei fod yn ddigon cŵl i beidio â'i hwfftio'n llwyr fel 'crap', yn ddigon aeddfed i gyfaddef fod i Eminem a'i fath eu rhinweddau, ac mai arno fo ei hun roedd y bai, mae'n siŵr, am fethu meddwl am un.

Yma, ar y llawr lle roedd o'n gorwedd ar ei gefn, gallai deimlo'r bas yn crynu drwy'r tŷ, a'r cryndod yn cosi'i foch a'i gorun. Roedd arogl glân ar y carped trwchus. Hon oedd llofft Garmon, brawd Marnel Richards, oedd ddwy flynedd yn hŷn na'i chwaer ac i ffwrdd yn y coleg yn Leeds yn astudio gwyddoniaeth o ryw fath. Boi eitha boring, yn ôl yr ychydig a wyddai Siôn amdano. Ar nenfwd y llofft roedd poster anferth o awyr y nos yn dangos y gwahanol glystyrau o sêr, a byddai Siôn wedi rhoi'r byd am fod yn gorwedd fel hyn ar ochr bryn, allan yng nghanol nunlle, â dim byd mwy ar ei feddwl na cheisio dod o hyd i'r Arth Fawr, yr Arad ac Orion.

Gorweddai Leah yn ei ymyl, ar ei hochr a'i boch chwith yn gorffwys ar y carped, ei llygaid ynghau.

'Leah,' sibrydodd. 'Leah . . .'

Gorffwysodd ei dalcen ar ei thalcen hi. Gallai deimlo'i hanadl yn cosi'i wyneb.

'Leah . . .'

Ymhen ychydig, cododd yn simsan ar ei draed. Drwy'r ffenestr fechan yn y to cafodd gip ar y lleuad wrth iddo groesi at y drws a'i agor. Rhuthrodd twrw'r parti i fyny'r grisiau tuag ato fel ci mawr gorfywiog.

Awel, meddyliodd.

Ma raid i mi gael hyd i Awel. Mi fydd hi'n gwbod be i' neud.

Bydd pob dim yn iawn wedyn.

Caeodd ddrws yr atig yn dawel ar ei ôl a chychwyn i lawr y grisiau i chwilio am ei chwaer.

RHAN 1

Y ferch ar y graig

1

Y wrach ar y graig

Tua deufis oedd yna i fynd tan y byddai hi, Leah, yn dweud y frawddeg feddw honno. Ond heno, y cyfan a ddywedodd wrtho oedd, 'Iawn.'

Ac yna, 'Iawn – ocê.' Gydag ychydig bach mwy o bwyslais ar yr 'ocê', oherwydd erbyn hynny doedd arni ddim eisiau gorfod dioddef ei bresenoldeb un eiliad yn hwy.

Deallodd yntau hynny, a mynd, a diolch i Dduw nad oedd o wedi oedi, wedi hofran a holi a oedd hi, ar waethaf ei geiriau, *yn* iawn.

Ond a oedd raid iddo gerdded oddi wrthi mor frysiog?

Trodd hithau oddi wrtho, yn ôl at y môr, gan wrthod edrych arno mwyach, rhag ofn – jest rhag ofn – na fyddai o'n troi ac edrych yn ôl, na fyddai o'n ildio i'r ysfa i gael un cip bach arall ohoni, cip sydyn a slei dros ei ysgwydd wrth i'w draed grensian dros y gwymon troellog, wrth i wadnau ei esgidiau lithro ar y perfedd gwyrdd.

Be fasa fo wedi'i weld *petai* o wedi troi? Silwét, fe hoffai hi ddychmygu – amlinell merch yn eistedd ar graig ac yn syllu allan dros y môr a'i chefn fel bwa, yn dywyll yn erbyn y machlud, oherwydd oren oedd yr awyr heno, y tu ôl iddi ac uwch ei phen.

Merch yn gwrando ar y môr yn plannu ambell sws glec fach barchus ar fochau geirwon y creigiau. Er na wyddai beth oedd enw'r actores, ac na wnaethai erioed wylio'r ffilm i gyd, meddwl yr oedd hi am yr olygfa enwog honno sy bellach yn eiconig, bron, o Meryl Streep yn sefyll ar y Cob yn Lyme Regis, yn ei chlogyn a'i hwd dros ei phen, a'i llygaid mor hallt â'r heli. Ond roedd y môr hwnnw'n aflonydd a phiwis, yn chwyrnu ac yn poeri. Roedd môr Aberdaron heno'n hollol ddi-hid.

Ar ôl ychydig, cododd ar ei thraed. Na, doedd dim golwg ohono ar y traeth: roedd o wedi mynd.

Dringodd i lawr o'r graig. Tynnodd ei sandalau a cherdded yn droednoeth dros y tywod gwlyb – merch mewn sgert sipsi werddlas, laes, a chroen ei hysgwyddau a rhannau uchaf ei breichiau'n dyner ac yn goch ar ôl cusan yr haul. Merch dal efo gwallt tywyll syth a hir, a edrychai gan amlaf yn hŷn na'i hoed ond a edrychai heno flynyddoedd yn iau.

A gweddïai na ddeuai ar draws neb roedd hi'n ei adnabod, ddim rŵan – *plis* ddim rŵan – 'chos dwi'n gallu teimlo'r dagra'n dechra hel, meddyliodd, a dwi ddim yn meddwl y galla i ddiodda ca'l rhywun yn fy nghyfarch i efo gwên, yn bod yn glên efo fi.

Ddim rŵan.

Meddyliodd am adael y sgert sipsi a'r sandalau yno ar y tywod, a cherdded i mewn i'r môr. Yna meddyliodd sut y byddai ambell un – am flynyddoedd, am ganrifoedd wedyn efallai, ac ar nosweithiau braf o Awst fel heno – yn teimlo rhyw ias ryfedd o gael cip, dim ond am eiliad neu ddau, ar silwét o ferch yn eistedd ar y creigiau yn siâp du yn erbyn oren y machlud.

Ond erbyn iddyn nhw gerdded yno ac edrych yn iawn, byddai wedi diflannu.

Teimlai'r tywod a'r tonnau bychain yn oer ar fodiau ei thraed. Sylweddolai na fedrai fyth gerdded i mewn i'r môr – y ffasiwn ystrydeb! Yr eneth gadd ei gwrthod, la-di-da-di-ffwcin-da! – felly trodd am adref.

Yng nghysgod y sŵn a ddeuai o'r Llong a Thŷ Newydd, brwsiodd y tywod oddi ar wadnau ei thraed cyn eu gwthio'n ôl i mewn i'w sandalau. Ond roedd y gân, yr hen, hen faled honno ac un o ffefrynnau ei mam, wedi setlo yn ei meddwl. Hanes Jane Williams druan, o ardal Cynwyd, wedi mopio'i phen efo rhyw borthor parseli yng ngorsaf Caer, ac efallai wedyn wedi gwneud amdani'i hun o'i herwydd. Yn ôl y gân, roedd 'darn o bapur yn ei llaw' pan ddaethpwyd o hyd i'w chorff 'yn nyfroedd glân yr afon', a'i geiriau olaf wedi'u sgwennu arno.

Sut oedd yr inc heb redeg ar ôl bod yn y dŵr drwy'r nos?

'Corni, corni, corni,' meddai wrthi'i hun.

Ond roedd y gân yn mynnu aros efo hi'r holl ffordd adref. Sylweddolodd y byddai geiriau'r holl ganeuon pop gwirion yna hefyd yn taro deuddeg unwaith eto rywbryd yn y dyfodol: pethau felly oedden nhw, yn meddwi rhywun wrth syrthio mewn cariad ac yn lliniaru'ch teimladau pan ddôi pethau i ben.

Ond teimlai'n falch nad oedd hi wedi dweud dim mwy na 'Iawn – ocê.'

Roedd hynny'n rhywbeth, yn doedd?

* * *

Gartref, a hithau wedi glanhau'r tŷ o'r top i'r gwaelod bob dydd ers deng niwrnod, brwydrodd yn erbyn y demtasiwn i faeddu a chwalu a thorri pethau'n deilchion ym mhob un ystafell.

Eisteddodd wrth fwrdd y gegin a gwylio'r mwg yn codi'n ddiog oddi ar wyneb ei choffi. Yna byseddodd drwy'r cardiau post a orweddai ar y bwrdd o'i blaen, un o Gyprus, un o'r Aifft ac un o Fethlehem, i gyd wedi'u sgwennu gan ei thad ac yn dechrau gydag 'Annwyl Gyw Melyn Olaf'. Edrychai'r môr o gwmpas Cyprus yn annaturiol o las, felly hefyd yr awyr uwchben y Sphinx ar flaen y cerdyn o'r Aifft. Dangosai'r un o Fethlehem yr union fan lle bu Mair yn chwysu ac yn griddfan wrth eni Crist. Seren arian wedi'i gosod mewn marmor ar y llawr, a phymtheg o lampau'n hongian uwch ei phen. *Dim byd tebyg i'r llety llwm!* meddai llawysgrifen flêr ei thad. *Siomedig iawn!*

Mi fyddan nhw'n ôl yma mewn chydig ddyddiau,

meddyliodd, a theimlo'n falch nad oedd ei rhieni gartref heno pan gyrhaeddodd hi'n ei hôl o'r traeth.

Y tu allan, rŵan, roedd hi'n dechrau nosi.

Gwyddai ym mha gwpwrdd roedd y wisgi'n cael ei gadw, ym mha un roedd y tabledi.

Cododd a mynd i fyny'r grisiau. Roedd arogl yr haf yn dal i lenwi'i ffroenau – gwymon a thywod a heli ac Ambre Solaire. Yn y gawod, teimlai'r dŵr ar ei hysgwyddau tyner fel petai rhyw sadist yn rhwbio'i chnawd â brws sgwrio. Yno, collodd ei dagrau cyntaf, yn ei chwrcwd i ddechrau ac yna'n eistedd ar y llawr a'i thalcen yn gorffwys ar ei phengliniau.

'Dydi o ddim yn haeddu dy ddagra di, pwt.'

Bron na fedrai glywed llais ei thad yn ei chysuro. Ond mi fasa ganddo gryn dipyn mwy i'w ddweud petai'n gwybod pam roedd ei gyw melyn olaf yn torri'i chalon fel hyn ar lawr y gawod, a diolchodd eto fod ei rhieni heno'n cysgu i gyfeiliant sicada.

Yn ei gwely, a phad o bapur yn pwyso ar ei choesau, copïodd gerdd gan Katie Donovan. 'I want you to feel the unbearable lack of me,' ysgrifennodd yn ei llawysgrifen orau, fel tasa hi'n gwneud ei gwaith cartref ac eisiau plesio'i hoff athro, a blaen ei thafod yn sbecian o gornel uchaf ei cheg wrth iddi ganolbwyntio. 'I want you to keep stubbing your toe on the memory of me . . .'

Darllenodd y gerdd drwyddi ar ôl gorffen ei sgwennu, ei llygaid yn symud yn ôl ac ymlaen rhwng ei chopi hi a'r dudalen yn y llyfr. Chwaraeodd â'r syniad o dynnu lluniau calonnau o gwmpas y gerdd. Na, penderfynodd, byddai hynny'n rhy blentynnaidd.

Cododd a phlygu'r dudalen a'i rhoi mewn amlen. Wrth lyfu'r amlen, ceisiodd feddwl am ffordd o adael y darn papur yn rhywle lle y byddai o – a neb ond y fo – yn siŵr o ddod ar ei draws.

Ond yn ei gwely, wedi diffodd y golau, ni allai feddwl am ddim byd ond llinellau olaf y gerdd:

I am haunting your dreams,
conducting these fevers
from a distance,
a distance that leaves me weeping,
and storming,
and bereft.

* * *

Teimlai fel melltithio'r haf am ei sbeitio â'i heulwen. Dylai'r gorwel fod yn wyn ac yn fflachio efo mellt, a chymylau duon, anferth uwchben Aberdaron. Dylai udo cwynfanus y gwynt ei chadw'n effro drwy'r nos, bob nos, a dylai'r glaw sgubo'n ddi-baid i fyny'r gelltydd a'r rhiwiau, dros y clogwyni a'r creigiau a'r traeth. Dylai pawb a fentrai allan o'u tai fod wedi'u gwisgo mewn du, pob cwpwl yn edrych fel y ddau yn narlun Grant Wood, *American Gothic*.

Yn hytrach, tywynnai'r haul bob dydd a gwisgai pawb y nesaf peth i ddim, a'r rheiny'n ddillad lliwgar a llachar.

Carnifal yn lle cynhebrwng. Teimlai Leah fel sgrechian arnyn nhw i gyd.

Codai'n gynnar bob bore i fynd â'r ci am dro – un o'i dyletswyddau nes y byddai ei rhieni'n dychwelyd adref. Y bore hwn, i lawr ger y traeth, safodd yn gwylio Dyfrig ac Awel yn rhedeg – y ddau efo'i gilydd, fel arfer. Roedd llawer gwell siâp ar Dyfrig ar ôl blwyddyn o redeg bob bore dan ddisgyblaeth lem ei ferch. Cododd ei llaw arnyn nhw pan ddigwyddon nhw edrych i'w chyfeiriad, cyn troi a chychwyn tuag adref.

Yno, fe'i hastudiodd ei hun yn y drych gan sefyll yn noethlymun o'i flaen, ei chnawd yn binnau bach ar ôl ei chawod ond ei hysgwyddau, lle'r oedd y lliw haul ar ei waethaf, yn nodwyddau.

Does 'na ddim byd wedi newid, meddyliodd. Yr un corff ydi o.

'Rw't ti wedi deffro rhwbath ynddа i,' medda fo wrthi.

Ond roedd pryder yn ei lygaid wrth iddo ddweud hyn: doedd o ddim yn hapus fod be-bynnag-oedd-o wedi cael ei ddeffro ganddi. Dechreuodd hithau godi'i breichiau gyda'r bwriad o afael amdano a'i wasgu'n dynn a'i sicrhau nad oedd raid iddo sbio arni fel yna, y byddai popeth yn iawn, yn tshampion.

Wir yr.

Ond cododd o a symud oddi wrthi cyn iddi fedru gwneud hynny, codi a gwisgo amdano'n frysiog. Fel tasa'r weithred o wisgo yn ei wneud yn fwy swil o beth myrdd na'r un o ddiosg y dillad yn y lle cyntaf. Bron y disgwyliai ei glywed yn dweud wrthi am beidio â'i wylio. Ond ei wylio a wnaeth, gan orwedd yno'n hollol noeth a'i herio, bron, i droi'i ben ac edrych arni.

Ai wrthi hi roedd o wedi dweud y frawddeg honno? Ynteu wrth ei chorff?

Cododd ei bronnau a'u gwthio allan oddi wrthi fel petai'n eu cynnig i'r ferch yn y drych. Edrychai fel gwrach, penderfynodd. Nid hen, hen wrach mewn stori dylwyth teg, ond gwrach ifanc oedd newydd ddarganfod bod ganddi'r pŵer mwyaf anhygoel.

Gwenodd.

Yng nghaffi'r Gegin Fawr, lle roedd Awel a hithau'n gweithio drwy'r gwyliau, roedd hi wedi dweud wrth Awel, 'Ella gwna i ymuno efo chi un bora,' er nad oedd ganddi unrhyw fwriad o wneud hynny. 'Chdi a dy dad. Os ca i.'

'Chdi . . .?'

'Pam lai? Ond ddim tan bydd Mam a Dad wedi dŵad adra. Fedra i ddim dŵad tra bydd y ci gin i.'

Yn ei bag o hyd, yn ei hamlen, roedd y gerdd honno gan Katie Donovan. 'I want you to drive yourself crazy / with the fantasy of me', meddyliodd. Tybed a ydw i'n ddigon o wrach i greu storm? Ydw i'n ddigon 'tebol, sgwn i?

Fe'i gwelodd ei hun ar ben clogwyn yn dawnsio'n wyllt a'i gwallt yn cael ei chwipio gan y gwynt i bob cyfeiriad.

'I am haunting your dreams, / conducting these fevers / from a distance, / a distance that leaves me weeping, / and storming . . .'

Doedd hi ddim eto wedi penderfynu be i'w wneud efo'r amlen. Ddim eto.

* * *

Y noson cyn y byddai ei rhieni'n dychwelyd adref, daeth Awel draw. Roedd arni eisiau trafod Ffrainc.

Ffrainc! Bu bron i Leah floeddio chwerthin. Trodd at y mygiau coffi i guddio'i gwên.

Ond roedd Awel wedi cael cip arni.

'Buan iawn yr eith y flwyddyn nesa,' meddai. 'Yn enwedig efo'r holl ffwcin arholiada 'ma.'

'Ia, ti'n iawn.'

Roedd y tywydd wedi troi. Glaw a gwynt heno, a'r glaw'n crafu yn erbyn gwydrau'r ffenestri fel tasa ganddo fo ewinedd melyn, miniog.

Efallai ei bod hi'n dipyn o wrach wedi'r cwbwl.

'Rw't ti'n dal i fod isio dŵad, yn dw't?'

Trodd Leah tuag ati efo'r mygiau coffi. 'Yndw, siŵr.'

Syllodd Awel arni efo'r llygaid llonydd rheiny.

'*Yndw*, Awel.'

Awel, a oedd wedi magu rhyw 'thing' am y bardd ifanc Arthur Rimbaud; gwyliai'r ffilm *Total Eclipse* bob gafael, er mai wfftio at Leonardo DiCaprio a wnâi cyn hynny. Roedd y ddwy ohonyn nhw'n dilyn cwrs Ffrangeg Lefel A yng ngholeg chweched dosbarth Meirion-Dwyfor ym Mhwllheli, ac am dreulio'r haf canlynol yn teithio trwy Ffrainc.

Neu felly roedden nhw wedi penderfynu 'nôl ym mis Ionawr. Ond i Leah, roedd y syniad wedi dechrau colli'i sglein yn ddiweddar.

Ysgwn i pam, meddyliodd yn sarrug. Rhoddodd un o CDs yr Unthanks ymlaen i chwarae yn y cefndir. Ceisiodd ganolbwyntio ac ymateb fel y dylai wrth i Awel delynegu am ddyffryn Loire a'r blodau haul anferth, am logi beiciau ac ymweld â *châteaux*; am Brofens, am ddarluniau Cézanne yn dod yn fyw, am hen ddynion yn chwarae *pétanque* ar y sgwâr mewn pentrefi tawel, *Jean de Florette* a *Manon des Sources* . . .

Ar ôl ychydig, cododd ac estyn sudd oren a photel o fodca. Newidiodd yr Unthanks am Kings of Leon. Ydw, dwi isio mynd, meddai wrthi'i hun. Mi fydd pob dim yn wahanol ymhen blwyddyn. 'I want you to feel as though / life after me is dull, and pointless, / and very, very aggravating . . .'

Wrth y drws pan oedd hi'n gadael, meddai Awel: 'Ti'n siŵr dy fod ti'n ocê?'

'Yndw. Pam?'

'A ti'n bendant isio dŵad?'

'Yndw.'

Safodd yn y drws yn gwylio Awel nes iddi fynd o'r golwg yng ngwaelod yr allt. Cafodd ei themtio i redeg ar ei hôl a dweud y cyfan wrthi. Y fodca, mae'n siŵr, oedd yn gyfrifol am hynny, meddyliodd. Diolch byth fod y ddwy ohonyn nhw'n gweithio drannoeth felly, nad oedden nhw wedi gwneud noson ohoni, neu Duw a ŵyr be fasa wedi digwydd, be fasa wedi cael ei ddweud.

Estynnodd ei chôt a mynd â'r ci allan i wneud ei fusnes. Roedd y glaw wedi peidio, a chwythai'r gwynt gymylau ar draws yr awyr, gan glirio'i phen yr un pryd. Chwaraeodd â'r syniad o fynd i lawr at y môr i wylio'r lleuad yn dawnsio ar y tonnau, ond yn y diwedd penderfynodd beidio.

Yn ôl yn y tŷ, golchodd y gwydrau fodca a chadw'r botel yn ôl yng nghefn y cwpwrdd. Fy noson ola gartra ar fy mhen fy hun, meddyliodd. A dyma fi'n ei gwastraffu hi drwy fod yma ar fy mhen fy hun. Yn ei gwely, gadawodd i'w llaw grwydro i lawr dros ei bol a rhwng ei chluniau. Meddyliodd am ei wefusau'n dawnsio'n ysgafn fel gloÿnnod byw dros ei bronnau cyn cau'n dynn dros ei thethi.

'Rw't ti wedi deffro rhwbath yndda i,' meddai wrthi.

Caeodd ei llygaid rhag iddi weld y pryder yn ei lygaid, ac ochneidiodd ei enw'n uchel yn nüwch yr ystafell.

2
Lord Byron ar Ynys Enlli

Dwy o bethau surbwch os buo rhai erioed, oedd barn Siôn. 'Pwy 'di'r rhein?' gofynnodd i Cledwyn pan welodd y ddwy'n cyrraedd efo'u rhieni. 'Y Chuckle Sisters?'

Gwenodd Cledwyn. 'Heulwen ydi enw'r un ar y chwith, dwi'm yn ama,' meddai. 'A'r llall . . . Siriol, ella?'

Wrthi'n llwytho'r cwch ym Mhorth Meudwy roedden nhw pan gyrhaeddodd y teulu – tad a mam a dwy ferch yn eu harddegau cynnar a edrychai fel tasen nhw'n cael eu tywys i'r crocbren, ill dwy am y gorau i wgu fel Beethoven ar bawb a phopeth. Plonciodd y ddwy eu hunain ar graig ag ochneidiau uchel o syrffed tra oedd y cwch yn cael ei lwytho. Wedi iddyn nhw fynd i mewn i'r cwch, ceisiodd Siôn helpu un ohonyn nhw hefo'i siaced achub. '*Gerroff me*!' chwyrnodd honno arno.

Bodda ta'r ast, meddyliodd Siôn. Edrychai'r tad fel petai'r creadur wedi hen roi'r ffidil yn y to efo'r ddwy; eisteddai ar wahân yn syllu ar y gwylanod yn mynd a dod o'r creigiau, a gadael i'w wraig glwcian o gwmpas y bychod. 'They won't leave until you've got your jacket on properly, now come on . . .'

Doedd y daith i Enlli ddim yn un hollol esmwyth; dim ond ugain munud, ond roedd wynebau'r ddwy yn reit wyn erbyn i'r cwch lanio yn y Cafn. Gwyliodd Siôn y fam yn ceisio ennyn rhywfaint o ddiddordeb ynddyn nhw drwy bwyntio at y morloi a orweddai ar y creigiau yr ochr draw i'r Henllwyn, ond waeth iddi fod wedi pwyntio at lwmp o gachu defaid ddim. Roedd y tad eisoes wedi cerdded o'u blaenau, wedi cymryd y goes cyn gynted ag roedd Cledwyn wedi gorffen ei anerchiad.

'Dyna i ni ddwy sy ddim isio bod yma fwy na ma nhw isio cic yn eu penola,' meddai Cledwyn.

'Dyna be ma nhw 'i angan, be bynnag,' atebodd Siôn.

Gwenodd Cledwyn. 'Os ydyn nhw fel hyn rŵan, yna Duw a'n helpo ni pan welan nhw'r lle chwech.'

Am hydoedd wedyn, câi Siôn ffitiau o chwerthin wrth feddwl am y bychod yn rhythu ar unig doiled cyhoeddus yr ynys, gyferbyn â'r abaty. Ni wnâi'r gair 'cyntefig' unrhyw gyfiawnder â'r golofn fechan o frics a cherrig â thwll crwn yn ei chorun, dau rowlyn o bapur tŷ bach, dau fìn sbwriel ac, i goroni'r cyfan, dysgl olchi llestri blastig yn llawn o lwch lli ar gyfer galwadau mwy swmpus.

Er y rhoddai Siôn y byd am gael gweld eu hwynebau, yn ei farn o ni ddylai pobol fel y genod yna gael rhoi'r un o'u hen draed anniolchgar ar dir Enlli, ar unrhyw gyfrif – er bod lle i ddadlau hwyrach mai arnyn nhw a'u bath yr oedd gwir angen heddwch ysbrydol yr ynys. Dechreuodd ddadlwytho'r cargo, a gynhwysai heddiw fwrdd bwyta a phedair cadair: roedd trelar yn barod ar eu cyfer ar y lanfa.

Erbyn iddyn nhw orffen dadlwytho, roedd yr haul yn sgleinio a'r môr wedi llonyddu dan ei wên fel dosbarth anhydrin pan fydd yr athro'n dod i'r golwg. Ymsythodd Siôn o'i gwrcwd gan ymestyn: roedd gwres annisgwyl o gryf yn yr haul heddiw, a thynnodd ei siaced law neilon dros ei ben er mwyn i'w gorff fedru anadlu. Seiniai cân y morloi'n glir dros yr Henllwyn, a meddyliodd mor braf fasa cael bod yn un ohonyn nhw weithiau.

Gwelodd fod cymylau'r bore wedi cilio bron bob un. Byddai heno'n noson braf.

Damia.

Roedd o, yn hunanol i gyd, wedi gobeithio am law, glaw trwm a fyddai wedi golygu canslo'r barbeciw gythral hwnnw oedd yn cael ei gynnal y noson honno ar draeth Porthor. Ond roedd ei ffrindiau'n edrych ymlaen ato ac wedi cymryd yn ganiataol ei fod yntau'n teimlo'r un fath. Dim ond tridiau o wyliau'r haf oedd ar ôl, wedi'r cwbwl, a go brin y byddai cyfle am un arall eleni. Fyddai o ddim yn un mawr, cyhoeddus, chwaith: criw o ffrindiau'n canu'n iach i'r haf, dyna'r cwbwl, rhyw fath o barti preifat, bychan, yn cael ei gynnal gan ddau ddyn ifanc hoyw nad oedd Siôn yn eu hadnabod yn dda iawn, dim ond fel ffrindiau i ffrindiau. Roedd Awel hyd yn oed wedi trefnu lifft i'r tri ohonyn nhw, yno ac yn ôl: eu mam am eu danfon yno, ac Alun Warren, tad Leah Wyn, wedi dweud y basa fo'n galw amdanyn nhw ar ddiwedd y noson.

'Sgin ti'm esgus, felly,' roedd Awel wedi dweud wrtho ddyddiau ynghynt.

Nag oedd – ond gweddïai'n ddistaw bach am law. Codwyd ei galon rywfaint neithiwr pan ddechreuodd fwrw glaw mân, ond roedd hwnnw wedi hen beidio erbyn iddo gyrraedd Porth Meudwy heddiw. A rŵan – haul.

Fedrai Awel ddim dallt pam roedd o mor negyddol, ond doedd ei efeilles ddim yn gwybod ei fod wedi gwneud idiot ohono'i hun yng ngŵyl Wakestock ganol yr haf; roedd yn amlwg nad oedd Leah wedi dweud wrthi, diolch i Dduw. Ers hynny roedd o wedi gwneud ei orau i osgoi Leah – nid fod hynny'n beth hawdd mewn pentref mor fach, yn enwedig â hithau ac Awel yn ffrindiau pennaf.

Ei hosgoi hi.

Ar ôl dyheu cyhyd am gael bod yn ei chwmni, dyma fo rŵan yn trio'i orau i'w hosgoi hi. Roedd o wedi llwyddo'n wyrthiol hefyd – trwy lwc, pur anaml y byddai Leah'n galw'n ddiweddar – tan iddyn nhw daro ar ei gilydd un bore yn Siop Eleri.

'Haia . . .'

'Haia.'

'Ti'n ocê?'

'Yndw. A chditha?'

'Yndw, grêt.'

Nid sgwrs oedd peth fel yna, siŵr, dim ond dau berson yn cyfnewid rhyw hanner dwsin o eiriau arwynebol. Dau berson oedd yn adnabod ei gilydd yn dda, dau berson a arferai fwynhau pryfocio'i gilydd yn ddidrugaredd. Dau berson a arferai fod yn ffrindiau agos . . .

. . . nes i un ohonyn nhw ddifetha hynny i gyd, meddyliodd. Diolch i Dduw nad oedd yr Awel graff yn y siop efo fo: mi fasa hi wedi'i holi fo'n dwll bob cam yn ôl adref, ac os na châi unrhyw lwc, yna mi fasa wedi holi Leah nes y byddai'n gwybod y cyfan.

Rywbryd o gwmpas y Pasg, deallodd Siôn fod Alun a Morfudd Warren yn mynd i ffwrdd am bythefnos o wyliau i Gyprus, gan adael Leah gartref i warchod y ci a'r tŷ. Roedd wedi mwynhau sawl ffantasi amdanyn nhw'u dau'n manteisio ar gael y tŷ iddyn nhw'u hunain, ac roedd y ffantasïau mor gryf nes iddo'i gael ei hun un diwrnod yn edrych ymlaen at weld rhieni Leah yn ei goleuo hi am Gyprus. Ac efallai mai dyna a'i sbardunodd i wneud llanast o bethau yng ngŵyl Wakestock – hynny a'r cwrw roedd wedi'i yfed, a'r spliff roedd wedi'i rannu hefo'i fêts funudau cyn i Maximo Park ddod ar y llwyfan, a'r ffaith mai Leah oedd wedi dod ato *fo* gan ei lusgo efo hi i ganol y dorf. Ffantasïau cryfion a oedd, rywsut neu'i gilydd, wedi datblygu'n realaeth, ond dim ond yn ei feddwl bach dryslyd, pathetig o.

Cofiai fod rhywun wedi paentio'i hwyneb yn streipiau coch a melyn ar ei bochau, ei thalcen a'i gên. Gwyddel o'r enw Ciaran, deallodd wedyn, rhyw *surfer dude* o Galway a edrychai'n debycach i rywun o Galiffornia, a oedd wedi swyno Awel gyda'i straeon am Ynysoedd Aran, yn enwedig Inis Mór, ac a ddiflannodd efo hi i rywle tawel a thywyll. Ond prin y meddyliodd Siôn am ei chwaer oherwydd roedd o efo Leah, ar ei ben ei hun efo Leah. Roedd hi reit wrth ei ochr, ill dau'n mwynhau'r gerddoriaeth ac yn gorfod gweiddi i mewn i glustiau'i gilydd bob tro roedd un ohonyn nhw eisiau dweud rhywbeth wrth y llall. Ac ar ôl blynyddoedd, bellach, o ddyheu a thin-droi ac ofnus betruso, o faglu dros ei eiriau a methu magu digon o blwc, roedd y profiad o gael anwesu cnawd tyner ei chlust chwith efo'i wefusau poethion yn ormod i Siôn. Rhoes ei fraich am ei hysgwydd a phan drodd Leah ato i weld be gythgam oedd ar yr hogyn ei eisiau eto fyth, symudodd Siôn ei wefusau oddi ar ei chlust a'u plannu ar ei rhai hi.

Roedd Leah wedi'i wthio fo oddi wrthi fel tasa'r gwahanglwyf arno.

'Ffyc off, Siôn!'

Digon hawdd oedd darllen y geiriau cyfarwydd hyn ar ei gwefusau. Gwelodd hefyd fod rhywbeth tebyg i fraw yn llenwi'i hwyneb, ac atgasedd yn llenwi'i llygaid. Daeth ato a chydio ynddo gerfydd ei wallt a thynnu'i glust i lawr at ei cheg, ond nid i'w hanwesu â'r gwefusau gogoneddus rheiny, o na. Gwaeddodd i mewn i'w ben, 'Y chdi ydi'r boi *dwytha* 'swn i'n mynd efo fo!'

Yna fe'i gwthiodd oddi wrthi unwaith eto, cyn troi a diflannu i mewn i'r dorf.

* * *

Wedi teimlo'n saff efo fo roedd hi, sylweddolodd wedyn. Roedd eisiau cwmni rhywun arni, ond nid rhywun fyddai'n ei byseddu a'i llyfu a thrio gwthio'i dafod i lawr ei chorn gwddw. Credai mai fo, Siôn, ei ffrind, fyddai'r person diwethaf i drio gwneud rhywbeth felly. Teimlai ei fod wedi'i siomi, wedi'i brifo, a rhoddai'r byd am allu ymddiheuro iddi a chael maddeuant ganddi, ond dywedai rhyw lais bach mewnol wrtho na fyddai hynny'n digwydd, ac na fyddai pethau byth yr un fath rhyngddyn nhw eto.

Roedd hyn wedi digwydd ddechrau mis Gorffennaf; bythefnos wedyn, aethai Alun a Morfudd Warren i ffwrdd ar eu gwyliau. Ni fedrai Siôn beidio â meddwl am Leah yn y tŷ ar ei phen ei hun, ond roedd y ffantasïau gynt wedi mynd bob un, wedi'u diffodd fel tanau bychain yr oedd o 'i hun wedi piso arnynt. Yn hytrach, fe'i dychmygai hi'n eistedd yno'n brudd, a'r siom a deimlai ynddo fo yn prysur droi'n ffieidd-dod tuag ato.

Wedi teimlo'n saff efo fo . . . ei ffrind.

Hoffai feddwl amdano'i hun fel rhyw ffigwr Byronig (roedd yn astudio Saesneg Iaith a Llên ar gyfer ei Lefel A, yn ogystal â Hanes a Chymraeg; ei fwriad oedd mynd yn ei flaen i astudio archaeoleg) – rhywun a oedd, yng ngeiriau Caroline Lamb, yn 'mad, bad and dangerous to know'. Heathcliff o hogyn, hyd yn oed, yn alltud ac yn dipyn o herwr â rhyw drasiedi dywyll a dirgel yn llechu yn ei orffennol. Roedd wedi gadael i'w wallt dyfu'n hir; meddyliai rhai mai efelychu un o sêr y byd roc roedd o, ond meddyliai eraill fod golwg y diawl arno (Hwfa Môn fyddai Cledwyn yn ei alw, er enghraifft). Yn ystod y gaeaf, hoffai wisgo côt ddu, laes a sgarff a oedd bron yn wirion o hir nes bod gofyn iddo'i lapio sawl gwaith am ei wddf er mwyn cadw'r gwaelodion rhag llusgo ar y ddaear. Anaconda o sgarff.

Roedd yn dyheu am gael mynd i ffwrdd i brifysgol yn rhywle er mwyn gallu datblygu'r ddelwedd hon a'i pherffeithio; roedd llawer gormod yn ei nabod o yma ym Mhen Llŷn, ac yn gwybod nad un fel yna oedd o mewn gwirionedd. Ddim o gwbwl. Os rhywbeth, roedd yn hogyn call, da a diogel iawn i'w adnabod, ac mi fasa'r Foneddiges Lamb wedi cael ei siomi'n ddirfawr ynddo. Roedd yn rhy glên i fod yn rhodresgar, yn rhy agored i fod yn synfyfyriol fel Byron, ac yn ormod o ramantydd o beth myrdd i fod yn sinig.

Roedd o wedi ffansïo Leah Wyn ers iddo ddechrau clywed oglau ei ddŵr. Ymysg eraill, hynny yw. Teimlai nad oedd ganddo fawr o obaith efo Leah; roeddynt yn nabod ei gilydd yn rhy dda, felly roedd Siôn wedi bodloni am rai blynyddoedd ar ei llygadu'n slei. O flwyddyn i flwyddyn syrthiai i mewn ac allan o gariad efo nifer o genod, ond roedd un ar ôl y llall yn dweud bod yn well ganddyn nhw feddwl amdano fel ffrind yn hytrach na chariad.

Digwyddai hyn hyd yn oed efo genod oedd wedi bod allan efo fo. Drannoeth – ddeuddydd neu dridiau wedyn fan bellaf – byddai'r geiriau anochel rheiny'n cael eu dweud wrtho. Roedden nhw i gyd yn ei hoffi – fel ffrind – ac yn teimlo'n saff efo fo, ond doedd yr un ohonyn nhw eisiau mynd allan hefo fo.

'Dwi'm yn dallt y peth,' cwynodd wrth Awel un tro, 'ma nhw i gyd yn deud mod i'n foi neis, ond . . . *ond* . . .' Ochneidiodd. 'Ma 'na wastad rhyw ffwcin *ond*.'

'Rhy neis w't ti, dyna dy draffath di,' meddai Awel wrtho.

'Sut medar rhywun fod yn *rhy* neis?'

Cododd Awel ei hysgwyddau.

'Dwn 'im. Ond rw't *ti*'n 'i fanijio fo, ma'n amlwg . . .'

Neidiodd Siôn wrth i law Cledwyn gau am ei ysgwydd. ''Mond disgwl am y ddau adarydd 'na, ac mi awn ni'n ein hola.'

Eisteddodd y ddau ar ochr y lanfa. Daethai Siôn i adnabod Cledwyn pan oedd Cwmni'r Daron yn gwneud rhaglen deledu am Enlli. Ei fam, Rhiannon, oedd yn cynhyrchu'r rhaglen ac roedd Siôn i fod i'w helpu, gan ei fod ar ei wyliau o'r ysgol ar y pryd. Ond roedd yn well ganddo helpu Cledwyn, a phob haf ers hynny bu'n gweithio iddo, ar y cwch gan amlaf, ond weithiau ar Enlli hefyd, yn helpu gyda'r cludo 'nôl ac ymlaen i'r ynys, ac ambell joban syml o drwsio, er ei fod yn hollol anobeithiol yng ngwersi gwaith coed Alun Warren pan oedd yn ddisgybl yn Ysgol Botwnnog.

'Sut ma dy fam y dyddia yma?' holodd Cledwyn.

'Iawn, diolch.'

'Cofia fi ati, 'nei di?'

'Siŵr o neud.'

Gwyddai pawb bellach fod pethau'n o ddrwg ar Gwmni'r

Daron – fel roedd hi, yn wir, ar nifer fawr o'r cwmnïau teledu annibynnol, a sawl un ohonyn nhw wedi gorfod rhoi'r gorau iddi. Roedd yna adeg pan oedd logo Cwmni'r Daron – pont fach garreg, henffasiwn dros afonig fyrlymus – i'w weld ar y sgrin yn wythnosol, bron, gyda gwahanol gynyrchiadau. Ond daethai'r dyddiau hynny i ben dros bedair blynedd yn ôl bellach, a hynny'n greulon o ddirybudd. Y dyddiau yma, roedd wyneb Cledwyn i'w weld ar y sgrin yn amlach na logo Daron; eisoes eleni roedd o wedi ymddangos ar raglenni Trevor Fishlock a Iolo Williams.

Pwniodd Cledwyn Siôn yn ysgafn yn ei goes. 'Deud wrthi ein bod ni'n gweld 'i cholli hi. Hi a Gwynant Jôs, yndê.'

Nodiodd Siôn. 'Mi wna i, Cled. Diolch.' Ond gwyddai'n iawn beth a ddywedai Rhiannon tasa fo'n dweud hyn wrthi. 'Be sy ar y bobol 'ma? Wa'th iddyn nhw heb â deud wrtha i eu bod nhw'n gweld 'y ngholli fi. Isio iddyn nhw ddeud wrth y bobol 'na draw yng Nghaerdydd sy!'

Roedd hi a Gwynant, pennaeth y cwmni, wedi anfon dros ddeugain o syniadau i mewn eleni, gwyddai Siôn – dim ond i gael 'Na' yn ateb i bob un wan jac ohonyn nhw. Ond doedd wiw iddo ddweud hynny wrth Cledwyn na neb arall.

Cododd Cledwyn ar ei draed wrth i ddyn a dynes yn eu chwedegau ymddangos wrth y lanfa – yr adaryddion, wedi aros yno dros nos ac wedi cael modd i fyw pan laniodd adar drycin Manaw ar yr ynys yn ystod oriau'r tywyllwch, a'u sgrechfeydd yn arallfydol wrth iddyn nhw ddisgyn o'r awyr ddu.

Safodd Siôn hefyd, ychydig yn gyndyn. Rhoddai'r byd am fedru aros yma heno. Chwiliodd yr awyr am gwmwl neu ddau, am ryw lygedyn bychan o obaith y byddai'r tywydd yn troi unwaith eto. Ond roedd cyn lased ag awyr mewn catalog gwyliau, go damia hi.

Mor braf fasa cael bod yn forlo.

3
Darpar wrach

Gwyddai mai ildio fyddai ei hanes hi yn y pen draw.

Roedd ei rif o ganddi ar ei ffôn. Ar ei chof, erbyn hyn. Fuodd hi erioed yn un dda am gofio rhifau ffôn symudol, ond roedd hi'n cofio hwn, wrth gwrs ei bod hi, os rhywbeth yn well na'i rhif hi ei hun. Roedd wedi meddwl droeon gymaint haws fasa pethau pe na bai hi erioed wedi'i gopïo, erioed wedi'i ddysgu.

Roedd wedi tynnu'i ffôn o'i bag ddwsinau o weithiau, ei bysedd wedi hofran dros y botymau bychain, ond ei roi yn ôl a wnaeth bob tro.

Braf fasa gallu anghofio bod ffôn ganddi o gwbl.

Am ryw reswm rhyfedd, sadistaidd, roedd yr ysfa i'w ffonio yn aml iawn yn waeth, yn gryfach, pan oedd pobol eraill o'i chwmpas. Ei rhieni, er enghraifft, yn ôl adref bellach ers dros bythefnos ond heb golli'r lliw haul eto. Roedd ei mam wedi cael lliw bendigedig – wastad wedi bod yn un lwcus yn hynny o beth – ond ei thad fel tomato bach blewog hefo coesau. Tasa fo'n siafio'i locsyn, mi fasa'n edrych fel rhyw iob pêl-droedaidd wedi paentio'i wyneb yn wyn a choch ar gyfer gêm. Ac Awel, wedyn, o'i chwmpas fwy neu lai drwy'r dydd yn y Gegin Fawr, ac os nad oedd Awel yno, roedd y rheolwraig neu'r cwsmeriaid yno.

A'i ffôn bob amser yn bryfoclyd o fewn ei chyrraedd.

Yn y diwedd fe ddaeth y pen draw, yn do, a rhaid oedd ildio. Dewisodd ei hamser a cherdded i lawr heibio i'r toiledau cyhoeddus uwchben y traeth, eistedd ar y fainc, estyn ei ffôn o'i bag a gwasgu'r botymau fesul un.

'Haia . . .'

'Helô?'

'Fi sy 'ma.'

Na, meddyliodd, nid ochenaid a glywais i rŵan, ond sŵn yr awel yn sibrwd drwy'r moresg a dyfai yn y tywod o gwmpas y fainc.

'Aros am funud, 'nei di?'

Clywodd sŵn injan ei gar yn dechrau arafu, a thic-tician ei arwydd wrth iddo dynnu i mewn ar ochr y ffordd. Wedyn saib, fel tasa fo'n syllu ar ei ffôn ac yn ymgodymu â'r demtasiwn i'w ddiffodd. Ac yna sŵn drws y car yn agor a chau.

'Sut cest ti afa'l ar y rhif yma?'

Doedd hi ddim am ateb cwestiwn mor wirion; doedd ond eisiau iddo fo feddwl rhyw fymryn. Efallai nad oedd o'n disgwyl ateb, beth bynnag; roedd ei galwad wedi'i daflu, ac roedd o'n flin efo hi am alw a hithau ar un adeg wedi addo peidio.

Byth.

'Fedra i ddim gneud hyn,' meddai wrtho.

'Gneud be?'

'Hyn! Ysti . . .'

'Na wn i. Be?'

O, roedd o'n gwybod yn iawn, a rhybudd oedd y tinc diamynedd, oeraidd hwnnw yn ei lais, rhybudd iddi hi i beidio â dweud y geiriau.

Ond fe'u dywedodd nhw'r un fath, er eu bod mor uffernol o gorni.

'Bod hebddach chdi.'

Ochenaid bendant y tro hwn, a brysiodd yn ei blaen.

'Ti'n gwbod be dwi'n 'i feddwl. Peidio gallu dy weld ti, peidio *ca'l* dy weld ti. Tasa fo 'mond bob hyn a hyn, mi fasa hynny'n ocê. 'Swn i'n gallu côpio efo hynny . . .'

''Dan ni wedi bod trw' hyn yn barod, Leah,' meddai ar ei thraws.

'Dwi'n *gwbod*. Ac ro'n i'n meddwl, pan wnes i addo . . . ro'n i'n meddwl ar y pryd y baswn i'n gallu gneud, yn gallu gada'l llonydd i chdi . . . Ond fel hyn . . . sgin i'm byd i edrach ymlaen ato fo.'

'O, paid â bod mor . . .'

Tawodd. Drwy wasgu'r ffôn yn dynn yn erbyn ei chlust, gallai ei glywed yn anadlu. Yn ochneidio.

'Mor *be*?'

'Dim byd.'

'Na, ty'd – deud be roeddat ti'n mynd i'w ddeud? Mor stiwpid, ia? Mor *blentynnaidd*?'

Roedd ei llais wedi caledu digon iddo sylweddoli ei fod ar fin troedio tir go beryglus.

Ar y traeth o'i blaen hi roedd 'na deulu'n chwarae pêl-droed, eu cysgodion yn hir ar wyneb y tywod. Rhuthrai eu ci ar ôl y bêl gan ei phwnio â'i drwyn a cheisio'i brathu.

'Ma gin ti dwn 'im faint o betha i edrach ymlaen atyn nhw, siŵr.' Roedd o'n gwneud ei orau i swnio'n amyneddgar rŵan. 'Ma gin ti dy holl fywyd . . .'

'O, plis!' torrodd ar ei draws.

'Be?'

'Sgin ti unrhyw syniad pa mor ffwcin nawddoglyd rw't ti'n swnio? Ti'n gwbod yn iawn be dwi isio. Dy weld ti. Bob hyn a hyn. Dwi'n ddigon bodlon derbyn hynny.'

Mae o ynot ti i fod yn wrach, cofia, fe'i hatgoffodd ei hun.

'Dydi hynny ddim yn bosib, Leah . . .'

'Pam?' Fe'i clywai o'n dechrau ochneidio eto fyth. 'Na, ty'd, plis deud wrtha i pam. Roedd o'n ddigon posib ddeufis yn ôl. Be sy wedi newid? Dwi yma, rw't ti yma . . . Be sy wedi newid?'

Eiliadau hir o dawelwch wedyn. Gallai Leah ei ddychmygu'n cerdded i fyny ac i lawr ar stribyn o laswellt ar ochr y ffordd, yn ôl ac ymlaen o gwmpas ei gar. Gallai glywed ambell i sibrwd gwyntog wrth i geir eraill yrru heibio iddo.

'Ro'n i'n meddwl 'yn bod ni wedi cytuno,' meddai wrthi.

'Ia, wel – ddaru ni ddim, yn naddo? Neu falla mai fi sy 'di newid 'yn meddwl. *Woman's prerogative*, dyna be ma nhw'n 'i ddeud, yndê?'

'Ti'n bod yn afresymol rŵan.'

'Ffwcin hel, 'mond isio dy *weld* di ydw i! Jest . . . weithia.' Roedd y gair 'plis' ar flaen ei thafod ond roedd hi'n benderfynol o beidio â'i ddweud. 'Dwi'm yn meddwl bod hynny'n bod yn afresymol.'

'O 'styriad bob dim, yndi mae o.'

'Ystyriad be?'

'Ti'n gwbod yn iawn. Petha fel ma nhw, yndê.'

'O, ia – y *sefyllfa*,' meddai'n chwerw.

'Ia, os leici di . . . ia. Y sefyllfa.'

Siaradodd Leah ag addfwynder hollol ffug yn llifo fel menyn o'i llais. 'Ond dydi'r *sefyllfa* ddim wedi newid chwaith, yn nac'di? Ma'r *sefyllfa* yn union fel roedd hi ddeufis yn ôl, pan oeddat ti'n ei ffeindio hi'n ddigon hawdd i fedru ngweld i, pan oeddat ti'm methu gwitsiad i ga'l dy law tu mewn i'n nicyrs i . . .'

'Ocê, reit – 'na ddigon.'

'. . . ar *dân* isio'u tynnu nhw . . .'

'Leah . . .'

'. . . am ga'l claddu dy wynab rhwng 'y nghoesa i . . .'

'Leah!'

'Be?' meddai'n ffug-ddiniwed.

'Dydi hyn ddim yn helpu.'

'Helpu pwy? Dy helpu di?'

'Dydi o ddim yn helpu neb, siarad fel'na.'

'Falla ddim, ond falla mod i ddim *isio* dy helpu di.'

'Dwi'n mynd i ddiffodd y ffôn 'ma rŵan,' meddai wrthi.

'Iawn, ocê. Ta-ta.'

'Be . . .?'

Diffoddodd Leah ei ffôn. Eisteddodd yno am rai munudau. Roedd y ci'n rhedeg i mewn ac allan o'r môr, yn chwarae mig efo'r tonnau bach ac yn cyfarth arnyn nhw'n goman.

Yna cododd a throi am adref, gan gefnu ar yr haul, yn falch mai hi a roes derfyn ar yr alwad gyntaf hon, nid y fo. Roedd y sgwrs wedi cyrraedd ei therfyn, beth bynnag.

Y sgwrs hon, o leiaf.

Byddai rhagor, gwyddai. O byddai.

Gwyliodd ei chysgod yn llithro dros wyneb y ddaear o'i blaen. A'r haul y tu ôl iddi fel hyn, edrychai fel cysgod rhywun llawer iawn talach na hi, rhywun llawer iawn teneuach, a'i gwallt hir i'w weld yn glir.

Edrychai fel cysgod gwrach.

4
Porthor

Gwyliodd Rhiannon nhw'n cerdded i lawr y llwybr o'r maes parcio, oddi wrthi a thuag at y traeth, a meddwl: Diolch i Dduw fod yna dri ohonyn nhw, fod Leah Wyn efo nhw.

Er hynny, cafodd ddigon o ysgytwad wrth eu gwylio'n mynd, o feddwl am y freuddwyd a fuasai'n aflonyddu arni'n ddiweddar, nid *bob* nos, o bell ffordd, ond yn ddigon aml i'w hanesmwytho – sawl gwaith yn ystod y deufis neu dri diwethaf.

Taniodd sigarét a phwyso'n ôl yn erbyn boned y car. Roedden nhw'n lwcus heno, y criw ifanc yma, yn lwcus uffernol hefyd, meddyliodd, nid yn unig i gael noson braf ond hefyd i gael traeth Porthor iddyn nhw'u hunain. Yn enwedig yr adeg yma o'r flwyddyn. Ond roedd Gŵyl y Banc wedi bod, fel rhyw gorwynt a oedd wedi sugno'r rhan fwyaf o'r ymwelwyr i ffwrdd hefo fo, diolch byth, ac edrychai traeth Porthor fwy neu lai fel y dylai edrych: bron yn wag heblaw am ddyrnaid o bobol ifanc lleol, a'i dywod gwyn, gwichlyd, rhyfedd yn frith o olion traed y cannoedd fu'n gwichian drosto yn ystod y dydd. Roedd yr haul yn prysuro tua'r gorwel, ac i goroni'r cyfan roedd yn amlwg y byddai'r ffodusion ar y traeth yn profi un o'r machludoedd enwog rheiny fuasai'n gwneud i T. Rowland Hughes wenu fel giât.

'Sut dach chi, Mrs Parri?'

Trodd i weld criw o ffrindiau'r efeilliaid yn dod tuag ati ar hyd y maes parcio.

'Haia . . .'

'Dach chi am ddŵad efo ni?' holodd un ohonyn nhw.

'Be – rhyw hen beth fel y fi, yn crampio steil pawb?'

Mi fasan nhw wedi ca'l hymdingar o sioc, meddyliodd wrth eu gwylio'n cychwyn i lawr y llwybr, taswn i wedi deud, ia, ocê, pam lai? Mi ddo i efo chi, dwi ddim wedi ca'l sesh ar lan-y-môr ers . . . wel, dwi ddim isio meddwl ers pryd. A phwy a ŵyr? Hwyrach y basa bod yng nghwmni criw o bobol ifanc yn gneud byd o les i mi. Cael rhywfaint o optimistiaeth drwy osmosis, meddwi'n wirion a gneud ffŵl ohonof fy hun heb hidio'r un iot, anghofio am barchusrwydd a mynd i'r dŵr yn fy nillad isaf neu hyd yn oed yn noeth . . .

Roedd wedi darfod ei sigarét. Petrusodd, yna taniodd un arall a gwgu arni'n gas. Faint heddiw? Doedd arni ddim eisiau meddwl: gormod, roedd hynny'n saff. Rhyw ddwy neu dair y dydd a ysmygai fel arfer, ond yn ddiweddar . . .

Wel, cha i ddim mwy ar ôl mynd adra, meddyliodd. Un wrth y drws cefn cyn noswylio, falla. Roedd Dyfrig yn ffyrnig yn erbyn ysmygu, bron yn bregethwrol. Ysgwn i faswn i wedi rhoi'r gora iddi'n gyfan gwbwl flynyddoedd yn ôl tasa fo heb fod felly? Rhaid cyfadda, mi fydda i'n ca'l un weithia ddim ond er mwyn ei sbeitio fo.

Newydd orffen a diffodd yr ail sigarét oedd hi, ac ar fin dringo'n ôl i mewn i'r car, pan frysiodd dau arall i lawr y llwybr, dau nad oedd hi'n eu hadnabod, bachgen a merch. Rhewodd Rhiannon, a sefyll yno ag un llaw ar handlen y drws a'i llygaid yn rhythu ar eu holau nes iddyn nhw ddiflannu heibio i'r tro yng ngwaelod y llwybr.

Ymysgydwodd. Nid Siôn ac Awel ydyn nhw, meddai wrthi'i hun: maen nhw ar y traeth ers meitin, efo Leah Wyn, felly tria anghofio'r blydi freuddwyd honno, wir Dduw. Dw't ti ddim, gobeithio, yn mynd i ymateb fel hyn bob un tro y byddi di'n gweld hogyn a hogan yn cerddad oddi wrthot ti. Drysu fydd dy hanas di yn y pen draw.

Gyrrodd yn ôl i Aberdaron â hen ganeuon Tamla Motown yn llenwi'r car, ond ei phlant oedd ar ei meddwl gydol y daith. A meddwl sut y breuddwydiai amdanyn nhw'n amlach o hyd y dyddiau hyn, yn cerdded i ffwrdd oddi wrthi heb unrhyw fwriad o droi a dweud ta-ta.

5
'Children's Shoes Have Far to Go'

Daeth Dyfrig i mewn i'r gegin a gweld tomen o fotymau amrywiol, hen luniau, mwclis rhad, edafedd a dyn a ŵyr beth arall ar ganol y bwrdd, a'i wraig yn sefyll uwchben y bin ailgylchu papur yn ymosod yn brysur efo siswrn ar hen focs esgidiau.

Adnabu'r bocs yn syth. 'Ti rioed yn ca'l gwarad ar hwnna?'

'Dwi 'di ca'l llond bol o'i weld o bob tro fydda i'n agor y drôr 'na.' Gan duchan, defnyddiodd Rhiannon ei dwy law i wasgu llafnau'r siswrn a thorri'r cardbord. 'Ac mae o'n stiff fel dwn 'im be . . .'

'Roeddan nhw'n gwbod sut oedd gneud bocsys erstalwm.' Gwyliodd hi'n stryffaglu efo'r siswrn. 'Ty'd . . . ty'd â fo i mi.'

'Na, mi wna i o!'

Roedd o wedi dechrau symud tuag ati, ond arhosodd yn stond. 'Ocê, be sy?'

'Be?'

'Be sy 'di digwydd?'

'Dim byd.'

'Dim byd?'

Edrychodd Rhiannon arno.

'Ia – dim byd. Fel be, felly?'

Ei dro yntau oedd hi rŵan i edrych ychydig yn ffwndrus.

'Wel . . . dwi'm yn gwbod, yn nac'dw, dyna pam dwi'n gofyn. W't ti'n teimlo'n iawn?'

'Yndw. Sorri . . .' O'r diwedd llwyddodd i dorri'r darn cardbord. 'Sorri,' meddai eto. Er bod ei gwallt yn gwta, chwythodd i fyny tuag at ei thalcen fel petai cudynnau chwyslyd yn hongian dros ei llygaid. 'Yndw, dwi'n tshampion.'

''Mond cynnig helpu . . .'

'Ia, wn i. Sorri.'

Wrth iddo droi oddi wrthi, cafodd Rhiannon gip ar haen denau o chwys ar ei wefus uchaf. Sylweddolodd fod y gegin yn teimlo'n anghyfforddus o glòs – er nad oedd hi wedi teimlo hynny wrth sefyll uwchben traeth Porthor, chwaith. Roedd brith gof ganddi am awel fach dyner . . .

Prociodd Dyfrig ei fys drwy'r domen ar y bwrdd. 'Be w't ti am neud efo'r holl geriach 'ma?'

'Dwi'm 'di meddwl cyn bellad â hynny eto.' Syllodd Rhiannon i mewn i'r bin. Gwelodd y llythrennau . . . *EN'S SHOES HA* . . . yn gorwedd ar ben y twmpath o ddarnau cardbord.

Oedd raid i hwn ddŵad i mewn yma *rŵan*? meddyliodd.

Caeodd gaead y bin. Roedd Dyfrig yn dal i browla drwy gynnwys y bocs esgidiau. Gwyliodd o'n codi'r lluniau a dechrau byseddu drwyddyn nhw.

'Does 'na ddim byd yna dw't ti ddim wedi'i weld yn barod.'

'Ond ddim ers blynyddoedd.'

Lluniau ohoni hi oedd y rhan fwyaf ohonyn nhw, rhai mewn lliw ond nifer hefyd mewn du a gwyn: Rhiannon yn blentyn bach, yn blentyn hŷn, yn ei harddegau cynnar, ac yn edrych yn hynod o seriws ynddyn nhw i gyd, a'r camera byth bron yn ei dal a gwên ar ei hwyneb. Ei mam â'i chamera bach Instamatic yn hongian ar gortyn du oddi ar ei garddwrn, a'r ciwbiau fflach lletchwith oedd byth bron yn gweithio. Felly, y tu allan y tynnwyd y rhan fwyaf o'r lluniau: Cwm Pennant, Borth-y-gest, Cricieth, Morfa Bychan, pen draw'r Cob . . .

Ac yma, wrth gwrs, ar draeth Aberdaron, efo Anti Eleri a'i phlant. Be gythgam oedd enwau'r rheiny, hefyd? Nid cefnder a chyfnitherod mohonyn nhw: cyfeilles ei mam oedd Eleri, ffrind bore oes, yn hytrach na pherthynas. Pamela, cofiodd rŵan, oedd enw'r ferch hynaf. Linda, wedyn, ac yna'r ferch ieuengaf, Eleri fach (pam enwi un plentyn ar ei hôl hi ei hun, Duw a ŵyr – bron fel Americanwyr a'u Jrs). A Philip oedd yr hogyn.

'Dwi am fynd drw'r rheina i gyd a'u rhoi nhw mewn albym pan ga i gyfla.'

Edrychodd Dyfrig arni am eiliad. Roedd digonedd o gyfleoedd ganddi hi'r dyddiau yma, gwyddai mai dyna beth oedd yn mynd drwy'i feddwl. Bron y gallai ei weld yn mygu'r geiriau cyn iddyn nhw fynnu cael eu dweud.

Trodd oddi wrtho i lenwi'r teciall. Roedd y siswrn wedi gadael marciau cochion ar waelodion ei bysedd, y bocs yn gyndyn o gael ei dorri fel petai'n brwydro yn ei herbyn.

Bocs esgidiau Start-rite.

'Aethon nhw'n iawn, felly?'

'Be . . .?' Trodd ato. 'O, do. Tshampion.'

'Pryd fyddan nhw'n 'u hola? Gest ti unrhyw synnwyr gynnyn nhw?'

'Ma Leah Wyn am ffonio'i thad pan fyddan nhw'n barod, medda hi. Amhosib deud pryd bydd rhwbath fel'na'n gorffan, decini.'

'A be oedd gin Miss Wyn Warren i'w ddeud?'

Dechreuodd y teciall ochneidio'r tu ôl iddi. 'Dim llawar. Na Siôn chwaith, tasa hi'n dŵad i hynny. 'Swn i'n deud mai Awel oedd yr unig un oedd yn edrach ymlaen at heno 'ma. Roedd Leah'n edrach fel tasa hi'n gobeithio bod y peth wedi ca'l 'i ganslo.'

Roedd Rhiannon wedi gadael y tŷ hefo'r bwriad o alw am Leah yn ei chartref, ond dyna lle roedd Leah'n aros amdanyn nhw wrth bont y pentref, ac yn edrych yn siomedig pan welodd hi'r car yn dod tuag ati. Droeon yn ystod y daith, daliodd Rhiannon hi'n edrych arni'n feddylgar, fel petai arni eisiau gofyn rhywbeth iddi.

'Mmm . . .' Gorffennodd Dyfrig edrych drwy'r lluniau. 'Ciwt,' meddai. Gwenodd arni. 'Be ddigwyddodd, d'wad?'

'Cês . . .'

Eisteddodd ar ei phen ei hun yn y gegin wedyn hefo'r bwriad o fynd drwy'r lluniau a didoli gweddill y llanast a gawsai gartref yn y bocs dros y blynyddoedd. Ond mynnai ei meddwl grwydro at y bocs ei hun. Roedd hi wedi mynd yn syth i fyny'r grisiau ar ôl cyrraedd adref o Borthor ac estyn y bocs o waelod ei drôr. Celwydd oedd yr hyn a ddywedodd wrth Dyfrig fod y bocs yn mynd ar ei nerfau bob tro yr agorai hi'r drôr; ei siwmperi gaeaf oedd yn cael eu cadw yn hwnnw, ac roedd y bocs ymhell o'r golwg o dan rai na welsai olau dydd ers blynyddoedd. Doedd hi ddim yn taro llygad ar y bocs o un flwyddyn i'r llall. Chafodd o mo'r cyfle i fynd ar ei nerfau, y bocs esgidiau Start-rite. Bocs *sandalau* Start-rite, a bod yn fanwl gywir.

Dim cyfle i fynd ar ei nerfau nes iddo ddechrau troi ei breuddwydion yn freuddwydion cas . . .

Ar gaead ac ochrau'r bocs roedd llun o ddau blentyn, hogyn a hogan, yr hogyn mewn gwyrdd ac yn gwisgo cap Tam O'Shanter, a'r eneth mewn coch a melyn a chyda dwy blethen yn ymwthio o waelod ei boned. Cerddai'r ddau ar hyd ffordd felen rhwng rhesi o goed uchel, gwyrdd; roedd yna ffens wen y naill ochr i'r ffordd, ac arweiniai'r ffordd i . . . wel . . . i'r dyfodol, gwyddai Rhiannon yn awr. Uwch eu pennau yn yr awyr las roedd y geiriau: *CHILDREN'S SHOES HAVE FAR TO GO!*

Hyd y gwyddai, wisgodd Rhiannon erioed bâr o sandalau Start-rite, ond bu rhai gan ei mam ar un adeg, meddai wrthi, a rhai da ar y naw oedden nhw hefyd. Doedd gan y Rhiannon ifanc fawr o ddiddordeb yng nghynnwys y bocs (a ddefnyddid gan ei mam fel bocs gwnïo, yn llawn edafedd a nodwyddau a rhyw geriach felly), ond roedd ganddi ddiddordeb aruthrol yn y plant.

'Pwy ydyn nhw, Mam?' gofynnodd droeon.

'Chdi, pwt. Chdi a dy gariad.'

'Sgin i'm cariad!'

'Nag oes? Ti'n siŵr?'

'Yndw! A dwi byth isio un chwaith.'

'Call iawn, os ca i ddeud.'

'Ond pwy *ydyn* nhw, Mam?'

'Wy'st ti be? 'Swn i wrth 'y modd taswn i'n gwbod. Ond ma 'na rwbath yn deud wrtha i eu bod nhw'n frawd a chwaer.'

'Lle ma nhw'n mynd?'

Ia, hwnnw oedd y cwestiwn pwysicaf: lle goblyn oedd y ddau blentyn yna'n mynd? Weithiau, pan oedd Alwena, ei mam, mewn hwyliau da, byddai'n creu stori fach am y ddau blentyn, eu bod yn mynd am de i gartref eu nain, er enghraifft, a oedd . . .

'. . . yn byw mewn tŷ bach twt, y tŷ bach dela welodd neb erioed, efo to gwellt a rhosod o gwmpas y drws ffrynt a chath ddu, dew yn canu grwndi wrth bendwmpian ar garrag y drws yn yr haul.'

'Ond lle ma'r tŷ?'

'Mae o jest o'r golwg, ym mhen draw'r ffordd.'

Dro arall, cychwyn am yr ysgol fyddai'r plant; roedd bag bach gwyrdd, tebyg i fag ysgol, gan yr eneth dros ei hysgwydd . . .

'. . . a ma nhw'n blant da drwy'r dydd yn yr ysgol. Fel rhywun arall dwi'n ei nabod – *gobeithio*. Ma nhw'n ca'l eu syms i gyd yn iawn bob un tro, a dydyn nhw byth – byth! – yn cambihafio.'

'Mmm . . .' fyddai ymateb Rhiannon i hyn. Ar wahân i'r ffaith na chredai am eiliad fod y fath angylion yn bodoli – yn sicr doedd yna'r un yn Ysgol Eifion Wyn – doedd y straeon ddim yn swnio'n iawn, am ryw reswm. Dim ond wrth iddi dyfu'n hŷn y daeth i sylweddoli pam: roedd y llun diniwed hwn yn gwneud iddi deimlo'n ddigalon. Oedd, roedd y ffordd felen yn ymddangos yn ddi-ben-draw, ac edrychai'r plant mor fach, mor archolladwy, wrth ymyl y coed tal, ond roedd mwy i'r peth na hynny.

Dim ond cefnau'r plant oedd i'w gweld – dyna un peth. Roedden nhw'n cerdded i ffwrdd oddi wrthoch chi, fel petai; doedd eu hwynebau ddim i'w gweld o gwbwl. Efallai'n wir eu bod nhw'n crio.

Roedd yna rywbeth penderfynol, hefyd, ynglŷn â'u hosgo, fel petai eu llygaid wedi'u hoelio ar ben draw'r ffordd ac mai'r peth pwysicaf un yn y byd oedd cyrraedd yno.

Ond y teimlad cryfaf a gawsai Rhiannon oedd hwn: doedden nhw ddim am droi ac edrych yn ôl.

Byth.

Pam?

Oherwydd nad oedd 'na neb yno'r tu ôl iddyn nhw. Felly doedd dim pwynt iddyn nhw droi. Nid oedd yno fam gariadus yn eu gwylio'n mynd, ac yn disgwyl iddyn nhw droi i edrych arni cyn iddi godi'i braich a chwifio 'ta-ta' arnyn nhw. Doedd neb yno ond y ddau, y petha bach – yr eneth yn cydio ym mraich ei brawd – ill dau'n cychwyn i wynebu'r byd mawr creulon heb neb i edrych ar eu holau ond nhw'u hunain. Wrth syllu ar y bocs, teimlai'r Rhiannon ifanc y dagrau'n cronni yn ei llygaid a lwmp anferth yn chwyddo yn ei gwddw.

A tydi'r Rhiannon hŷn fawr callach, meddyliodd yn awr. Dim ond bocs oedd o, neno'r tad. Yn barod, roedd hi'n dechrau difaru ei dorri a'i luchio; roedd o'n rhan o'i phlentyndod wedi'r cwbwl, a chanddo'i le arbennig yn ei hatgofion.

Byw ar ben wardrob ei mam fyddai o. Arferai ei mam sefyll ar stôl fechan bob tro roedd angen y bocs arni, ac arferai Rhiannon ei phryfocio drwy gymryd arni ysgwyd ei choesau. Gallai gofio neilon y teits yn rhwbio'n gynnes yn erbyn ei bysedd, a'i mam yn gweiddi arni, 'Paid, y gloman hurt – paid! Ma'r stôl 'ma'n gythral am lympio!'

Sylweddolodd fod ei llygaid yn llaith; oedd, roedd hi'n

difaru cael gwared ar y bocs. I gyd oherwydd rhyw freuddwyd wirion.

Breuddwyd am Siôn ac Awel (a 'doedd hi'n od fel y meddyliai amdanyn nhw bob gafael fel Siôn ac Awel, a byth fel Awel a Siôn, er mai Awel oedd yr hynaf o chydig dros ugain munud), yn sefyll ochr yn ochr ar ben y creigiau ym mhen pella'r traeth, uwchben Porth Simdde yma yn Aberdaron. Roedd y môr yn aflonydd a safai'r ddau'n hollol lonydd gan syllu dros y tonnau. Roedd Rhiannon ei hun i lawr ar y traeth; gwaeddai arnynt ond chymeren nhw ddim sylw ohoni, nes iddi ddechrau crio yno ar ei gliniau. Ac roedd y freuddwyd mor fyw, gallai deimlo'r tywod gwlyb yn oeri ei phengliniau trwy ddefnydd garw ei jîns.

Dyna pryd y trodd y ddau i edrych arni heb ddim tamaid o ddiddordeb, fel pe na baen nhw'n ei hadnabod nac ychwaith wedi'i hadnabod erioed, cyn troi eu cefnau arni a chychwyn cerdded oddi wrthi i gyfeiriad Porth Meudwy yr ochr arall i'r creigiau.

Ac fel sy'n digwydd yn aml mewn breuddwydion, yr eiliad nesaf roedd Rhiannon ei hun ar ben y creigiau ac yn gwylio Siôn ac Awel yn cerdded oddi wrthi ar hyd y llwybr, a braich Awel ym mraich Siôn yn union fel yr hogan fach honno yn y darlun ar gaead y bocs esgidiau.

Children's Shoes Have Far To Go . . .

Gwaeddodd Rhiannon ar eu holau, ond yn ofer. Doedden nhw ddim am gynnig troi.

Dihunodd dan grio'r noson honno. Cododd a tharo'i phen i mewn drwy ddrysau llofftydd yr efeilliaid. Wrth gwrs, roedden nhw yno ill dau, yn cysgu'n sownd. Debyg iawn eu bod nhw, y gloman hurt, meddai wrthi'i hun, yn ymwybodol ei bod yn defnyddio tôn llais a geiriau ei mam wrth ddwrdio'i hun.

Y bore wedi iddi gael y freuddwyd am y tro cyntaf, ceisiodd ei thrafod gyda Dyfrig, pan oedden nhw newydd ddeffro a thra oedd hi'n dal yn weddol ffres yn ei meddwl.

Roedd ei ymateb yn eithaf rhagweladwy.

'Croes 'di breuddwyd bob tro, cofia.'

'Ia, wn i, wn i. Ond eto . . .'

'Be?'

'Wel, mi fydd y ddau ohonyn nhw *yn* mynd i ffwrdd, yn byddan? Ryw ddwrnod . . .'

'Arglwydd, byddan, gobeithio…' Ond methu wnaeth ymgais Dyfrig i ysgafnhau rhywfaint ar y sgwrs. Ochneidiodd. 'Yli, ma 'na dros flwyddyn tan hynny, yn does? Tan yr awn nhw i ffwrdd i ba bynnag goleg. Ond ma'n siŵr dy fod di, yn dy isymwybod, wedi rhyw led feddwl am y dwrnod hwnnw, a neithiwr – bingo.'

'Bingo?'

'Ia! Dyma chdi'n breuddwydio amdano fo. Dyna be ydi breuddwydion, yndê? Yr isymwybod yn ca'l sbring-clîn.'

'Ond roeddan nhw'n sbio arna i fel tasan nhw ddim yn fy nabod i.' Rhwbiodd Rhiannon ei breichiau. 'Dyna oedd y peth gwaetha am hyn i gyd, Dyf – gwaeth o lawar na'r ffaith eu bod nhw'n mynd i ffwrdd.'

Dyna pryd y cofiodd am y bocs yng ngwaelod y drôr.

'Fatha'r plant bach Start-rite rheiny . . .'

'*Be*?' meddai Dyfrig, ar goll.

'O, dim byd. Dim ots.'

''Mond breuddwyd oedd hi,' meddai Dyfrig, yn amlwg wedi syrffedu'n barod ar y sgwrs. 'Anghofia hi, wir Dduw.'

Sylwodd o ddim – roedd o'n rhy brysur yn newid i'w ddillad rhedeg ac yn ysu am gael mynd allan – ond fe lanwodd llygaid Rhiannon â dagrau.

'Jest am un waith,' meddai wrtho, 'fedri di anghofio am y ffwcin jogio 'ma a *siarad* efo fi?'

'Ro'n i'n meddwl 'yn bod ni newydd neud hynny.'

Roedd Rhiannon yn ei gasáu'r eiliad honno. Ei wir gasáu.

'O, jest dos 'ta, 'nei di?' Llithrodd yn ei hôl o dan y dwfe. Clywodd Dyfrig yn ochneidio'n uchel eto.

'Rhiannon . . .'

'*Dos*!'

Ochenaid arall eto fyth, ac mi aeth o hefyd, damia fo, i lawr y grisiau ac i'r gegin lle roedd Awel eisoes yn aros amdano. Murmur eu lleisiau, yna sŵn y drws ffrynt yn agor a chau, a sŵn eu traed yn crensian dros y cerrig mân y tu allan i'r tŷ. Mi faswn i wedi setlo am *un* funud, meddyliodd. Dim ond munud o'i gael o'n gafael amdana i'n dynn. Ymdrechodd i fod yn deg efo fo, i'w hatgoffa'i hun na fuodd Dyfrig erioed yn un am drafod breuddwydion, nac ychwaith am ddangos mwy na diddordeb cwrtais yn ei rhai hi. Pur anaml y byddai o, y cysgwr trwm, yn cofio'i freuddwydion y bore wedyn, nac ychwaith yn cofio'i fod o wedi'u breuddwydio yn y lle cyntaf (roedd o *yn* gysgwr dihafal; roedd yn jôc ymhlith y teulu fod Dyfrig fel Napoleon, a oedd, yn ôl Siôn, wedi pendwmpian ar ganol brwydr fwy nag unwaith).

'Does 'na ddim llawar o betha sy'n fwy diflas na gorfod clywad am freuddwydion pobol erill,' meddai Dyfrig wrthi un tro, gan ychwanegu na fedrai o fyth fod yn seicdreiddiwr. Ar y cyfan, cytunai Rhiannon efo fo. Doedd hi ddim yn credu am eiliad fod pob breuddwyd yn cynnwys rhyw neges seicig, arallfydol, a doedd hi rioed wedi cael ei themtio i ofyn i ryw Joseff eu dadansoddi a'u hesbonio iddi.

Broc môr y meddwl oedd breuddwydion, dim byd mwy na hynny.

Ond deuai'r freuddwyd yn ei hôl, wastad yr un fath, wastad yr un mor anghyfforddus, a'r efeilliaid yn troi tuag ati â'r un hen wynebau difynegiant rheiny – fel petai hi, eu mam, yn rhywun hollol ddieithr ac yn golygu llai na dim iddyn nhw.

Cyn i'r ddau gerdded oddi wrthi, heb droi i ddweud ta-ta.

Roedd Rhiannon wedi dysgu'i gwers: soniodd hi ddim wrth Dyfrig fod y freuddwyd wedi dod yn ei hôl, ac yn ei hôl eto wedyn, nes bod Rhiannon wedi dechrau meddwl amdani fel rhyw hen slebog goman a chwrs, fel dynes hwrllyd a sbeitlyd a oedd wedi cyrraedd yn bowld i gyd ac yn llawn ohoni'i hun, yn hidio'r un iot fod yna ddim croeso iddi – os rhywbeth, yn ffynnu ar yr wybodaeth fod Rhiannon yn ei chasáu.

A bellach doedd y faedan ddim yn ei chyfyngu'i hun i oriau cwsg ychwaith; roedd hi yn y maes parcio heno 'ma, yn gwylio'r bobol ifanc yn cerdded i lawr y llwybr ac oddi wrthi, ac arogl cryf ei phersawr rhad yn methu cuddio'n gyfan gwbwl ddrewdod y chwys a'r corff budur oddi tano.

6

‘Adios, mis amigos’

‘Wel?’ meddai Awel wrtho drannoeth. ‘Ti’n hapus rŵan?’

Oedd o wedi bod yn eistedd a gwên hurt ar ei wep, tybed? Ofnai Siôn ei fod o; yn sicr, roedd hi yno pan gawsai gip annisgwyl arno’i hun mewn drych yn gynharach.

‘Ti ’di bod yn lystio ar ’i hôl hi ers blynyddoedd.’

‘Dwi ddim!’

Roedd y gwadiad plentynnaidd wedi byrlymu allan o’i geg, yn awtomatig bron, a throdd Awel oddi wrtho a’r dirmyg yn blaen ar ei hwyneb.

Doedd Siôn ddim am dderbyn hyn. ‘Be *ydi* dy broblam di, Awel?’

Cododd ei phen o’i chylchgrawn a chuchio arno ar draws yr ystafell fyw. Dim ond newydd godi roedd y ddau a hithau ymhell wedi un ar ddeg y bore, ddeuddydd cyn dechrau tymor cyntaf eu blwyddyn olaf, eu tad wedi mynd i’r ysgol a’u mam wedi mynd i Dduw a ŵyr lle.

Deuai pelydryn cryf o heulwen drwy’r ffenestr gan greu petryal o oleuni ar wyneb y carped, a gwyliodd Siôn y darnau llwch yn chwarae mig â’i gilydd yn ei ganol. Pan edrychodd yn ôl ar draws yr ystafell, roedd llygaid ei chwaer yn dal wedi’u hoelio arno. Eisteddai ar y soffa a’i choesau wedi’u plygu oddi tani fel cath. Edrychai’n ymosodol yn ei gŵn nos – un drwchus, laes o’r un steil â’r rheiny fyddai bocsars yn arfer eu gwisgo erstalwm, a PARRI wedi’i sgwennu mewn hanner cylch ar ei chefn.

‘Pam w’t ti mor flin?’ gofynnodd iddi.

Arhosodd y llygaid llonydd rheiny arno am ychydig

eiliadau, yna ysgydwodd Awel ei phen, cau ei chylchgrawn a chodi.

'Dwi'n mynd am gawod. Dwi'n dechra gweithio am hannar dydd.'

Roedd Siôn ar fin gofyn iddi a oedd Leah'n gweithio hefyd y diwrnod hwnnw, ond llyncodd y geiriau. Dyna'r math o beth y dylai o fod yn ei wybod yn barod. Ond doedd o ddim wedi meddwl gofyn i Leah neithiwr, a doedd hithau ddim wedi crybwyll y peth. Gallai'n hawdd iawn ddychmygu ymateb coeglyd Awel petai'n dweud hyn wrthi – rhywbeth fel, 'Naddo, mwn, a'r ddau 'noch chi'n rhy brysur yn snogio'ch gilydd i feddwl am siarad.'

Ond pam roedd hi mor . . . mor *sbeitlyd* heddiw, Duw a ŵyr. Cawsai awgrym o hyn neithiwr yn y car ar y ffordd adref – fo ac Awel yn y sedd gefn a Leah yn y blaen efo'i thad. Roedd Siôn yn rhythu ar Leah'n siarad efo Alun Warren, yn methu tynnu'i lygaid oddi arni a deud y gwir, ac oedd, roedd y wên sopi, wirion honno ar ei wyneb. Yna sylweddolodd fod Awel yn ei wylio; pan drodd ati, gwelodd fod ei hwyneb yn llawn o'r un dirmyg ag a welsai yno'r bore 'ma, dim ond ychydig funudau'n ôl. Chymerodd o fawr o sylw neithiwr; roedd ei wefusau'n dal yn dyner ar ôl yr holl gusanu a'r tu mewn i'w drôns yn sychu'n galed o gwmpas ei gwd.

Siaradon nhw fawr ddim ar ôl cyrraedd adref. Roedd Rhiannon yn aros amdanyn nhw, ychydig yn swrth ar ôl bod yn pendwmpian wrth drio gwylio rhyw ffilm ar y teledu. Roedd brith gof ganddo o weld wyneb Kate Winslet wrth i'w fam holi sut noson gawson nhw. Aeth Awel yn syth i fyny i'w gwely, a gwrthododd yntau gynnig Rhiannon o banad o de neu goffi a rhywbeth i'w fwyta – 'Mam, 'mond newydd fod mewn barbeciw ydan ni.' Roedd yntau hefyd ar dân i gael bod ar ei ben ei hun, i gael ail-fyw'r noson.

Sylwodd o ddim fod ei fam wedi paratoi eu mygiau'n barod, nac ychwaith ar y siom a wibiodd yn sydyn dros ei hwyneb pan ddywedodd o ei fod yn 'hollol nacyrd' ac am fynd yn syth i'w wely. Welodd o mohoni ychwaith, felly, yn troi yn ei hunfan yng nghanol y gegin a golwg ar goll, rywsut, ar ei hwyneb, fel petai hi wedi deffro rhyw fore a'i chael ei hun mewn tŷ hollol ddieithr.

* * *

Ia, be *ydi* dy broblam di, Awel?

Gwyddai y dylai deimlo'n falch dros Siôn. Chwarae teg i'r hogyn, roedd o wedi bod yn glafoerio dros Leah Wyn ers blynyddoedd, fel rhyw hen filgi'n glafoerio dros asgwrn a welai'r ochr arall i ffenestr siop y cigydd. Ac yn credu'n ddiniwed i gyd nad oedd neb yn gwybod, yn enwedig Leah Wyn ei hun.

Y creadur bach.

Roedd Leah, hyd y gwelai Awel, wastad wedi gwybod. 'Ond dw't ti ddim yn 'i ffansïo fo?' gofynnodd iddi un tro.

Chwerthin a wnaeth Leah.

'*Mêt* ydi Siôn,' meddai. 'Jest iawn fatha brawd i mi.'

Yn y gawod, ceisiodd Awel gofio pryd roedd Leah wedi dweud hyn, neu rywbeth tebyg, ddiwethaf. Eleni, gallai daeru. Rywbryd yn ystod y gaeaf. Ia – dyna ni, roedd Siôn yn flin fel tincar, cofiai, am fod Beca Huws wedi gorffan efo fo ar ôl bod efo fo ddim ond dwywaith. Yr un hen stori: Siôn druan yn 'rhy neis', ac roedd yn well gan Beca, fel cymaint o'i rhagflaenwyr, ei gael yn ffrind iddi yn hytrach na chariad. 'Ma gin i ddigon o ffwcin ffrindia,' taranodd Siôn. 'Y peth dwytha dwi isio ydi un arall.'

Ond wrth iddo fynd o'r ystafell, roedd y ddwy wedi sylwi fod ei lygaid wedi dawnsio dros Leah.

'Welist ti hynna?' gofynnodd Awel.

Nodiodd Leah. 'Wn i, wn i. Ond wa'th iddo fo heb â sbio arna i. Ma gin i feddwl y byd ohono fo, ond . . .'

'Jest fel mêt?'

'Ia.'

Roedd Awel, cofiai'n awr, wedi teimlo'n reit hapus o glywed hyn. Am ryw reswm na fedrai ei ddeall yn iawn, doedd arni ddim eisiau i'w brawd ddechrau mynd allan efo'i ffrind gorau.

Ac mae'n siŵr mai dyna be sy, penderfynodd – dyna pam dwi mor flin fod yr hyn a ddigwyddodd neithiwr wedi digwydd.

Ond mae Leah wedi newid yn ddiweddar, meddyliodd wedyn. Weithia, mi fydda i'n teimlo fel tasa hi wedi troi'n rhywun diarth. Neu falla fod arni hi *isio* bod yn rhywun diarth – ei bod hi wedi blino arna i. Mi fasa hynny'n egluro'i diffyg brwdfrydedd sydyn dros fynd i Ffrainc yr ha' nesa.

Diffoddodd y gawod a dechrau ei sychu'i hun yn feddylgar. Er mai prin ugain munud oedd rhyngddyn nhw, roedd Awel wastad wedi ymddwyn fel 'chwaer fawr' i Siôn, bron fel petai hi flynyddoedd yn hŷn na fo. A neithiwr cawsai sioc fechan o sylweddoli bod ei chymhelliad dros edrych ar ei ôl o cyn gryfed ag erioed. Credai tan yn ddiweddar fod hwnnw wedi dechrau pallu wrth i gymhlethdodau'r arddegau eu gwthio ar wahân, ond na. Dim ond cysgu roedd o, roedd hi'n amlwg, a chawsai ei ddeffro'n bowld iawn neithiwr gan Leah Wyn ac yntau.

Roedd yr holl beth mor annisgwyl.

Tan hynny, bu'n noson fendigedig. Rhai da oedd Simon a Rhisiart am drefnu'r barbeciws bach 'ma. Eu cynnal reit ar ddiwedd yr haf fel hyn pan oedd llawer gwell siawns ganddyn nhw o gadw'r peth yn weddol breifat. Ac yn eithaf gwaraidd hefyd. Roedd y ddau tua chwe neu saith mlynedd yn hŷn na'r lleill – un ohonyn nhw'n filfeddyg yn Nefyn a'r llall yn ddeintydd ym Mhwllheli. Roedd pawb yn cyfrannu at y bwyd ac yn dod â'u diodydd eu hunain. Doedd dim cyffuriau ar gyfyl y lle. Teimlai'r ddau'n gryf am hynny – dim sbliffs nag E na dim byd arall tebyg, dim ond cwrw, a sigaréts os oedd raid, ond doedd fawr neb o blith ffrindiau Awel a Siôn yn smocio, beth bynnag.

Doedd dim nofio'n digwydd ychwaith, waeth pa mor boeth fyddai'r tywydd, na pha mor gryf y demtasiwn a hwythau ar un o draethau harddaf Llŷn. Er nad oedd neb, hyd y gwyddai Awel, wedi dweud hynny'n uchel, cytunai pawb i gadw allan o'r dŵr. Wrth gwrs, roedd y ffaith fod cryn dipyn o alcohol yn cael ei yfed yn ystod y noson yn rhannol gyfrifol am hynny, ond hefyd roeddynt i gyd yn ymwybodol iawn o'r trychinebau a fu ar yr union arfordir hwn o fewn cof cenhedlaeth eu rhieni.

Adeiladwyd coelcerth fechan, ac ar ôl bwyta yng ngolau'r machlud, cyneuwyd y tân ac eisteddodd pawb o'i gwmpas. Roedd Simon wedi dod â'i gitâr efo fo fel arfer, ac er nad oedd Awel yn or-hoff o Bob Dylan a'i fath, roedd y caneuon yn gweddu i'r noson, rywsut, yn enwedig y rhai oedd â thinc Mecsicanaidd iddynt.

Y traeth, y môr, y machlud, y tân, cysgodion yn dawnsio yng ngolau'r fflamau, y gitâr, y sêr . . .

Dechreuodd Simon ganu cân gan Woody Guthrie, 'Goodbye to my Juan, goodbye, Rosalita, / Adios, mis amigos, Jesus y Maria . . .' Y geiriau'n sôn am ddamwain awyren erchyll yn Los Gatos yn 1948, a'r holl weithwyr Mecsicanaidd – y 'deportees' – a gafodd eu lladd ynddi. Cyffyrddwyd nifer ohonynt gan y geiriau; doedd yr un smic i'w glywed heblaw am y gitâr, llais yr hogyn yn canu, y tân yn clecian a'r môr yn anadlu dros y traeth. Dechreuodd sawl un ymuno â'r canwr yn y gytgan wrth iddyn nhw ddod yn gyfarwydd â'r gân: 'You won't have your names when you ride the big airplane, / All they will call you will be "deportees".'

Criw o bobol ifanc yn canu cân dyn a fu farw 'nôl yn 1967, tua chwarter canrif cyn i'r rhan fwyaf ohonyn nhw gael eu geni.

Roedd llygaid Awel ynghau, yn rhannol er mwyn iddi

fedru mwynhau'r gerddoriaeth a gwrando ar y geiriau'n well, ond hefyd oherwydd bod yr union eiriau rheiny wedi dod â dagrau i'w llygaid. Wedi etifeddu hyn oddi wrth ei mam yr oedd hi – a Siôn hefyd, 'tai hi'n dod i hynny, ond roedd Awel yn ddwysach mewn rhai ffyrdd na'r un ohonyn nhw. Rhuthrai'r dagrau i'w llygaid pan glywai forloi'n 'canu', er enghraifft, neu pan welai haid o wyddau gwylltion yn hedfan i ffwrdd ar derfyn haf. Bu'n beichio crio yn ei gwely am oriau un tro, yn reit ddiweddar, ar ôl gwylio drama deledu lle roedd yna ddyn mewn gwth o oedran yn darllen un o sonedau Shakespeare i'w wraig a oedd yn gorwedd ar ei gwely angau – 'Shall I compare thee to a summer's day?'

Sylwodd Awel ddim, felly, ar Leah'n codi a symud oddi wrthi. Ddim i ddechrau. Arhosodd nes roedd y dagrau wedi cilio ar ddiwedd y gân cyn agor ei llygaid.

Y peth cyntaf a welodd, gyferbyn â hi, oedd Siôn a Leah Wyn, ochr yn ochr yng ngolau'r fflamau a'r cysgodion yn dawnsio dros eu hwynebau oren.

Rhythodd.

Ac wrth iddi syllu, symudodd wyneb Leah'n nes ac yn nes at wyneb Siôn. Cododd ei llaw a chydio yn ei fwng a thynnu ei ben i lawr. Ymhen ennyd roedd y ddau'n cusanu ei gilydd yn frwd.

Cododd Awel a cherdded i ffwrdd bron heb sylweddoli ei bod yn gwneud hynny. Ac yn sicr doedd hi ddim yn gwybod pam.

Cerddodd yn ôl ac ymlaen ar hyd y traeth, yn droednoeth drwy'r tonnau bychain, lled-gynnes, yn ceisio deall pam roedd hi wedi ymateb fel hyn. Allan o oleuni a gwres y goelcerth, roedd dannedd i'r gwynt ysgafn a ddeuai o'r môr, awgrym nad oedd yr hydref yn rhy bell i ffwrdd, a phlethodd Awel ei breichiau dros ei chrys-T.

'Mond snogio ma nhw, meddai wrthi'i hun. Cusanu, dyna'r cyfan. Swsio. Dydi o ddim fel tasan nhw wedi dechra ffwcio ar y tywod, reit o dan 'y nhrwyn i, a dyn a ŵyr roedd hi wedi bod yn dyst i ddigon o snogio cyhoeddus ar nosweithiau fel hyn dros y blynyddoedd (a dwi'm yn leicio'r gair 'snogio' 'na, penderfynodd – dwi *rioed* wedi'i leicio fo; be ddeudodd Mam oedd gair Nain amdano fo, 'yfyd? O, ia, 'sbŵnio' – sydd, os rhwbath, yn waeth fyth), ac wedi gwneud ei siâr ohono fo ei hun, hefyd, unwaith y daeth dros y diflastod o gael rhyw labwst yn trio stwffio'i hen dafod i lawr ei chorn gwddw.

O, pam ydw i'n teimlo fel hyn?

Reit, reit – ara deg rŵan, Awel. Dw't ti ddim yn gwbod yn iawn *sut* rw't ti'n teimlo, meddyliodd. Safodd a chau'i llygaid ac anadlu'n ddwfn, a chlecian y coed yn llosgi i'w glywed yn uchel y tu ôl iddi.

Ocê . . . Iawn rŵan?

Ailddechreuodd gerdded. Nid embaras ydi o, penderfynodd, o weld fy mrawd fy hun yn snog. . . – yn *cusanu*, ac yn cael ei gusanu. Dwi wedi'i weld o'n gneud hynny cyn heno, fwy nag unwaith. Y Saesnas honno yn ystod gŵyl Wakestock y llynadd, a Beca Huws ym mharti Eilir Bach, cyn iddi ei ddympio fo . . . Na, dydi hynny ddim yn 'y mhoeni o gwbwl.

Ochneidiodd.

Leah Wyn ydi'r broblem, cyfaddefodd.

Pam roedd hi wedi codi a chroesi o flaen y goelcerth er mwyn eistedd wrth ochor Siôn? Pam roedd hi wedi snyglo i fyny ato fo fel'na? A hithau wastad wedi bod mor bendant, mor sicr na fyddai hi byth yn debygol o'i ystyried fel unrhyw beth ond ffrind.

Mêt ydi Siôn. Jest iawn fatha brawd i mi.

Pam felly'r newid meddwl mawr, annisgwyl hwn? Dim rhyfadd fod Siôn wedi sbio'n hurt arni. A *hi* a ddechreuodd ei gusanu *fo*; cyn hynny, roedd Siôn wedi bod yn eistedd yn hollol lonydd, yn syllu i mewn i'r fflamau, wedi tynhau reit drwyddo nes ei fod o fel tant gitâr.

Bron fel tasa fo'n ysu am gael codi a ffoi, ond ei fod o'n rhy fanesol i wneud hynny.

Yna roedd Leah wedi dweud rhywbeth wrtho ac roedd Siôn wedi troi ati. Yr eiliad nesaf roedd hi wedi sodro'i gwefusau dros ei rai o . . .

. . . a ta-ta, Siôn.

O, Siôn, Siôn, y blydi ffŵl, y ffwcin idiot gwirion, dwi'n gwbod dy fod ti wedi lystio ar ôl hon ers blynyddoedd ac ma hitha'n gwbod hynny hefyd, ond fedri di ddim gweld mai jest chwara o gwmpas efo chdi ma hi? Be'n union ydi'i gêm hi, sgin i'm syniad, ond dyna be ydi o iddi hi – gêm. Ac rw't ti mor barod, mor pathetic o barod, i chwara'r gêm efo hi . . .

'Aw!'

Cragen fach finiog o dan ei throed. Roedd hi'n dywyll yn y rhan yma o'r traeth – a hithau wedi cerdded yn o bell oddi wrth y goelcerth. Blobyn orengoch yn y pellter, dyna'r cyfan oedd hi bellach.

Ac roedd hi'n oer yma, hefyd. Rhwbiodd ei breichiau'n ffyrnig. Doedd y tonnau bychain ddim yn gynnes o gwbwl ar ei thraed erbyn hyn, ychwaith.

Mae'n rhaid i mi fynd yn ôl, meddyliodd. Os ydyn nhw'n dal yno'n snogio – yn *sbŵnio* – yna eistedda i ddim gyferbyn â nhw. Dwi ddim isio gorfod sbio arnyn nhw, diolch yn fawr.

Ond be os na fyddan nhw yno o gwbwl? Be os byddan nhw wedi codi a sleifio i ffwrdd i'r tywyllwch, i'r twyni, law yn llaw?

Fasa hynny'n waeth?

O, Duw – be ydi'r ots? meddyliodd. Rhyngthyn nhw a'u petha. Os ydi Leah Wyn isio chwara rhyw gêm blentynnaidd, yna gad iddi neud hynny. Ac os ydi Siôn yn ddigon hurt i ymuno efo hi, yna gad lonydd iddo ynta hefyd.

Ond roedden nhw'n dal yno pan ddychwelodd Awel at y goelcerth, a chyrraedd dim ond mewn pryd, oherwydd roedd y noson yn dirwyn i ben erbyn hynny a'r goelcerth prin yn goelcerth bellach. Edrychodd hi ddim arnyn nhw wrth gerdded o'r traeth. Roedd tad Leah'n aros amdanyn nhw yn y maes parcio, a doedd hyd yn oed Leah Wyn ddim yn ddigon wynep-galed i eistedd yn y sedd gefn efo Siôn.

Gwenodd hwnnw fel ffŵl yr holl ffordd adref, ond methodd roi ateb call iddi pan ofynnodd hi iddo fore heddiw, 'W't ti'n hapus rŵan?'

7
Noson yng nghwmni Morus ac Ifan

'Dogger, Fisher, German Bight . . .' sibrydodd Rhiannon.

Roedd ei llygaid fwy neu lai'n union gyferbyn â rhifau gwyrddion y cloc larwm oedd ar ben y cwpwrdd isel wrth ochr y gwely. Ei hochr hi.

00.18, meddai'r cloc wrthi – cyn newid ei feddwl a phenderfynu ar 00.19.

'Shannon. Rockall. Fastnet . . .'

Gorweddai'n gwrando ar y môr yn grwgnach a bytheirio a bygwth pob mathau o bethau cyn colli'i dymer a'i hyrddio'i hun yn erbyn y creigiau yn y pellter. Cawsai ei hudo gan y Shipping Forecast ers pan oedd yn ei harddegau cynnar; roedd rhywbeth cysurus, rywsut, yn lleisiau'r dyn a'r ddynes oedd yn ei ddarllen. Gwrandawai arno o hyd os oedd hi'n digwydd bod yn effro ac yn ymyl y radio am un ar ddeg y nos. Meddyliai, yn enwedig ar nosweithiau gwyllt fel heno, am gychod pysgota bregus yn cael eu lluchio gan donnau anferth yn ôl ac ymlaen, yn ôl ac ymlaen. Am bysgotwyr ofnus â dim byd o'u cwmpas ond düwch hallt a gwlyb, a'r wybodaeth fod adref mor bell, bell i ffwrdd.

'Irish Sea . . . south-easterly five to seven, occasionally gale eight,' sibrydodd.

Chlywodd hi mo Dyfrig yn dod i'w wely. Ond yno roedd o, wrth ei hochr. Gallai deimlo llanw a thrai ei anadlu'n sgubo dros ei hysgwydd a chosi cnawd ei gwar. Gorweddai ei fraich dde'n drwm a llac dros ei hystlys, wrth iddi hi wrando ar y môr, ar y glaw yn crafu yn erbyn gwydrau'r ffenestri, ac ar y gwynt yn pwnio'r tŷ.

'Forties . . . Cromarty . . . Forth. Cyclonic becoming northwesterly four or five . . . backing south-westerly later...'

Tan yn gymharol ddiweddar, byddai rhythmau'r geiriau wedi bod yn ddigon i'w hanfon yn ôl i gysgu, ond nid heno.

Deffrodd toc wedi hanner nos gyda naid fechan ac agor ei llygaid yn llydan. Y plant, meddyliodd cyn iddi orffen agor ei llygaid, hyd yn oed. Y plant – mae'n rhaid i mi godi at y plant. Ond wrth i'w throed gyffwrdd â'r carped, sylweddolodd beth oedd wedi'i dychryn.

Ac yn awr, bron ugain munud yn ddiweddarach, dyna lle roedd hi'n dal yn effro, ei chalon wedi arafu ond ei meddwl yn gwrthod â gadael iddi gysgu.

00.20, meddai'r cloc.

Cydiodd yng ngarddwrn Dyfrig a'i godi ddigon iddi fedru llithro allan o dan ei fraich ac o'r gwely. Tynnodd ei gŵn nos dros ei choban a mynd allan i'r landin. Yma roedd ffenestr fawr, uchel, a'i sil bren yn ddigon llydan i greu sedd gyfforddus. Ei sedd hi, Rhiannon, oedd hon. Yma y deuai i ymlacio, i ddarllen neu i wrando ar ei pheiriant iPod wrth syllu allan dros y cae gyferbyn tuag at y môr, draw at Ynysoedd y Gwylanod, ac i hel meddyliau. Pur anaml y byddai llenni'r ffenestr hon yn cael eu cau, ac ar noson olau leuad byddai'r landin a'r grisiau yn fôr o oleuni a oedd, yn nhyb Awel, yn 'sbŵci'. Roedd hi'n dal i deimlo'n gyndyn o grwydro'r landin ganol nos heb roi'r golau ymlaen yn gyntaf.

Doedd dim golau lleuad heno ac ymbalfalodd Rhiannon am y swits, yn teimlo fod y tywyllwch o'i chwmpas yn cau amdani'n glawstroffobig. Trodd y ffenestr fawr yn ddrych a safai Rhiannon yn ei ganol, yn ei choban wen a'i gŵn nos yn hongian yn agored drosti, wedi'i rhewi am eiliad – ei braich allan a'i llaw ar y mur ac yn edrych fel actores yn un o hen ffilmiau Hammer. Roedd twnshiad o'i gwallt brown cwta'n ymwthio o ochr ei phen eto fyth, rhywbeth a ddigwyddai'n ddi-ffael, bron, pan gysgai.

Arferai Dyfrig ddweud ei fod yn 'giwt' a thomboiaidd.

Wrth iddi fynd i lawr y grisiau, poerai'r gwynt ar y tŷ fel petai'n gwneud ei orau i'w ysgwyd. Dim ond yr ail wythnos o fis Medi oedd hi, ac roedd y tywydd eisoes wedi troi'n filain, bron fel petai'r hydref yn ysu am ddisodli'r haf. Yn yr ystafell fyw, gorweddai llyfr Dyfrig – nofel ddiweddaraf John Irving – ar y soffa. Roedd o wedi'i melltithio hi, mae'n debyg, am fynd i'w gwely'n gynnar a'i rwystro yntau rhag darllen yno wrth ei hochr. Yn wahanol iddo fo, fedrai Rhiannon ddim cysgu os oedd unrhyw olau ymlaen yn yr ystafell.

Aeth trwodd i'r gegin gan ddiffodd golau'r landin. Tynnodd botel o win gwyn o'r ffrij, potel yr oedd Dyfrig wedi'i hagor yn gynharach. Estynnodd wydryn o'r cwpwrdd ac eistedd wrth y bwrdd, ei llygaid wedi hen arfer â'r tywyllwch erbyn hyn. Byddai'r gwin, meddai wrthi'i hun, yn ei helpu i gysgu. Sylwodd wrth dollti fod y botel bron yn llawn. Doedd Dyfrig ddim wedi cymryd gwydraid wedi'r cwbl, felly, dim ond wedi dod ag un i fyny iddi hi. Yn y bath yr oedd hi, wedi ffoi oddi wrth y teledu eto – wedi codi a gadael yr ystafell yn frysiog cyn i'r un o'r efeilliaid sylwi bod ei llygaid yn llawn dagrau.

Siarad 'da'r Sêr. Dyna beth oedd enw'r rhaglen.

'Mi ddeudis i mai camgymeriad fydda sbio ar y blydi peth,' meddai Dyfrig wrthi.

'Ma'n rhaid i mi, yn does? Dyna sy mor uffernol. Ma'n rhan o'r job . . .' Ond gwyddai nad oedd Dyfrig yn cytuno. Ceisiodd hithau wenu. 'Faswn i ddim yn gallu deud petha cas amdani fel arall, na faswn?'

Cymerodd y gwydraid o win oddi arno. Trodd Dyfrig i fynd o'r stafell molchi.

'Dyfrig . . .?'

'Ia?'

'*Roedd* hi'n rhaglen uffernol, yn doedd? Ddim jest y fi sy . . . wel, 'sti, *isio* iddi fod yn uffernol?'

'O oedd. Uffernol ydi'r gair.'

'Nid deud hynna 'mond i mhlesio i w't ti?'

Ysgydwodd ei ben. 'Doedd yr un o'r ddau idiot yna'n gallu deud brawddeg heb gamdreiglo.'

'Ddeudodd Siôn ac Awel rwbath? Ar ôl i mi fynd?'

'"Crap" gin y ddau.' Gwenodd Dyfrig. 'Mi fachodd Awel y teclyn rimôt a throi drosodd i *Midsomer Murders*.'

Roedd hi'n falch o glywed hyn. Yn falch iawn.

'Dwi am fynd yn syth i ngwely wedyn,' meddai wrtho. 'Iawn efo chdi?' Nodiodd Dyfrig a throi eto i fynd. 'Os ffonith Gwynant, deud wrtho fo y picia i draw yno fory.'

'Iawn.'

Allan â fo. Awr o raglen, meddyliodd Rhiannon. Dau gyflwynydd ifanc a chanddynt Gymraeg gwarthus, a'r 'sêr' (dau actor ifanc oedd ddim ond newydd gychwyn ar *Pobol y Cwm* – aelodau o ryw grŵp roc nad oedd Rhiannon erioed wedi clywed amdanynt ac a oedd, yn ôl Siôn, yn 'crap' – a merch o'r Bermo a oedd bron yn gwbl ddi-Gymraeg ond a oedd wedi ymddangos, heb ennill, ar *Britain's Got Talent*) prin yn cael y cyfle i ddweud howdidŵ cyn bod y cyflwynwyr gorchestlyd yn diolch iddynt ac yn galw'r nesaf ymlaen, a hynny ar ôl torri ar eu traws bob gafael er mwyn cynnal deialogau â'i gilydd a oedd yn gwbwl hysb o ddoniolwch ac yn ddi-chwaeth a chwrs. Yn goman, fel basa'i mam wedi'i ddweud.

Tybed oedd Gwynant wedi ffonio? Chlywodd hi mo'r ffôn, os canodd o; roedd y bath poeth a'r gwin wedi'i hymlacio'n llwyr, a chysgodd yn syth bìn ar ôl cyrraedd ei gwely. Rŵan, teimlai'n dipyn o het am godi a brysio o'r ystafell fyw. 'Mond rhaglen deledu oedd hi, wedi'r cwbwl – ia, ond rhaglen deledu a gawsai ei chomisiynu tra oedd cynigion Cwmni'r Daron i gyd yn pydru yng ngwaelodion rhyw fin ysbwriel cyfrifiadurol draw ym Mharc Tŷ Glas.

Tywalltodd ragor o win iddi'i hun. Roedd yn dal i chwythu'n galed y tu allan, ac yn bwrw'n drwm. Pan symudon nhw yma gyntaf, dros naw mlynedd yn ôl erbyn hyn, arferai'r elfennau godi ofn ar Siôn ac Awel. Tŷ semi cyffredin ar stad newydd oedd eu hen gartref ym Mhwllheli, a doedd y tywydd byth bron yn effeithio arno'n ormodol. Yma, fodd bynnag, roedd hi'n stori wahanol, gyda rhyw hen hwligan o wynt yn ymosod arnyn nhw'n aml iawn, a stormydd o fellt a tharanau fel petaen nhw'n trio'u gorau i efelychu'r stormydd sydd i'w gweld mewn ffilmiau Hollywoodaidd. Droeon, roedd yr elfennau gwylltion wedi anfon yr efeilliaid i wibio'n dawel drwy'r lloergan ar y landin fel ysbrydion mewn stori gan M. R. James neu gerdd gan de la Mare, ac i mewn i'r gwely ati hi a Dyfrig, yn fwndelau bach cynnes, crynedig mewn pyjamas lliwgar.

Yn union fel ro'n i'n arfar bod, meddyliodd Rhiannon, wrth gofio am yr ofn afresymol a'i hanfonai hithau nerth ei thraed i ystafell wely ei mam, yn argyhoeddedig fod rhywbeth aflan wedi dringo i mewn drwy ffenestr y llofft fach gefn lle roedd hi'n cysgu, ac a oedd yn llechu o dan ei gwely neu'r tu mewn i'w chwpwrdd dillad.

Am ryw reswm – a diolch byth am hynny – doedd hi erioed wedi dychmygu bod y 'peth' hwnnw, efallai, yn aros amdani yn nhywyllwch y landin. Sgwn i be faswn i wedi'i neud wedyn? meddyliodd. Sgrechian dros y lle, decini, nes i Mam druan orfod codi a dŵad i mewn ata i. Ac yn hunanol i gyd, feddyliais i erioed y basa'r 'peth' yn ymosod ar Mam wrth iddi hi groesi'r landin dywyll.

Weithiau, roedd arni ormod o ofn codi o'i gwely, hyd yn oed, wedi cael i'w phen fod y 'peth' am ruthro amdani o ddüwch ei wardrob neu o dan ei gwely. Gweiddi 'Mam! Maaam!' a wnâi, ar dop ei llais, nes i'w mam ei chlywed a chodi ati, yn dalp o gysur cysglyd. Byddai ei mam yn aml yn cysgu yno efo hi ac yn deffro drannoeth a golwg hollol hurt ar ei hwyneb, heb ddim cof ganddi o adael ei gwely yn y lle cyntaf, ac wedi ymateb yn sombïaidd, bron, i weiddi Rhiannon.

Gorffennodd y gwin oedd ganddi yn ei gwydryn. Llygadodd y botel.

O, pam lai?

Doedd hi ddim yn barod i fynd yn ôl i'w gwely eto, beth bynnag.

* * *

Dydi rhywun Byronig ddim i fod i deimlo'n nerfus ar dywydd stormus.

Na, bydd yn onest rŵan, Siôn – dydi o ddim i fod i deimlo'n *ofnus*.

Ond mi fasa'n dda ganddo petai'r gwynt, o leiaf, yn gostwng ychydig. Ar nosweithiau fel heno roedd yn gyndyn o edrych allan drwy'r ffenestr. Rhag ofn iddo gael cip ar rywbeth na ddylai fod yno.

Yn enwedig gan fod y tŷ mor agos i'r fynwent a'i hen, hen feddau.

Ar nosweithiau fel heno, felly, roedd ei ddychymyg, chwedl y bardd, 'yn drên'. Nid trên cyffredin, ychwaith, ond math ar drên sgrech oedd yn llawer iawn mwy brawychus iddo fo nag unrhyw beth mewn ffair. Y gwir amdani yw fod ar y person Byronig hwn wir ofn y goruwchnaturiol. Roedd o'n tshampion gyda ffilmiau gwaedlyd am seicos a phobol felly – doedd ffilmiau *horror porn* megis *Saw* a *Hostel*, a rhai o'r clasuron megis *The Texas Chainsaw Massacre*, yn cael nemor ddim effaith arno ond roedd unrhyw beth am ysbrydion yn gallu ei gadw'n effro am nosweithiau lawer.

Ac wrth gwrs, doedd dim rhaid iddo godi ac edrych allan drwy'r ffenestr i wybod fod y fynwent yno, â sawl bedd yn cynnwys gweddillion pobol oedd wedi boddi wrth groesi i Ynys Enlli. Dywedai dychymyg Siôn wrtho fod nifer o'r rhain yn atgyfodi ar nosweithiau stormus ac yn crwydro'n ddall drwy'r fynwent ac i fyny'r allt heibio i'r tŷ. Gallai daeru weithiau iddo glywed sŵn traed lletchwith – traed nad oedd yn arfer cerdded rhyw lawer, traed oedd wedi pydru cryn dipyn – yn sgweltsian yn wlyb dros y cerrig mân o dan ei ffenestr. Dychmygai hefyd iddo glywed eu lleisiau'n wylofain yn y gwynt. A gwyddai, petai'n ddigon gwirion i sbecian allan drwy'r ffenestr, y gwelai sawl wyneb gwyn yn rhythu arno, pennau oedd fawr mwy na phenglogau, â gwymon yn lle gwallt.

Y ddrychiolaeth waethaf o'r rhain i gyd, yn nychymyg Siôn, oedd Sydney. Person go iawn oedd Sydney Williams, ac roedd Dyfrig wedi dangos ei charreg fedd ym mynwent Aberdaron i Siôn ac Awel yn o fuan ar ôl iddyn nhw ddod yma i fyw, heb sylweddoli y byddai ei hanes yn procio dychymyg ei fab i'r fath raddau. Merch ceidwad y goleudy cyntaf i gael ei godi ar Enlli oedd Sydney, a dim ond ugain oed oedd hi pan fu hi a'i thad, Thomas Williams, farw mewn storm erchyll ar y dydd olaf o Dachwedd 1822, ynghyd â phedwar o bobol eraill.

'Pam na chafon nhw mo'u claddu ar Enlli, 'ta?' cofiai Siôn Awel yn gofyn i'w thad.

'Dwn 'im, a bod yn hollol onast,' oedd ateb Dyfrig. 'Ella nad oedd 'na ddigon o le iddi yno, efo'r holl seintia rheiny. Ugian mil, meddan nhw, cofiwch. Ma hynna'n dipyn go lew o seintia, yn dydi?'

Bu'r hanes am Sydney Williams yn chwarae ar feddwl Siôn am hir. 'Dach chi'n meddwl fod gynni hi hiraeth am adra?' gofynnodd yntau i'w dad y noson honno.

'Pwy, d'wad?'

'Yr hogan 'na, 'de. Sydney. Oedd gynni hi hiraeth am Ynys Enlli?'

'Siôn, ma'r gryduras wedi marw ers bron i ddau gan mlynadd.'

'Ond ella fod gynni hi'r hiraeth mwya ofnadwy,' mynnodd Siôn.

Treuliodd lawer gormod o amser yn pendroni dros hyn, ac wrth i'w ddychymyg dyfu a throi'r eneth druan, ddiniwed honno'n fwgan ofnadwy, dechreuodd feddwl efallai fod Sydney yn sgrialu allan o'i bedd ar nosweithiau stormus, a bod rhai pobol, hwyrach, wedi'i gweld yn sefyll wrth glawdd y fynwent yn syllu drwy'r tywyllwch gwyllt i gyfeiriad Ynys Enlli . . . a bod pwy bynnag a fyddai'n ddigon anlwcus i weld ei hwyneb ofnadwy yn sicr o foddi yn hwyr neu'n hwyrach. Dychmygai hi wedi'i gwisgo mewn coban wen laes a honno'n wlyb socian, a'r rhan fwyaf o'i hwyneb wedi cael ei fwyta gan grancod a sliwod. Gorweddai yn ei wely'n meddwl yn siŵr ei fod yn gallu clywed sŵn ei thraed yn sgweltsian i fyny'r grisiau tuag at ddrws ei ystafell; roedd arno ormod o ofn tynnu'r dillad gwely dros ei ben rhag ofn iddo weld wyneb Sydney ychydig fodfeddi oddi wrtho pan fentrai, yn y diwedd, sbecian allan.

A gwyddai y byddai'n llewygu yn y fan a'r lle petai'n codi rhyw fore yn dilyn noson stormus i weld olion traed gwlyb ar lawr ei ystafell wely.

Petai Rhiannon ddim ond yn gwybod, felly, mi gymerai gryn dipyn o blwc i Siôn wibio ar draws y landin i'w hystafell hi a Dyfrig pan oedd o'n blentyn ifanc – dim ots fod Awel yno'n gwibio efo fo. Roedd yn wyrth nad oedd o wedi syrthio a brifo, oherwydd ar un adeg cadwai ei lygaid ynghau, bron, wrth groesi'r landin; doedd arno ddim eisiau mentro cael cip ar rywbeth yr ochr arall i'r ffenestr fawr, ac yn sicr doedd arno ddim eisiau edrych i lawr y grisiau tywyll a gweld Sydney'n eu dringo tuag ato.

Hyd yn oed eleni, ac yntau'n tynnu am ei ddeunaw oed, daliai'r syniad o Sydney i aflonyddu rhywfaint arno. Yn enwedig heno, efo'r gwynt yn swnio ar brydiau fel tasa fo'n udo. Ond y dyddiau hyn roedd ganddo arf ar gyfer ei dadreibio – i raddau – a gwnaeth ei orau i ganolbwyntio'i feddwl ar ferch o gig a gwaed.

'W't ti'n hapus rŵan?' oedd cwestiwn Awel iddo'r bore 'ma, y bore ar ôl y barbeciw, ac yn raddol daeth Siôn i sylweddoli y gallai ei chwaer fod wedi ychwanegu, 'achos do's 'na uffarn o neb *arall* yn hapus, mêt.'

Wrth gwrs, roedd Awel wedi dangos yn glir nad oedd hi'n hoffi'r ffaith ei fod o a Leah wedi dechrau canlyn. Pam, Duw a ŵyr. Rhywbeth i'w wneud â'r ffaith ei bod hi a Leah'n ffrindiau gorau, tybiai, er na fedrai Siôn yn ei fyw weld beth oedd gan hynny i'w wneud efo'r peth.

'Leah Wyn?' meddai ei fam, pan glywodd hi amdanyn nhw. 'Pam Leah, o bawb?' Aeth yn ei blaen i'w atgoffa fod ganddo ef a Leah flwyddyn bwysig aruthrol o'u blaenau. 'Ac ar ei diwadd hi, mi fyddwch chi'ch dau'n mynd i ffwrdd i golegau gwahanol, ac yn cyfarfod pobol newydd.' Roedd hi wedi syllu ar Siôn am sbelan, yn union fel y byddai Awel yn ei wneud. 'Bechod, a chitha wastad wedi bod gymaint o ffrindia.'

'Bechod?'

'Ia. Ti'n sylweddoli, yn dwyt, tasa chdi a Leah'n ffraeo ac yn gorffan efo'ch gilydd, na fedrwch chi byth gael y cyfeillgarwch hwnnw'n ei ôl?'

'Blydi hel, Mam, 'mond newydd ddechra mynd efo'n gilydd ydan ni.'

Chwarddodd Siôn, gan geisio gwneud jôc o'r peth, ond gwyddai fod cryn wirionedd yng ngeiriau Rhiannon. Rhywbeth tebyg roedd Morfudd, mam Leah, wedi'i ddeud hefyd. Roedd Siôn wedi deall hynny amser cinio pan siaradodd efo Leah yn y ffreutur. Pan welodd Siôn hi'n eistedd gyda dwy o'i ffrindiau a'i chefn ato, roedd o wedi sleifio i fyny'r tu ôl iddi a phlannu cusan ar ei gwar. Trodd Leah ato. Gwyddai Siôn y funud honno sut roedd Maelon Dafodrill, cariad Santes Dwynwen, yn teimlo pan gafodd ei droi'n dalp o rew.

'O-o! Ty'd . . .' meddai un ffrind wrth y llall, a chododd y ddwy a mynd. Ychydig yn llipa, eisteddodd Siôn ar gadair wag un ohonyn nhw.

'Be sy . . .?' gofynnodd i Leah.

'Be ffwc ti'n feddwl ti'n neud?'

'Sor-ri!'

'Roeddan ni ar ganol sgwrs.'

'Ia, ocê – sorri, reit? O'n i'n meddwl . . .'

'Be?'

'Wel . . . ysti, gan 'yn bod ni'n mynd efo'n gilydd rŵan . . .'

'Fod gin ti'r hawl i mhawennu i pan ti'n teimlo felly?'

''Mond rhoid sws i chdi wnes i, ffor ffycs sêc . . .'

Syllodd Leah arno am rai eiliadau cyn ysgwyd ei phen. 'Be ddeudon nhw adra 'ta?' gofynnodd.

Nodiodd yn araf wrth i Siôn roi braslun byr o'r hyn roedd Rhiannon ac Awel wedi'i ddweud. Penderfynodd beidio ag ailadrodd rhybudd Rhiannon ynglŷn â'r hyn fyddai'n debygol o ddigwydd petaen nhw'n gorffen efo'i gilydd; roedd arno ofn y byddai hi'n cytuno efo Rhiannon, a dweud efallai mai dyna fasa orau cyn i bethau fynd dim pellach.

A doedd arno fo ddim eisiau hynny. Roedd arno eisiau i bethau fynd gryn dipyn ymhellach.

'Be am dy dad?' gofynnodd iddi. 'Be ddeudodd o?'

Tynnodd Leah ystumiau. 'Doedd o ddim wrth 'i fodd, yndê. O bell ffordd. Ddim rŵan ydi'r amsar i mi ddechra poitsio efo rhyw hogyn, medda fo.'

Trodd Leah i ffwrdd a gwên fach dawel ar ei hwyneb ar ôl dweud hyn, gan wneud i Siôn deimlo fod Alun Warren wedi dweud rhywbeth llawer iawn cryfach na hynny. Hwyrach fod gan Alun sawl blewyn ar ei ên, ond doedd ganddo fo'r un ar ei dafod. 'Yncl Alun' neu 'tad Leah' oedd o i Siôn ac Awel tra oedden nhw yn Ysgol Crud y Werin, ond cawsant sioc pan gychwynnon nhw yn yr ysgol uwchradd o sylweddoli fod 'Yncl Alun' yn cael ei ystyried fel rhyw fath ar gyfuniad o Genghis Khan ac Attila the Hun, gan roi'r argraff ei fod o'n casáu pawb dan un ar bymtheg â chasineb a fasa'n peri i Herod Fawr ei ystyried fel tipyn o foi.

'Be am dy dad di?' gofynnodd Leah.

Meddyliodd Siôn yn ôl am eiliad. 'Wyddost ti be, fo sy wedi pregethu leiaf ohonyn nhw i gyd.'

'Ia?'

'Hyd y gwn i. Awel ddeudodd wrtho fo, do'n i ddim yno.' Edrychodd Siôn arni. 'W't ti'n . . . ysti?'

Roedd cuwch bychan wedi dod i wyneb Leah – mwy o grych rhwng ei haeliau na dim byd arall.

'Ydw i'n be?' – ag awgrym diamynedd yn ei llais.

'W't, yn dw't? Ti'n poeni am . . . am be ma nhw'n 'i ddeud, yn 'i feddwl.'

Edrychodd Leah arno gyda pheth syndod.

'Be, dw't *ti* ddim?'

'Wel . . .'

Gwenodd arni â gwên y gobeithiai ei bod yn un ddireidus.

'*Paid* â deud wrtha i,' meddai Leah. 'Ti'n eitha mwynhau hyn i gyd. Pwy ti'n feddwl ydan ni, Siôn – Romeo a Juliet, ia? Pâr o ffwcin *star-crossed lovers*?'

Ddeuddeg awr yn ddiweddarach, llwyddai'r sgwrs yma i greu hen bigyn bach annifyr yng ngwaelod ei stumog. Roedd Leah wedi codi'n ddisymwth a cherdded allan o'r ffreutur, gan ei adael o'n teimlo fod llygaid pawb oedd yno wedi'u hoelio ar ei wyneb gwirion o (doedden nhw ddim, wrth gwrs, ond felly roedd o wedi teimlo ar y pryd). Ar y ffordd adref wedyn, ar y bws mini, roedd hi wedi eistedd wrth ei ochr a chydio'n ei law bob cam yn ôl i Aberdaron, ac wedi'i gusanu'n reit frwd cyn iddyn nhw wahanu, gan chwerthin am ben Awel a oedd wedi edrych fel petai hi am chwydu.

Melltithiai Siôn ei ddiffyg profiad fel carwr. Oedd *pob* hogan fel hyn, meddyliodd, yn fwrlwm o serch ac addewidion erotig un funud ond yna'r funud nesaf yn edrych ar eu cariadon fel roedd Mediwsa'n enwog am ei wneud? Ynteu dim ond Leah? Doedd hi ddim yn arfer bod mor gyfnewidiol pan oedden nhw'n ddim ond ffrindiau, teimlai'n siŵr. Weithiau roedd hi fel hogan ddieithr, yn ddim byd tebyg i'r hen Leah roedd o'n ei chofio, ond droeon eraill roedd hi hyd yn oed yn *well* na'r hen Leah, yn enwedig wrth ei gusanu. A heddiw, pan oedd Awel wedi mynd yn ddigon pell, fe'i cyffyrddodd yn ysgafn trwy ddefnydd ei jîns cyn gwenu a symud oddi wrtho.

Pan gyrhaeddodd adref roedd yr un hen olwg ddirmygus honno ar wyneb Awel – ac, a bod yn gwbl onest, roedd o wirioneddol wedi dechrau cael llond bol arni erbyn hyn. Pwy oedd hi'n meddwl oedd hi?

'Dach chi'ch dau'n ddigon i droi stumog rhywun.'

'*Pam*, Awel? Be *ydi* dy broblam di?'

'Doedd Dad ddim yn edrach yn hapus iawn efo chi chwaith,' ychwanegodd, yn hytrach nag ateb ei gwestiwn.

'Dad?'

'Basiodd o chi yn 'i gar.'

'Welis i mono fo.'

'Fasat ti ddim, na fasat Siôn?'

Ond ddywedodd Dyfrig ddim byd pan aeth Siôn trwodd i'r ystafell fyw.

Rŵan, y cwestiwn mawr oedd, oedd o'n ddigon dewr i godi ym mherfedd nos a'r gwynt yn sgrytian y ffenestri, a mynd i lawr i'r gegin i chwilio am ddarn o dywel cegin papur? Oedd, tybiai, a'i feddwl yn llawn o Leah: canolbwyntiodd ar wres ei gwefusau, ar gyffyrddiad ysgafn ei llaw, ond bu bron iddo droi'n ei ôl pan sylwodd fod drws ystafell wely ei rieni'n gilagored. Rhegodd dan ei wynt. Doedd o ddim am fentro cynnau'r golau; efallai mai Napoleon oedd ei dad, ond roedd ei fam yn cysgu mor ysgafn â phry, ac mi fasa golau'r landin yn llifo i mewn drwy'r drws yn sicr o'i deffro.

Leah, Leah . . .

Aeth i lawr y grisiau, felly, yn y tywyllwch, yn brwydro'n galed i feddwl am ei llaw gynnes yn cyffwrdd blaen ei jîns, yn hytrach na llaw oer, wlyb Sydney Williams yn cau am ei ffêr. Ond wrth nesáu at y gegin, clywodd sŵn.

Safodd yn stond.

Roedd y gegin yn dywyll, ond roedd drws yr ystafell yma hefyd yn gilagored a thrwy hwnnw y deuai'r sŵn.

Sŵn dynes yn igian crio.

Meddyliodd Siôn yn syth am Sydney'n hiraethu am Enlli.

Yna clywodd Sydney'n clirio'i gwddf, a sylweddoli mai ei fam oedd yno. Ond be oedd hi'n ei wneud?

Mentrodd sbecian i mewn heibio ochr y drws. Gwelodd Rhiannon yn eistedd wrth y bwrdd ar ei phen ei hun, yn y tywyllwch, yn crio'n dawel wrth arllwys rhagor o win i mewn i'w gwydryn.

Dychwelodd i'w wely, yn llipa fel cadach llestri erbyn hyn ac wedi anghofio popeth am dyweli papur. Dywedodd wrtho'i hun na fyddai ar ei fam eisiau iddo fod wedi'i gweld, heb sôn am fynd i mewn ati a gofyn iddi be roedd hi'n feddwl oedd hi'n ei *wneud*, yn eistedd yno ar ei phen ei hun, yn y tywyllwch, yn yfed gwin, yn crio . . .

Ar y rhaglen uffernol honno roedd y bai – ond nid yr holl fai. Roedd hi wedi mynnu'i gwylio. Pam, Duw a ŵyr: wedi'r cwbwl, doedd hi ddim yn 'y busnas' rhagor, nagoedd? Roedd hyd yn oed edrych ar unrhyw raglen ar y sianel fel tywallt halan a finag dros ei briw. Pam roedd hi'n mynnu gwneud hynny trwy'r amser? Pan oedd Siôn yn iau, fyddai o ddim wedi meddwl ddwywaith cyn rhedeg i mewn ati a'i gwasgu; gan amlaf, crio dros rywbeth hollol hurt fyddai hi – llathen o'r un brethyn dwys oedd hi ac Awel. Ond byddai'n falch bob tro ei fod o yno; roedd o wastad yn gwneud iddi deimlo'n well, meddai, yn ei gwasgu efo'i freichiau bach eiddil yn dynn am ei chanol a'i dalcen yn erbyn ei botwm bol.

Ond nid crio dros rywbeth hurt yr oedd hi heno, roedd hynny'n amlwg. A sylweddolodd ar ôl ychydig fod ei lygaid yntau hefyd yn llaith, a bod lwmp poenus yn ei wddf. Gorweddodd yno'n ddigalon am iddo fethu rhedeg i mewn ati a lapio'i freichiau am ei chanol a gwneud iddi deimlo'n well.

* * *

Ymhen hir a hwyr, sylweddolodd Rhiannon fod ei gruddiau'n gynnes ac yn wlyb a'i bod yn igian crio'n ddistaw yn nhywyllwch y gegin. Pan gydiodd yn y botel win, gwelodd fod honno bellach yn wag.

Craffodd ar rifau digidol cloc y popty.

01.43.

'O damia.'

Dwi wedi meddwi, dwi'n chwil, dwi wedi ista yma'n slochian bron i botal gyfa o win ar ben fy hun bach.

Cododd yn simsan a gollwng y botel i mewn i'r bin ailgylchu. Pwysodd yn erbyn postyn y drws wrth fynd o'r gegin, cyn ymwthio oddi arno ac anelu am droed y grisiau.

Yndw, dwi wedi meddwi, dwi'n chwil . . .

Llwyddodd i gyrraedd ei gwely, heb fawr o gof gwneud hynny. Gwynant, meddyliodd: wnest ti ffonio heno, 'ta be? Ac os na wnest ti, yna pam? Ro'n i wedi meddwl yn siŵr y basat ti'n ffonio er mwyn ei deud hi am y rhaglen deledu 'na – y *rhaglen goc* honno.

Ond 'na fo, os ydyn nhw'n mynnu piso ar bennau eu gwylwyr efo'r fath betha, yna ma'r gwylwyr am dalu'r pwyth yn ôl drwy beidio â gwylio'u ffwcin sianel nhw.

Yna meddyliodd, am ryw reswm, sut roedd hi'n bosib ar un adeg, ganrifoedd maith yn ôl, cerdded drosodd i Enlli pan fyddai'r llanw allan.

'Dogger, Fisher, German Bight . . .' sibrydodd.

A'r tro hwn, cysgodd.

Yn y pellter, rhuai'r môr.

8

'L'enfer, c'est les autres'

Cafodd Dyfrig ei ddeffro, bum munud cyn i'r cloc larwm seinio, gan anadl sur Rhiannon yn chwythu dros ei wyneb. Ebychodd a throi'i ben oddi wrthi cyn agor ei lygaid yn llawn. Deuai stribyn o olau llipa i mewn i'r ystafell heibio ochrau'r llenni. Clywai sŵn y glaw fel brwsh weiars yn erbyn y ffenestr, ond roedd gwyntoedd cryfion y nos wedi gostegu.

Pwysodd dros Rhiannon i ddiffodd y cloc larwm cyn i hwnnw ddechrau canu. Os canu hefyd, meddyliodd; roedd ei wichian electronig, penderfynol yn rhy aflafar i gael ei anrhydeddu â berf mor swynol.

Treuliodd funud neu ddau'n meddwl am ei amserlen ysgol, a chofio fod ganddo wers ddwbwl rydd y peth cyntaf yn y bore. Cyfle i ddarllen traethodau a'u marcio, gyda lwc. Os na fyddai Robin Roberts wedi ffonio i mewn yn 'sâl' eto heddiw. Neu, yn hytrach, os nad oedd ei wraig ifanc wedi ffonio'r ysgol drosto, y wraig ddirgel nad oedd yr un o'r staff erioed wedi taro llygad arni.

Ond roedd ganddi lais anhygoel o rywiol.

'Ddylat ti'i chlywad hi'n siarad, Dyfrig,' meddai un o'r dirprwyon wrtho. 'Ma hi'n swnio fel un o'r merchad 'na sy'n rhoi gwasanaeth porn dros y ffôn. Fel tasa hi ar fin dŵad.'

Cawsai'r fraint o glywed y llais chwedlonol hwn un bore, wrth ddigwydd bod yn y swyddfa pan ffoniodd 'Mrs Roberts' ag esgus ar ran ei gŵr eto fyth. Dyna lle roedd y ddau ddirprwy fwy neu lai'n glafoerio dros y ddesg, y ffôn wedi'i roi ar *loudspeaker* a'r ddwy ysgrifenyddes yn rhowlio'u llygaid ar ei gilydd. 'I feddwl bod y ddau yma'n dysgu'n plant ni,' meddai un ohonynt wrth Dyfrig. Y farn gyffredinol oedd fod Mrs Robaitsh yn ormod o ddynes i'w gŵr; roedd Robin yn weddol agos at oed ymddeol, a byddai hynny'n egluro pam ei fod o'n absennol mor aml. Roedd si hefyd mai dod o hyd iddi ar y we wnaeth Robin – dyn a fu'n hen lanc tan yn gymharol ddiweddar.

'Rhyw Ffilipino fach ddel, synnwn i ddim,' meddai'r un dirprwy wrth Dyfrig. 'Chwara teg, dydi'r hen Robin ddim yn *oil painting*, nac'di?'

'Ella nad ydi hitha chwaith,' cynigiodd Dyfrig.

'Be? Efo llais fel'na? Callia.'

'Wel, wyddost ti byth. Ella 'i bod hi'r un oed â Robin, ac yn edrach fel tasa hi'n reslo efo teirw bob bora cyn brecwast.'

Roedd y dirprwy wedi edrych arno â golwg boenus.

'Paid â deud petha fel'na,' crefodd. 'Plis paid, dyna hogyn da rŵan.'

Ond doedd y peth ddim yn ddoniol i'r rhai oedd yn gorfod treulio'u gwersi rhydd yn eistedd efo dosbarthiadau'r Robin bythol-absennol. Roedd o wedi cael un diwrnod i ffwrdd yn barod a dim ond newydd ddechrau roedd y tymor newydd.

Llithrodd Dyfrig o'r gwely, eisoes yn melltithio Robin. Y creadur wedi'i gollfarnu fel gŵr euog ac yntau am unwaith, efallai, yn hollol ddi-fai. Trodd mewn pryd i weld llygaid Rhiannon yn cau yn eu holau.

'Rhiannon . . .?'

'Mmm . . .'

Trodd Rhiannon drosodd ag ochenaid uchel, sur. Roedd yr ystafell yn drewi o win. Agorodd Dyfrig fymryn ar y ffenestr fechan a oedd uwchben y brif ffenestr, a gweld ei bod hi wedi cau'r tu allan efo glaw mân.

'Ti am fynd i redag?'

Trodd yn ei ôl. Roedd Rhiannon fwy neu lai o'r golwg o dan y dwfe.

'Ddo i â phanad i fyny i chdi cyn mynd.'

'Mmm . . .'

'A dwy barasetamol, dwi'n cymryd.'

Atebodd hi ddim.

Pur anaml y gwisgai Dyfrig byjamas i'w wely, dim ond ei drôns a chrys-T. Gwisgodd bâr o siorts a thop tracsiwt drostyn nhw ac estyn sanau rhedeg glân o'r drôr. Edrychodd i gyfeiriad y gwely gan feddwl taro cusan dros gorun Rhiannon, ond doedd dim ohoni i'w weld heblaw twnshiad o wallt brown.

Yn sicr, doedd yr ystafell ddim yn drewi fel hyn pan aeth o i'w wely neithiwr; doedd *Rhiannon* ddim yn ogleuo i'r fath raddau ychwaith. Rhaid ei bod hi wedi codi yn ystod y nos, meddyliodd.

Rhoes naid fechan o weld Awel yn eistedd yno'n barod pan gerddodd i mewn i'r gegin, a mỳg coffi rhwng ei dwylo.

'Haia, Dad . . .'

'Be sy? Chwain yn dy wely di, ne' rwbath?'

Ddywedodd Awel ddim byd, ond gallai Dyfrig deimlo'i llygaid llonydd arno wrth iddo droi at y ffrij. Oedd, roedd o'n flin, ac roedd o wedi *swnio*'n flin hefyd, er gwaethaf ei eiriau cellweirus.

Ac roedd y botel win newydd roedd o wedi'i hagor y noson cynt wedi diflannu. Dyna inni syrpréis, meddyliodd. Gwelodd wrth droi fod gwydr gwin budur wedi'i adael ar y bwrdd. Gallai ddychmygu Awel yn eistedd yno'n syllu ar y gwydr cyn iddo fo ddod i lawr i'r gegin.

Yn syllu arno am hydoedd . . .

'Rydan ni am fynd i redag felly?' meddai wrtho.

'Be?'

'Yn hwn.' Pwyntiodd Awel at y ffenestr.

'Wel, *dwi*'n mynd, yndê. Ond os w't ti'n ormod o fabi . . .'

'Mi a' i i fyny i newid rŵan, ocê?'

Gwthiodd ei thafod allan arno. Edrychai'n ifanc iawn, yno wrth y bwrdd yn ei gŵn nos focsio. Ac roedd ei gwallt cwta, golau'n gwneud iddi edrych hyd yn oed yn iau. Be oedden nhw'n galw'r steil yma, hefyd? O, ia, cofiodd – *pixie crop*. Fel oedd gan Mia Farrow erstalwm, a Jean Seberg. Anodd fyddai i rywun dieithr gredu bod Awel yn ddwy ar bymtheg oed.

Paratôdd Dyfrig goffi iddo'i hun a the i Rhiannon, ac wrth aros i'r teciall ferwi, syllodd allan ar lwydni gwlyb y dydd. Er gwaetha'r glaw a sgubai ar draws yr ardd, sylweddolodd ei fod yn edrych ymlaen at fynd allan i'w ganol, at ei deimlo'n golchi dros ei wyneb, yn gymysg â'r heli, wrth iddo redeg ar hyd y traeth. Roedd arno eisiau bod allan ynddo fo *rŵan*, a theimlai'n ddiamynedd iawn efo Rhiannon, yn gorwedd yn ei gwely ac yn disgwyl ei thendans.

'Reit!' Cododd Awel a rinsio'i mỳg o dan y tap cyn mynd at y drws. 'Fydda i ddim chwinciad.'

Tywalltodd Dyfrig ddŵr poeth dros y coffi a'r cwdyn te. Troes at ei ferch. 'Ti'm isio panad arall?'

Ysgydwodd Awel ei phen. 'Na, dwi'n ocê. Ddim cyn rhedag.'

Gwelodd Dyfrig ei llygaid yn disgyn eto ar y gwydr gwin. Ma'r diawl peth fel tasa fo'n sgrechian arnon ni, meddyliodd, yn sgrechian dros y tŷ. Be oedd y dywediad, hefyd? Yr eliffant yn yr ystafell fyw, neu rywbeth tebyg.

Arhosodd nes roedd Awel wedi mynd i fyny'r grisiau cyn iddo estyn y tabledi Paracetamol o'r cwpwrdd.

* * *

Roedd Rhiannon yn dal i fod o'r golwg o dan y dwfe.

'Rhiannon . . .' Yna, gan na chafodd ymateb: 'Hoi!'

Arhosodd yn ddiamynedd wrth iddi ailddeffro a'i gwthio'i hun i fyny ar ei heistedd, a gosod y gobennydd yn gyfforddus y tu ôl i'w chefn. Sylwodd fod ei llygaid yn goch.

''Ma chdi.'

'Diolch.'

Cymerodd Rhiannon y te ac yna'r ddwy dabled. Syllodd arnynt fel na bai'n siŵr iawn beth i'w wneud efo nhw. Yna edrychodd i fyny ar Dyfrig.

'Sorri, ma'r te yma'n rhy boeth i mi fedru . . .'

Ochneidiodd Dyfrig a chymryd y te oddi arni tra oedd hi'n llyncu'r tabledi hefo dŵr o'r gwydryn ar gwpwrdd y gwely.

'Diolch.'

Cymerodd y mỳg oddi arno am yr eildro.

'Be *oedd* neithiwr?' gofynnodd Dyfrig.

Yfodd Rhiannon ychydig o'i the. 'A-a-a!' Cododd rhagor o arogl y gwin o'r gwely. 'Morus y Gwynt ac Ifan y Glaw . . .'

'Dwi'm yn sôn am y blydi tywydd, Rhiannon.'

'O, paid â dechra.'

'Ma'r tŷ 'ma'n drewi o win.'

''Mond gorffan be oedd ar ôl yn y botal.' Edrychodd Rhiannon i fyny arno. 'Gwin oedd ynddi hi, Dyfrig. Gwin. Mi fasa gin ti le i gega 'swn i wedi rhoi clec i botelad o wisgi.'

'Ond codi'n ddistaw bach yng nghanol y nos i'w hyfad hi? 'Ta fasa codi'n slei bach yn fwy addas?'

'*Be*?' Doedd Rhiannon ddim yn gallu deall ei bwynt – os oedd ganddo un o gwbl. 'Fasa'n well gin ti taswn i wedi dy ddeffro di?'

'O, ddim dyna be . . .' Ochneidiodd.

'Wel *be*, 'ta?' Roedd ei phen yn brifo go iawn erbyn hyn.

''Dio'm fel tasa fo'r tro cynta, nac'di?'

'Nac'di. A wyddost ti be? Ma 'na rwbath yn deud wrtha i nad hwn fydd y tro dwytha, chwaith.'

Cododd ei mỳg at ei cheg. Yn ei meddwl, trodd yn fach, fach, fel The Incredible Shrinking Woman, os oedd yna'r ffasiwn greadures, nes ei bod tua'r un maint â Thumbelina neu un o'r Borrowers. A chyda 'plop!', i mewn i'w mỳg â hi.

Siaradodd heb edrych i fyny ar ei gŵr.

'A wyddost ti be arall? Does 'na ddim byd gwaeth i rywun sy'n deffro efo hymdingar o gur pen na gorfod gwrando ar bregath gin ryw dwat hunan-gyfiawn sy 'di codi ben bora er mwyn mynd allan i redag.'

'O, iawn. Tshampion. Ma'n amlwg . . .'

'Be?'

'Sna'm pwynt.'

Wrth y drws, trodd.

'Ma'n hen bryd i chdi ga'l swydd gall yn rhwla. Fedar petha ddim cario mlaen fel hyn, Rhiannon.'

Aeth allan heb droi'n ei ôl, ill dau'n ymwybodol nad oedd o wedi rhoi ei chusan arferol iddi.

* * *

Roedd Awel yn aros amdano'r tu allan i'r drws ffrynt, yn amlwg wedi mynd heibio i ddrws agored eu llofft tra oedd Rhiannon ac yntau'n ffraeo.

Faint glywodd hi? Fel arfer efo Awel, amhosib oedd dweud. Wrthi'n brwsio dail gwlybion oddi ar foned a ffenestr flaen car Rhiannon yr oedd hi pan ddaeth Dyfrig allan ati.

'Iawn?'

Nodiodd Dyfrig. Nid oedd y glaw'n ddigon trwchus i guddio llawer ar y Gwylanod, ac o hanner cau'i lygaid wrth syllu tuag at y ddwy ynys fechan, roedden nhw'n ymddangos fel dau grwb yn codi o'r môr gan wneud iddo feddwl am un o'r lluniau amwys rheiny o anghenfil Loch Ness. Dau lwmpyn llwyd yng nghanol mwy o lwydni, meddyliodd, a'r awyr uwch eu pennau fel bol pysgodyn marw.

'Tshampion. Barod?'

Cychwynnodd y ddau oddi wrth y tŷ. Doedd y tywydd ddim yn oer, ac roedd heli yn y glaw: gallent ei flasu'n gryf ar eu gwefusau a blaenau eu tafodau wrth iddyn nhw frysio i lawr i'r traeth. Yno, arhosodd y ddau i blygu ac ymestyn a rhwbio gwaelodion eu coesau.

'Paid â sbio rŵan, ond ma 'na rywun yn 'yn gwatsiad ni o'r fynwant.'

'Dyna i ni syrpréis,' meddai Awel. 'Tad Leah, ia?'

'Iep.'

'Ydi o'n piso'n erbyn y clawdd heddiw?'

Gwenodd Dyfrig. 'Nac'di, ma'n saff i chdi droi.' Cododd ei

law ar ddyn mewn anorac las a'r hwd wedi'i dynnu dros ei ben a safai wrth glawdd mynwent yr eglwys. Roedd ci defaid du a gwyn wrth ei ochr. Pan sylweddolodd Alun Warren ei fod wedi cael ei ddal yn syllu arnynt, cododd yntau ei law cyn rhoi plwc i dennyn ei gi a throi draw.

Gyda golwg feddylgar ar ei wyneb, gwyliodd Dyfrig o'n mynd.

'Dad?'

Ymysgydwodd Dyfrig.

'Ydi hi wedi sôn mwy am ymuno efo ni?' gofynnodd.

'Leah? Nac'di. Wel, ddim wrtha i, beth bynnag. Dwn 'im am Siôn.'

Gwenodd Awel. 'Ddaw hi ddim, Dad, peidiwch â phoeni.'

'Dwi'm *yn* poeni . . .'

Ond doedd Awel ddim yn ei goelio. Roedd wyneb ei thad wedi disgyn pan soniodd hi wrtho fod Leah wedi crybwyll yr hoffai redeg efo nhw ambell fore. Na, mwy na hynny: roedd rhywbeth tebyg i fraw wedi dod i'w lygaid am eiliad, fel tasa fo newydd gael ysgytwad.

'Dach chi'm *isio* iddi hi ddŵad efo ni?' roedd Awel wedi gofyn iddo.

'Wel . . . ma'n well fel ma hi rŵan, yn dydi?' oedd ateb Dyfrig. ''Mond chdi a fi. Dwi'm isio ca'l cynulleidfa'n fy ngwatsiad i'n gneud ffŵl ohona i'n hun.'

''Mond Leah ydi hi,' ychwanegodd Rhiannon. 'Ma hi wedi dy weld di'n gneud petha lot gwirionach na jogio dros y blynyddoedd.'

Roedd Awel wedi dod i'r adwy. Doedd arni hithau ddim eisiau i Leah Wyn ymuno efo nhw, chwaith, meddai. Ar wahân i'r ffaith ei bod yn eitha mwynhau cael ei thad iddi hi'i hun am ychydig, mi fasa Leah'n eu harafu'n o hegar – yn enwedig rŵan, a nhwytha wedi bod wrthi ers misoedd lawer.

'Ond os bydd hi'n mynnu dŵad, fedrwch chi ddim jest

deud "Na" wrth yr hogan, siŵr,' oedd geiriau Rhiannon. 'Nid y chi'ch dau sy bia'r traeth 'na, ychi.'

Petai'r sgwrs yma wedi digwydd yn fwy diweddar, ers i Leah a Siôn ddechrau be-bynnag-roeddan-nhw'n-'i-neud-efo'i-gilydd (a dwi'm isio meddwl gormod am *hynny*, diolch yn fawr, meddyliodd Awel wrth gofio'r cusanu – y snogio, y *sbŵnio* – brwd a welsai ar y traeth; *don't go there*, fel ma nhw'n leicio'i ddeud y dyddia yma), yna mi fasa Awel wedi mynd cyn belled â datgan ei bwriad i roi'r gorau i redeg yn y boreau os oedd Leah Wyn – os oedd *honno* – yn dechrau ymuno efo nhw. Ia, ocê, mi fasa hynny'n beth plentynnaidd uffernol i'w wneud, meddyliodd, ond tyff shit: ma hi wedi dechra mynd ar 'y nhits i yn y modd mwya ofnadwy. Sorri, dwi'n gwbod ei bod hi'n fêt i mi a bob dim, ond dyna fo . . .

Roedd y ddau ohonyn nhw, felly – Awel a'i thad – yn tueddu rai boreuau i daflu ambell edrychiad nerfus i gyfeiriad y fynedfa i'r traeth, yn ofni gweld Leah'n ymddangos yno.

'Ma hi'n gwbod na fasa hi'n para'n hir iawn efo ni,' meddai wrth Dyfrig rŵan. ''Sa fo ddim yn croesi'i meddwl hi i godi o'i gwely ar ôl gweld hwn, beth bynnag.'

Hen law annifyr a dreiddiai drwy bopeth oedd 'hwn'; roeddynt ill dau eisoes yn wlyb at eu crwyn. Gorweddai clystyrau o wymon dros wyneb y traeth, ddwsinau ohonyn nhw, fel plorod hyll oedd wedi ymddangos dros nos ar wyneb merch hardd. Roedd y môr yn dawel y tu ôl iddynt, a'r llanw ar drai ac yn llonydd iawn y bore hwn, fel plentyn direidus a deimlai'n euog am y llanast roedd wedi'i greu wrth chwarae'n wyllt y noson cynt. Ar wahân i'r cip a gawsant yn gynharach ar Alun Warren, doedd yna'r un enaid arall i'w weld ar gyfyl y lle.

'Ma'n grêt yma, 'dydi?' meddai Awel. ''Radag yma o'r flwyddyn.'

'Yndi.' Ymsythodd Dyfrig ac anadlu'n ddwfn. 'Yndi, ma hi.

Be oedd y peth Sartre 'na, 'yfyd? Ty'd – y chdi ydi'r Ffrancas fawr.'

'L'enfer, c'est les autres,' meddai Awel gan ochneidio. Gwyddai Dyfrig yn iawn beth oedd y dyfyniad cyn gofyn, ond fel yna mae'r athrawon 'ma, meddyliodd Awel, wastad yn rhoi rhyw brawf neu'i gilydd ar rywun.

'Ia,' meddai Dyfrig. 'Roedd o'n llygad ei le 'fyd. Uffarn ydi pobol erill.'

Dechreuodd y ddau loncian yn gymedrol, ochr yn ochr, i gyfeiriad Porth Simdde. Ydw, dwi'n dal i fwynhau hyn, meddyliodd Dyfrig. Roedd o'n synnu ato'i hun yn mwynhau rhedeg fel hyn ddydd ar ôl dydd.

'Faint barith o, sgwn i?' cofiai Rhiannon yn ei ddweud pan gychwynnodd o redeg, a rhaid oedd iddo gyfaddef fod ganddi bwynt dilys. Roedd ei atig yn gartref llychlyd i wahanol bethau a ddigwyddai fynd â'i fryd ar un adeg, ond iddo flino arnyn nhw dros nos, bron, pan ddeuai rhywbeth arall i gymryd eu lle – gwialenni pysgota, batiau sboncen a thennis, esgidiau dringo, cerdded a phêl-droed, offer gwersylla, bocsys di-rif yn llawn llyfrau a chylchgronau'n ymwneud â phynciau nad oedd ganddo fawr o ddiddordeb ynddyn nhw bellach.

Blwyddyn, erbyn hyn. A chwara teg, all neb fy nghyhuddo o fod yn rhedwr tywydd braf, meddyliodd; mi ddechreuis i neud hyn ar yr adag waetha o'r flwyddyn, pan oedd yr haf ar fin troi'n hydref. *Blwyddyn*, Rhiannon – ti'n clywad? Deuddag mis o godi'n ufudd am hannar awr wedi chwech, a hynny ar bob tywydd – ia, hyd yn oed pan fydda hi'n stido bwrw, yn pistyllio a phiso hen wragedd a ffyn. Dwi wedi bod allan ar y traeth yma efo nodwydda o eirlaw a chenllysg yn chwipio fy wynab a'm coesa, weithia'n cwffio'n galed yn erbyn y gwynt, droeon erill a'r gwynt yn gwthio yn erbyn fy nghefn, bron fel tasa fo'n trio nghodi i dros y tywod. Deuddag mis cyfa o gyrraedd yn ôl adra'n wlyb at 'y nghroen, un ai'n wlyb o chwys neu o chwys a glaw, ac – yn enwedig yn y dyddia cynnar rheiny – yn teimlo fel tasa rhywun wedi gwthio gwaywffon i mewn i f'ystlys a'i throi'n giaidd. Ac o fod droeon o fewn dim i chwydu.

Be ti'n feddwl o *hynna* 'ta, Rhiannon?

Fel petai hi wedi darllen ei feddwl i raddau, meddai Awel, '"Dach chi'n cofio'r syniad 'na gafodd Mam, fod y pedwar ohonan ni'n codi bob bora ac yn mynd i redag efo'n gilydd?'

'Paid!'

Diolch byth, roedd Siôn wedi ymateb i'r awgrym hwn â braw a sawl 'No *way*!' pendant. Roedd Dyfrig wedi cael fflach sydyn ac ofnadwy ohonyn nhw i gyd yn loncian ochr yn ochr ar hyd y traeth, eu pedwar yn crechwenu fel ffyliaid, fel un o'r teuluoedd cyfoglyd rheiny sy'n ymddangos o bryd i'w gilydd mewn hysbysebion teledu ar gyfer Corn Flakes neu rywbeth tebyg. Gwelsai Awel ac yntau sawl teulu fel'na yn ystod misoedd yr haf, pan oedd hi'n amhosib hyd yn oed freuddwydio am gael y traeth iddyn nhw'u hunain fel hyn, a'r fro gyfan yn berwi ag ymwelwyr – 'yn chw'su ffwcin Saeson o bob twll a chornol', yng ngeiriau Alun Warren.

Edrychodd ar Awel. Roedd ei meddwl ar rywbeth arall, synhwyrodd Dyfrig: ar ei mam, fwy na thebyg, a theimlodd rith o arogl y gwin a lenwai'r ystafell wely yn cosi'i ffroenau. Trodd i gyfeiriad y môr ac anadlu'n ddwfn trwy'i drwyn, cyn edrych eto ar Awel.

'Ty'd – am y cynta i gyrradd y creigia acw.'

'Dad, dydi rhywun ddim i fod i rasio . . .' dechreuodd Awel brotestio, ond roedd Dyfrig wedi dechrau cyflymu.

'Ty'd!'

Ochneidiodd Awel a chychwyn ar ei ôl nes eu bod ochr yn ochr unwaith eto. Trodd eu loncian yn rhedeg, ac yna'n garlamu gwyllt. Neidiodd y ddau dros y sypiau gwymon, a phob naid gan Dyfrig yn enwedig yn llawer uwch nag oedd raid; teimlai fod y tywod caled, gwlyb yn chwarae efo fo, yn aros am gusan ei droed dim ond er mwyn cael ei wthio i fyny i'r awyr yn ei ôl.

9
Cyffaith

Alun Warren.

Alun Wyn Warren, a bod yn hollol gywir. Un o Chwilog yn wreiddiol. Athro gwaith coed a fu, flynyddoedd maith yn ôl, yn freuddwydiwr roc-a-rôl, yn gitarydd mewn grŵp o'r enw y Ryffians pan oedd yn y coleg. Athro gwaith coed y byddai'n well ganddo, yn ddistaw bach, fod yn athro Cymraeg neu Saesneg, cymaint oedd ei gariad at lyfrau, at lenyddiaeth yn gyffredinol. Ond cawsai gyngor doeth gan hen athro cyn iddo gychwyn ar ei yrfa: paid byth â dysgu'r hyn rwyt ti'n ei garu, os nad wyt ti'n dyheu am weld dy galon yn cael ei thorri'n feunyddiol. Stwcyn o ddyn y dyddiau hyn, yn bum deg pump oed a chanddo gryn dipyn mwy o halen nag o bupur yn ei locsyn. Yn ŵr i Morfudd ac yn dad i dair o genod – Esyllt, Mari a Leah – ond fel y dywedai Morfudd yn aml (ac fel jôc, gobeithiai): 'Tasa hwn wedi ca'l ei ffordd ei hun, yna Janis, Memphis Minnie a Big Mama Thornton fasa enwa'r tair.'

'Tair blydi priodas i dalu amdanyn nhw,' ffug-gwynai'n aml, ond roedd o eto i dalu am y gyntaf. Athrawes feithrin yng Nghaerdydd oedd Esyllt, ac yn benderfynol, meddai hi, o fyw ei bywyd yn llawn cyn gwthio'i thraed i mewn i gyffion priodas er ei bod yn tynnu am ei degfed pen-blwydd ar hugain. Ac roedd Mari, ddwy flynedd yn iau na hi, wedi datgan nad oedd unrhyw ddiddordeb ganddi mewn dynion (na merched ychwaith, brysiodd i ychwanegu), gan ei bod yn hen ddigon hapus yn ei swydd fel llyfrgellydd ymchwil i fyny yng Nghaeredin.

A Leah . . .

Y cyw melyn olaf.

Ac a gawsai hi, felly, ei difetha?

Naddo, meddai ei rhieni, ond argol fawr, do! mynnai ei chwiorydd. Leah, oedd bellach wedi dechrau canlyn efo'r hulpyn hirwallt hwnnw oedd yn fab i Dyfrig Parri.

O bawb.

Rŵan, o'r fynwent ac yn y glaw, gwyliodd Alun Dyfrig ac Awel yn rhedeg ar hyd y traeth. Gwelodd Dyfrig yn aros a phlygu i lawr i gael ei wynt ato gan wynebu'r môr a'i ddwylo'n gwasgu'i lawr ar ei gluniau. Meddyliodd Alun am y clip ffilm enwog hwnnw a welsai droeon ar raglenni teledu David Attenborough, o forfil danheddog yn codi fel hunllef o'r dŵr a chipio morlo bach anffodus oddi ar y lan. Ond er mor llwyd a digroeso yr oedd môr Aberdaron heddiw, ni ddigwyddodd unrhyw beth tebyg i Dyfrig Parri.

Gwaetha'r modd, meddyliodd Alun Warren.

Doedd o erioed wedi gallu cymryd at Dyfrig. Pam, dyn a ŵyr. Roedd pawb arall, gan gynnwys hogia'r Clwb Hwylio, yn meddwl ei fod o'n hen foi iawn. Yn hogyn clên, y siort ora. Roedd y teulu i gyd yn neis, cytunai pawb. Roedd yr efeilliaid yn gwrtais a Rhiannon yn hollol ddi-lol, dim sioe o'i chwmpas hi er ei bod yn un o'r cyfryngis 'ma, a bod ei henw ar un adeg i'w weld ar y sgrin deledu byth a beunydd.

'Y *chdi* sy'n od, Alun Warren,' oedd barn Morfudd. 'A ti'n mynd yn odiach wrth fynd yn hŷn,' ychwanegodd. 'Welis i neb 'run fath â chdi am gymryd yn erbyn pobol am ddim rheswm.'

Hmm – ia, iawn. Digon teg. Roedd o *yn* gythral am wneud hynny, ond gan amlaf doedd 'mond eisiau i'r person hwnnw neu honno wenu arno neu ddweud rhywbeth clên wrtho, a byddai'r hen bigyn bach annifyr hwnnw o atgasedd yn diflannu'n syth, ac am byth.

Doedd hynny ddim wedi digwydd efo Dyfrig.

'Ti'm yn 'i weld o'n dipyn o goc oen?' meddai wrth Morfudd.

Rhythodd Morfudd arno. 'Nac'dw, wir! Be haru ti, Warren? Be ma'r hogyn wedi'i neud i chdi erioed?'

'Dim byd, dyna'r peth.'

''Swn i'n meddwl y basat ti, o bawb, wrth dy fodd fod 'na deulu Cymraeg wedi prynu Penrallt. Ma'n neis gweld Cymry'n dŵad yma i fyw a rhai o'r Saeson 'ma'n symud allan.'

Roedd dros wyth mlynedd bellach ers i Dyfrig gael swydd fel pennaeth adran Gymraeg yr ysgol uwchradd, ac roedd y sgwrs uchod wedi digwydd yn fuan wedi i Dyfrig a'i deulu brynu Penrallt. Ac er cymaint y cytunai Alun â'i wraig, ac er cymaint y dymunai fedru cymryd at Dyfrig, roedd rhywbeth bychan ac anesboniadwy yn ei rwystro rhag gwneud hynny.

Symudodd at glawdd y fynwent, nes bod muriau hynafol yr eglwys yn ei guddio o olwg y ddau. Yno, cododd waelod ei gôt, agor ei falog a gwlychu rhyw fymryn yn fwy ar y clawdd, gan gymryd mwy o ofal ers iddo gael copsan yn gwneud yr un peth gan Awel rai wythnosau ynghynt. Roedd Alun wedi sylwi ar gynffon ddu a gwyn Jimi yn ysgwyd ffwl sbid, a phan drodd ei ben, dyna lle roedden nhw'u dau yn rhedeg rhwng y beddau, eu llygaid wedi'u hoelio ar y llwybr o'u blaenau ond yn wên o glust i glust.

Rŵan, meddyliodd Alun, mi fasa rhywun normal, un o'r hogia go iawn, wedi'i bryfocio'n ddidrugaredd am gael ei ddal yn pi-pi ar dir sanctaidd – ac roedd gan Alun ateb parod, hefyd: onid hen eglwys R. S. Thomas oedd Sant Hywyn, ac onid oedd y cingron blin hwnnw'n biswr-mewn-caeau dihafal? Oedd, yn ôl un cofiant i'r bardd roedd Alun newydd ei ddarllen yn ddiweddar.

Ond nid Dyfrig Parri. Na, ddywedodd o 'run gair am y peth.

Ac roedd hynny, penderfynodd Alun, yn deud y blydi lot. Hynny a'r busnes cyffaith hwnnw. 'Y fo a'i ffwcin "cyffaith"'

– brawddeg a ddywedai Alun wrtho'i hun yn reit aml wrth feddwl am Dyfrig. Chwara teg, hogia – *cyffaith*? Roedd o wedi rhoi lifft adref o'r ysgol i Dyfrig un diwrnod – roedd car Dyfrig yn cael ei brawf MOT – ac wedi derbyn gwahoddiad i fynd i mewn i Benrallt am banad. Roedd Rhiannon a'r plant gartref eisoes – yr efeilliaid bryd hynny, fel ei Leah o, yn ysgol gynradd Crud y Werin, ac wrthi'n cael te pan gyrhaeddodd o a Dyfrig. Wrthi'n rhyw fân sgwrsio roedden nhw pan ofynnodd Awel a oedd yna ragor o 'gyffaith mefus'. Roedd Alun wedi gwenu arni gan ddisgwyl ei gweld yn rhowlio'i llygaid neu'n gwneud rhywbeth tebyg, unrhyw beth a ddangosai ei bod wedi siarad efo'i thafod wedi'i sodro yn ei boch. Ond na, roedd hi'n gwbl o ddifrif, ac os rhywbeth yn sbio'n gam ar Alun fel pe na bai hi'n gallu dallt pam fod ganddo wên mor hurt ar ei wep, gwên oedd yn prysur ddiflannu erbyn hynny. Trodd Alun wedyn at Rhiannon gan obeithio y byddai hi'n ei achub trwy ddweud rhywbeth fel, 'Clyw hon a'i "chyffaith", myn diân i . . .' Ond dim ffasiwn beth. Yn hytrach, estynnodd Rhiannon bot newydd o'r cwpwrdd heb dorri ar ei sgwrs; roedd yn amlwg fod geiriau fel hyn yn bowndian o bared i bared yn aml ym Mhenrallt.

Camgymeriad oedd adrodd yr hanes wrth Morfudd, wrth gwrs. 'A be sy o'i le efo hynny?' gofynnodd.

'Chwara teg – *cyffaith*? "Jam" ma pobol normal yn 'i ddeud, siŵr Dduw.'

'Dwi ddim yn dy ddallt ti, Warren. Un funud rw't ti'n taranu'n erbyn pobol y cyfrynga oherwydd eu Cymraeg echrydus, a rŵan dyma chdi'n condemnio'r teulu bach 'na am eu bod nhw'n defnyddio'r gair Cymraeg cywir am *jam*.'

Roedd Alun yn argyhoeddedig mai Dyfrig oedd y tu ôl i'r 'cyffaith', ac nid Rhiannon. Roedd o wedi cymryd ati hi'n syth bìn, y ddau ohonyn nhw'n chdi-a-chditha o fewn eiliadau i gyfarfod ei gilydd am y tro cyntaf. Hogan ddi-lol o Port fatha hi – fasa hi byth wedi meddwl am ddefnyddio'r fath air.

Mewn ffordd, ni welai unrhyw fai ar ei wraig am neidio i lawr ei gorn gwddw bob tro y dywedai air yn erbyn Dyfrig Parri (dim ond wrthi hi – doedd yr un enaid byw arall yn gwybod am ei deimladau negyddol tuag ato). Onid oedd y cyw melyn ola'n ffrindiau mawr efo'r efeilliaid ers iddyn nhw ddod i fyw i Aberdaron? Wastad wedi cael croeso ym Mhenrallt, ac yn cael ei chludo efo nhw yn y car pan fydden nhw'n mynd i rywle am y dydd yn ystod y gwyliau. Roedden nhw *yn* deulu clên, doedd dim dwywaith amdani. Arno fo, Alun, roedd y bai, a neb arall. Ceisiodd frwydro'n galed yn erbyn ei ragfarn ryfedd, ond weithiau ni fedrai gau'i geg.

'Mae *o* wedi dechra jogio rŵan, coelia ne' beidio,' cyhoeddodd Alun un bore ym mis Medi'r llynedd.

'Pwy?'

'Y *fo*, yndê. Dyfrig Parri.'

'Chwara teg iddo fo,' atebodd Morfudd. Edrychodd ar fol bach crwn ei gŵr. 'Mi fasa'n gneud byd o les i rywun arall dwi'n 'i nabod ddechra gneud rhwbath tebyg.'

'Callia, 'nei di? Ti 'di gweld wyneba'r bobol 'ma sy'n rhedag? Bob un ohonyn nhw'n edrach fel tasan nhw mewn poen uffernol.'

Aeth yn ei flaen i roi disgrifiad manwl a chreulon, braidd, o sut roedd Dyfrig wedi hercian ar hyd y traeth ag un law wedi'i gwasgu'n dynn yn erbyn ei ystlys.

'Fel rhywun mewn ffilm gowboi yn trio dengid oddi wrth yr Apaches ar draws rhyw anialwch,' gorffennodd. 'Dwi'm yn rhag-weld y bydd y lol yma'n para'n hir iawn.'

Ond cawsai ail. Dyfalbarhau wnaeth Dyfrig, allan bob bore efo Awel, ac un diwrnod daethant wyneb yn wyneb ag o wrth droed yr allt pan oedd Alun newydd danio sigarét ac, i wneud pethau'n waeth, yn pesychu drosti. Gallai daeru iddo weld y ddau'n gwenu wrth iddyn nhw lamu'n ddidrafferth oddi wrtho i fyny'r allt.

A rŵan, meddyliodd, ar ôl blynyddoedd o fod yn ffrindiau gorau efo'i ferch o, mae fy merch i wedi dechrau canlyn ei fab o. Ysgydwodd ei ben yn ffyrnig, fel tarw'n ceisio cael gwared ar bryf bach ystyfnig oddi ar ei dalcen; doedd o ddim yn hoffi'r gair *canlyn*, na'r ffordd y mynnai neidio i'w feddwl bob tro y meddyliai am Leah a Siôn Parri. Awgrymai berthynas a oedd yn llawer iawn mwy o ddifrif na dim ond 'mynd allan' efo rhywun, ac roedd Leah'n rhy ifanc i ryw nonsans felly. Roedd ganddi arholiadau pwysig ymhen ychydig fisoedd, a blynyddoedd o goleg wedyn.

Ceisiodd ddweud wrtho'i hun y basa fo'n teimlo'n union yr un fath petai Leah'n canlyn – *yn mynd allan efo!* – unrhyw hogyn, a doedd a wnelo'r ffaith fod Siôn yn fab i Dyfrig Parri ddim â'r peth.

Ond doedd hynny ddim yn tycio rhyw lawer . . .

10

Bilidowcar yn pysgota

'Ti *yn* bwriadu codi ryw ben heddiw, dwi'n cymryd?'

Arhosodd Rhiannon lle roedd hi, o dan y dwfe lle bu'n ymguddio ers meitin, erbyn meddwl, ers iddo fo ac Awel ddŵad yn eu holau, yn cymryd arni ei bod yn cysgu ond yn clywed pob smic cyfarwydd. Ambell i besychiad gan Dyfrig o'r gawod, y *shave and a haircut* diamynedd ar ddrws Siôn a'r 'Ocê!' o'r ochr arall; droriau'n agor a chau, hyd yn oed crafiad ei falog a janglan ei felt. Yna'r aroglau'n nofio drwy'r tŷ ynghyd â murmur lleisiau – coffi a thôst yn bennaf, yn gwneud i'w stumog droelli – nes o'r diwedd, *o'r diwedd,* clywodd y drws ffrynt yn agor a chau, a synau traed yn mynd at y giât, a drws y car wedyn yn agor a chau, a'r injan yn tanio a'r olwynion yn crafu dros y cerrig.

Dychmygai Rhiannon y sgwrs cyn iddyn nhw wahanu wrth y giât – Dyfrig ar fin mynd i fewn i'w gar, a'r efeilliad ar gychwyn i lawr yr allt i gwrdd â'r bws mini.

'Lle ma Mam?'

'Ma hi'n dal yn 'i gwely. Dydi hi'm yn teimlo'n rhy grêt.'

'O, reit.'

Ond wedyn, go brin. Doedd dim angen eglurhad ar yr un o'r efeilliaid, ddim os oedd y tŷ'n drewi fel roedd Dyfrig wedi honni ei fod o.

Cysgodd Rhiannon go iawn wedi iddyn nhw fynd, a phan ddeffrodd eto roedd hi'n tynnu am ddeg o'r gloch.

Ti yn bwriadu codi rhyw ben heddiw, dwi'n cymryd?

Ydw, ydw – rŵan. Dwi jest â marw isio mynd i'r lle chwech, felly does gin i fawr o ddewis.

Cododd yn simsan, ei phen yn dal i frifo ond nid cyn waethed â'r tro cyntaf iddi ddeffro. Yn y gawod, meddyliodd eto: tybed ddaru Gwynant ffonio neithiwr? Anghofis i ofyn i Dyfrig. Mi o'n i mor flin efo fo am fod mor flin efo fi.

Ma'n hen bryd i chdi ga'l swydd gall yn rhwla.

Fe'i sychodd ei hun yn ffyrnig a cherdded yn noeth yn ôl i'r ystafell wely. Roedd drych hir yn sownd yn nrws y wardrob, felly'r peth cyntaf a welodd wrth iddi fynd i mewn i'r ystafell oedd ei chorff noethlymun hi ei hun yn cerdded tuag ati. Dim gwyliau'r haf eleni, dim gwyliau tramor beth bynnag, felly doedd ganddi nemor ddim lliw haul, heblaw am ryw fymryn ar ei breichiau. Dim darnau gwynion chwaith, 'run rhith o'r bicini roedd hi'n ddigon ffodus i fedru'i wisgo'n gyfforddus o hyd; roedd ei bronnau bychain yn dal i droi i fyny fel blaenau esgidiau tylwyth teg, chwedl Dyfrig, a'i stumog yn dal i fod yn llyfn fel bwrdd smwddio. Ni fu raid iddi siafio'i chedor eleni ychwaith, na dioddef y cosi didrugaredd a ddeuai yn sgil hynny. Edrychai'r blew yn fwy trwchus nag erioed yn y drych; roedd hi wastad wedi bod yn flewog – nid *llinell* ficini oedd ganddi ond paragraff reit dda.

Cofiai fel y bu iddi un bore, rai blynyddoedd yn ôl, ddigwydd bod yn chwilio am rywbeth mewn drôr oedd union gyferbyn ag wyneb Dyfrig wrth iddo orwedd yn y gwely'n cysgu. Dim ond crys-T oedd ganddi amdani, a hwnnw ddim ond yn cyrraedd i lawr at ei botwm bol. Roedd hi wedi troi tuag ato wrth iddo agor ei lygaid, ac wedi dweud rhywbeth wrtho – ni chofiai be – ac roedd Dyfrig wedi dechrau chwerthin, ei lygaid wedi'u hoelio ar ei chanol. 'Dyn bach efo locsyn,' meddai. 'Ro'n i'n meddwl am funud mod i'n ca'l sgwrs efo Toulouse Lautrec.'

Rŵan trodd oddi wrth y drych a sychu'i gwallt – joban fer, roedd o mor gwta ganddi, ond un a ailddeffrodd ei chur pen. Yna gwisgodd yn frysiog: nicyrs call, chwedl ei mam ('granny knicks', chwedl Awel), bra, crys-T o Ŵyl y Faenol 2007 a llun Bryn Terfel ar ei flaen, jîns a siwmper wlân nad oedd yn rhy drwchus ond eto'n weddol gynnes, sanau ac esgidiau solet.

Children's Shoes Have Far To Go . . .

'O, ffyc off,' meddai'n uchel.

Doedd dim nodyn ar fwrdd y gegin, gwelodd, dim byd yn dweud a oedd Gwynant wedi ffonio ai peidio. Roedd y llestri brecwast – a'i gwydr gwin – i gyd wedi'u golchi. Hanner-ddisgwyliai weld nodyn coeglyd wrth eu hymyl yn dweud rhywbeth fel, 'Rhag ofn dy fod yn rhy simsan i'w golchi nhw dy hun.'

Gwnaeth goffi iddi'i hun a sefyll y tu allan i'r drws cefn yn ei sipian a mwynhau ei smôc gyntaf. Rhyfeddai na chawsai'r un neithiwr, efo'i gwin. Ond y tywydd, siŵr – Morus ac Ifan am y gorau – mi fasa'n rhaid bod yn hollol despret i fod wedi meddwl am agor y drws neithiwr. A doedd wiw iddi danio yn y gegin; mi fasa Dyfrig *ac* Awel wedi mynd yn honco blonc efo hi, yn hollol bananas. Hyd y cofiai, doedd yr awydd am smôc ddim wedi croesi'i meddwl bryd hynny.

Roedd brith gof ganddi o glywed glaw mân ar y ffenestr yn gynharach, ond bellach roedd yr haul allan a'r cymylau'n cilio. Diffoddodd ei sigarét a mynd i mewn i'r tŷ, gan gloi'r drws. Golchodd ei mỳg – *nac'dw, dwi* ddim *yn rhy simsan!* – cyn rhoi ei siaced wlân amdani a mynd allan drwy'r drws ffrynt.

Roedd hi'n teimlo fel hydref yn barod, ac arogl dail gwlybion yn llenwi'i ffroenau wrth iddi gerdded oddi wrth y tŷ ac i lawr yr allt am y pentref – arogl a gysylltai â mynd i hel concyrs yng nghoed Glanrafon pan oedd yn fach, a'r sŵn *ll-ll-ll-llwb!* a glywai wrth dynnu'i welingtons allan o'r mwd. Dwylo'i mam dan ei cheseiliau yn rhoi herc iddi allan o'r ddaear. Arogl finag, wedyn, wrth galedu'r concyrs, a chwilio'r tŷ am hen garrai esgid i'w gwthio drwy'r goncyr galetaf, a dod o hyd i un yn ddi-ffael yn y bocs Start-rite oedd ar ben y wardrob . . .

'O. Ffyc . . . *off*!' meddai rhwng ei dannedd.

Roedd wedi dweud wrthi'i hun mai am fynd am dro ar hyd y traeth yr oedd hi, ar hyd y tywod i Borth Simdde – er mwyn clirio'i phen, ia, ond hefyd er mwyn dinerthu'r slebog. Dwi'n dechra ca'l llond bol arni hi rŵan. Drwy fynd i Borth Simdde, mi wnaiff hynny ddangos i'r ast nad oes arna i mo'i hofn hi.

Gyda lwc.

Ond erbyn iddi gyrraedd y pentref, trodd am y ffordd a arweiniai at dŷ Gwynant yn hytrach nag i'w chwith tuag at y traeth.

* * *

Welodd hi neb roedd hi'n ei nabod. Y tu allan i'r Gegin Fawr, arhosodd wrth i gar ddod tuag ati dros y bont. Gyrrai'n ara deg, bron yn boenus felly, fel car mewn cynhebrwng. Roedd y teulu'r tu mewn iddo'n rhythu arni fel tasan nhw erioed wedi gweld y fath beth yn eu bywydau. Cuchiodd yn ôl arnyn nhw, ond hyd yn oed wedyn, ar ôl i'r car fynd heibio iddi, gallai weld pedwar pen yn troi a syllu'n ôl arni. Pawb ond y gyrrwr, a gallai Rhiannon daeru fod hwnnw, hefyd, yn ei gwylio yn y drych nes i'r car droi'r gornel rhwng y Llong a Thŷ Newydd.

Aeth drwy'r pentref gyda'r teimlad fod Aberdaron wedi troi'n Nant Gwrtheyrn neu rywle tebyg – yn bentref llawn o atgofion ac ysbrydion. Clywai ambell besychiad neu sŵn drws yn cau â chlep, ond pan droai, doedd yna'r un enaid byw i'w weld. Neidiodd pan glywodd sgrech gwylan uwch ei phen, ac unwaith eto pan ddaeth crawc brân o ben clawdd wrth ei hochr. Gwyddai fod nifer o'r tai y cerddai heibio iddynt yn wag, eisoes dan glo ar gyfer yr hydref a'r gaeaf a'r rhan fwyaf o'r gwanwyn, eu ffenestri fel llygaid deillion a'u corneli'n cael llonydd i hel llwch. Am ychydig wythnosau dros yr haf roeddynt yn cael bod yn gartrefi unwaith eto – ond cartrefi i acenion estron ac iaith nad oedd erbyn hyn yn un ddieithr.

Byddai meddwl am hyn yn rhy hir yn denu düwch a dagrau.

Brysiodd Rhiannon yn ei blaen, felly, heibio i'r maes parcio gwag ger y bont, ac i fyny'r rhiw. Amhosib oedd iddyn nhw fod ymhellach oddi wrth ei gilydd a hwythau'n byw yn yr un pentref – Gwynant a hi – ac erbyn meddwl pur anaml y bydden nhw'n galw yn nhai ei gilydd. Rhyw hanner dwsin o weithiau mewn blwyddyn, efallai? Llai fyth yn ddiweddar. Arferent weld hen ddigon ar ei gilydd yn y swyddfa ym Mhwllheli. Heddiw, gwerthwyr tai oedd yn honno.

Wrth iddi nesáu at dŷ Gwynant – 'Berwyn', gan mai un o Landderfel oedd Eirian yn wreiddiol – gwelodd nad oedd ei gar wedi'i barcio o'i flaen.

'O, damia . . .'

Doedd Gwynant erioed, hyd y gwyddai Rhiannon, wedi defnyddio'r garej fel lle i gadw car. Yn hytrach, estyniad o'r atig oedd hi, yn gartref i focsys o hen sgriptiau, tapiau fideo, ffeiliau cynyrchiadau di-rif a modelau o hen setiau stiwdio. Yno'n llechu hefyd roedd model llawn maint o Elvis, wedi'i gadw gan Gwynant ers pan gafodd Cwmni'r Daron ei fenthyg gan gwmni o Fryste ar gyfer rhaglen a wnaed ganddynt am eiconau'r ugeinfed ganrif. Safai Elvis a'i law allan, fel tasa fo'n gwahodd rhywun i'w hysgwyd. Yn ei law roedd botwm, a phan fyddai rhyw ddiniweityn yn ysgwyd llaw efo fo yn y swyddfa gynt, bloeddiai'r Brenin, 'You ain't nothin' but a hound dog!' yn ei wyneb, gan achosi iddo wenoli tua'r nenfwd.

'Dylai pawb ga'l rhywfaint o *kitsch* yn eu bywyda,' oedd geiriau Gwynant ar y pryd, ac roedd wedi llyncu mul am ddyddiau pan fynnodd Eirian alltudio Elvis i'r garej.

'Ma hwn yn disgw'l i mi ddiodde ca'l rhwbeth fel hyn yn fy stafell fyw!' oedd ei phrotest.

'Dwi wedi priodi dynas ddihiwmor,' ffug-gwynodd Gwynant. 'Dynas sy'n ddall i'r hwyl gaen ni bob tro basa rhywun diarth yn galw.'

Yn y garej yr oedd yr hen Elvis o hyd, gwyddai Rhiannon – ei law allan yn tragwyddol ddisgwyl i rywun ei hysgwyd. Ond roedd ei fatri wedi marw ers blynyddoedd, ac ysgwyddau ei siwt wen o'i ddyddiau yn Las Vegas bron yn ddu o lwch. Gallai weld ei siâp rŵan hyn yn y gornel, wrth iddi sbecian drwy'r ffenestr ochr jest rhag ofn. Ond doedd yno ddim golwg o gar Gwynant. Efallai, meddyliodd, ei fod o mewn garej arall, yn cael ei drin neu'n aros am ei brawf MOT.

Aeth at y tŷ ei hun, a chafodd hi ddim ateb pan ganodd gloch y drws ffrynt. Hwyrach fod Gwynant yn yr ardd gefn. Troediodd y llwybr tuag ati'n ofalus, gan gofio'n glir sut y bu iddi fartsio'n hyderus rownd i'r cefn un diwrnod a'i dwrn wedi'i godi'n barod i guro'n uchel ar ffenestr y gegin . . . a gweld Gwynant, drwy'r ffenestr, yn smwddio'i ddillad dan feichio crio, y creadur bach, ei wyneb wedi crebachu i gyd a'r dagrau'n powlio i lawr ei wyneb. Roedd Rhiannon wedi cerdded oddi yno wysg ei chefn, cyn i Gwynant ei gweld.

'Roedd o'n torri'i galon,' meddai wrth Dyfrig ar ôl cyrraedd adref. 'Ro'n inna'n crio hefyd, bob cam adra.'

'Welodd o monot ti?'

'Naddo, diolch i'r drefn. Ond 'swn i wedi rhoid y byd am fedru mynd i mewn ato fo.'

'Ma'n eitha peth nad est ti, decini.'

'O, wn i, wn i. Eirian oedd yn arfar gneud y smwddio, yndê. Petha bach cyffredin fel'na – rheiny sy'n lladd rhywun.' Dechreuodd Rhiannon hithau grio eto. 'Roedd o'n beth ofnadwy i'w weld, Dyfrig. Rhwbath na ddyla neb ei weld, byth. Ac anghofia i mohono fo tra bydda i byw.'

Ychydig yn nerfus heddiw, felly, sbeciodd drwy ffenestr y gegin, ond doedd Gwynant ddim yno. Nac yn yr ystafell fyw ychwaith, gwelodd, ac roedd teimlad gwag i'r tŷ, er gwaetha'r CDs a orweddai ar y llawr a'r soffa – Bob Dylan, Kris Kristofferson, Willie Nelson, Warren Zevon . . .

'Rhiannon . . .?'

Neidiodd Rhiannon.

'O, ia – ro'n i'n meddwl mai chdi oeddach chdi, 'lly.' Gwenodd Margaret Tomos arni dros glawdd isel y tŷ. ''Dio'm adra, cofia.'

'Wedi piciad i Bwllheli ne' rwla mae o, mwn?'

'Wel naci, 'swn i'm yn meddwl.' Er gwaetha'i gwên yn gynharach, roedd yna wastad olwg boenus ar Margaret, fel tasa hi newydd gael ei rhybuddio gan ryw broffwyd dibynnol i beidio â dweud wrth neb am drychineb oedd ar fin digwydd. Dynes yn ei thridegau oedd hi. 'Ddoe oedd hyn. Bora ddoe. Roedd gynno fo fag dros nos, Rhiannon. A siwt mewn bag arall. Ro'n i'n disgwl 'i weld o'n dŵad acw efo'r goriad i mi' – roedd tŷ Margaret y drws nesa i un Gwynant, tŷ pen rhes o hen fythynnod bach del, ac edrychai ffenestr ei landin i lawr ar ardd ffrynt Gwynant – 'ond mi a'th o i mewn i'w gar yn syth ac i ffwrdd â fo, 'lly.'

'O, reit . . . Diolch, Mags.'

'Sgwn i lle'r a'th o, d'wad?'

Edrychai ar Rhiannon fel tasa hi'n disgwyl iddi ei hateb, ond yr unig beth a gafodd yn ôl oedd, 'Do's wbod.'

Nodiodd Margaret a gwenu'n bryderus ar y llawr cyn troi a mynd yn ôl i mewn i'w thŷ. Trodd Rhiannon yn ei hôl am adref. Ond roedd cwestiwn Margaret yn un da. I ble, tybed, roedd Gwynant wedi mynd? Ac efo siwt a 'bag dros nos', chwedl Margaret.

Ceisiodd ddweud wrthi'i hun nad oedd yn fusnes iddi hi, nad oedd Cwmni'r Daron yn bodoli mwyach a bod perffaith hawl gan Gwynant i fynd a dod i ble bynnag roedd o'n teimlo fel mynd a dod. Doedd dim angen ei chaniatâd hi arno fo.

Wrth gerdded yn ei hôl drwy'r pentref tawel, meddyliodd: Mi ddylwn i fynd adra. Duw a ŵyr, ma 'na ddigonadd o betha y dylwn i fod yn eu gneud o gwmpas y tŷ. Pryd oedd y tro dwytha iddi llnau'r llofftydd, er enghraifft? Dros wythnos yn ôl – pythefnos, hyd yn oed? Siŵr o fod, erbyn hyn. Meddyliodd am ystafelloedd Siôn ac Awel. Ystafelloedd dwbwl, fel pob un o'r pedair llofft. Roedd gan y ddau eu desgiau eu hunain, a'u cyfrifiaduron eu hunain arnyn nhw, ond o ystyried fod yr oes fodern hon yn ymdrechu i fod yn oes ddibapur, roedd digonedd ohono i'w weld yn y ddwy ystafell (drwy'r tŷ i gyd, Rhiannon fach, tasa hi'n dŵad i hynny). Posteri o ddarluniau gan Van Gogh, Monet a Cézanne oedd gan Awel ar ei muriau – *Road with Cypress and Star, Jas de Bouffan, Water Lily Pond.* Roedd y 'boy bands' i gyd wedi hen fynd. Llun o DiCaprio fel Rimbaud yn y ffilm *Total Eclipse*. Un arall o Rimbaud ei hun, wedi'i lynu ar ochr ei drych gyda lwmpyn o Blu-Tack; meddyliai Rhiannon ei fod o'n edrych yn rêl thyg, ac y basa hi'n cael ffit binc petai Awel yn dŵad â rhywun fel'na yn ôl adra efo hi o Ffrainc. Pob mathau o esgidiau yn bentwr pendramwnwgl mewn cornel fel cŵn bach mewn basged, wedi'u rhewi am ennyd fel tasan nhw'n aros i Rhiannon fynd allan o'r ystafell cyn mynd ati i ddringo dros ei gilydd unwaith eto. Dillad – ar gadair, ar sil ffenestr, ar ddesg, ar y llawr ac ar hangyrs a hongiai'n feichiog oddi ar ddrysau agored ei wardrob – CDs, llyfrau, cylchgronau, colur, tedis a chŵn . . .

Roedd Siôn yn daclusach nag Awel o beth myrdd. Ei CDs yn rhesi twt mewn rac, wedi'u gosod yno yn ôl trefn yr wyddor. Ei lyfrau hefyd yr un fath, i gyd ar eu silffoedd. Grwpiau roc trwm a addurnai furiau ei lofft o – creaduriaid a edrychai fel proffwydi'r Hen Destament efo enwau megis Slayer, Megadeth, Anthrax a Bullet for my Valentine. Hogia capal clên, bob un. Roedd y rhan fwyaf o'i ddillad o'r golwg mewn droriau ac yn ei wardrob ond, yn ddigon rhyfedd, roedd o wastad yn gadael ei wely heb ei wneud a golwg y diawl arno, fel tasa fo wedi bod yn reslo ynddo drwy'r nos gyda dwy neu dair o ferched nwydus, tra oedd gwely Awel wedi'i wneud yn berffaith. Cymryd ar ôl ei dad oedd Siôn yn hyn o beth, tra oedd Awel yn debycach iddi hi, Rhiannon, a oedd ei hun yn cymryd ar ôl ei mam – ddim yn gwneud mwy na rhyw dacluso arwynebol, ffwrdd â hi pan fyddai'r tŷ fwy neu lai ar gychwyn.

Mi geith y llnau aros, meddyliodd. Edrychodd ar ei horiawr – bron yn hanner dydd yn barod.

Cerddodd yn ei blaen tua'r traeth.

* * *

Meddyliodd Rhiannon am rywbeth roedd hi wedi'i ddarllen flynyddoedd yn ôl a oedd yn dweud mai ar ddyddiau braf fel heddiw yr oedden nhw'n arfer tynnu lluniau ar gyfer cardiau post: dyna sut roedden nhw'n llwyddo i gael y traethau a'r hardd-leoedd eraill yn wag ar ddyddiau a edrychai'n ogoneddus.

Cerddai drwy olygfa-gerdyn-post debyg yn awr, y môr yn wincian arni dan awyr las a'r gwymon perfedd gwyrdd ar y tywod gwlyb yn disgleirio'n gryf yn yr heulwen. Sut dywydd oedd hi yn ei breuddwyd? Ni fedrai gofio, ond credai fod y cyfan yn fflat a di-liw – yr awyr fel llefrith a'r môr fel hen uwd. Efallai ei bod wedi breuddwydio mewn du a gwyn; efallai ei bod hi *wastad* yn breuddwydio mewn du a gwyn.

I fyny ar y creigiau, roedd y llwybr oedd yn arwain i Borth Meudwy yn wag. Beth oedd hi wedi'i ddisgwyl, beth bynnag? Disgwyl gweld dau blentyn yn cerdded oddi wrthi, fraich ym mraich?

'Rhiannon, Rhiannon,' meddai, ac eistedd ar garreg gron i wylio bilidowcar yn pysgota – carreg a fu, tybiai, yn gadair i filoedd lawer o benolau dros y canrifoedd ac a deimlai'n oer o dan ei bochau tin, a gwyddai na fedrai aros arni am hir iawn.

'Peils gei di pan fyddi di'n hŷn.' Gwenodd wrth gofio geiriau ei mam. Ydi o'n wir, ysgwn i, fod eistedd ar garreg oer yn achosi clwy'r marchogion? A dyna enw da ydi'r un Cymraeg – llawer iawn mwy byw na'r *piles* Saesneg, er mai fersiwn o hwnnw a ddefnyddiai pawb. Pam, neno'r tad? Diogi, tybiai, a dim byd arall.

'Clwy'r marchogion gei di pan fyddi di'n hŷn,' meddai'n uchel. Nac oedd, doedd o ddim yn llond ceg lletchwith o bell ffordd. Addunedodd ei ddefnyddio'r tro nesaf y câi'r cyfle.

Taniodd sigarét, a gwingo. Doedd nemor ddim teimlad yn ei phen-ôl yn barod. Cododd ar ei sefyll, a rhoi naid fechan pan welodd hi *fod* 'na ddau ffigwr ar y llwybr bellach. Ond cwpwl yn eu chwedegau oedden nhw, yn dod tuag ati mewn anoracs lliwgar a rycsacs ar eu cefnau – y ddynes yn fain a'r dyn yn grwn, a'r ddau'n gwenu arni'n gyfeillgar.

'Good morning.'

'Hello . . .'

'Lovely morning, after all that rain last night.'

'Yes. Yes, it is.'

Edrych ymlaen at gael cinio yn Nhŷ Newydd roedden nhw, siŵr o fod. Daeth yr ysfa drosti i fynd ar eu holau a'u gwahodd nhw adref efo hi; roedden nhw'n ymddangos yn gwpwl bach mor neis, mor glên, mor hapus o gael bod yng nghwmni'i gilydd.

Ymysgydwodd. Roedd ei llygaid yn llawn dagrau. Be goblyn ydi'r matar efo chdi'r gloman hurt? Roedd angen rhywbeth arall arni i fynd â'i meddwl. Trodd a chwilio am y bilidowcar, un o'i ffefrynnau ymysg adar, dim ond oherwydd ei bod, pan oedd yn fach, wedi dotio at ei enw. O'r diwedd, gwelodd un yn nofio ar wyneb y dŵr, ei draed mawrion yn padlo ffwl sbid. Yna cododd a hedfan o'i golwg, i mewn at y creigiau, a dychmygodd Rhiannon o'n sefyll yno a'i adenydd yn llydan agored, fel hen ddyn budur mewn macintosh yn dangos ei biji-bo i bwy bynnag oedd am edrych.

Wel, meddyliodd, o leiaf roedd ei chur pen wedi cilio, yn ogystal â'r natur pwys yn ei stumog a'i rhwystrodd rhag cael dim byd i frecwast heblaw coffi a sigarét. Ond dyna fo, dyna beth oedd i'w gael am yfed bron i botelaid gyfan o win ar ei phen ei hun (ia, ocê, Dyfrig, ro'n i *yn* diodda gynna. Iawn? Hapus rŵan?). 'The wrath of grapes', fel basa Gwynant yn ei ddweud; roedd ganddo wendid am ryw ymadroddion efo geiriau mwys fel yna.

Ond roedd ei ddistawrwydd ynglŷn â'r rhaglen yna neithiwr yn od. Go brin ei fod o wedi *mwynhau*'r fath ddeiarîa? Sgersli bilîf, chwedl un o gewri Eifionydd. Doedd arni ddim eisiau meddwl mai dim ond y hi oedd wedi casáu'r rhaglen; mi fasa hynny'n awgrymu ei bod yn cymryd yn erbyn unrhyw beth na chawsai ei wneud gan Gwynant a hi, gan yr hen Gwmni'r Daron gynt a fu.

Doedd hynny ddim yn wir o gwbl wrth gwrs. Ond roedd hi wedi hen sylweddoli mor hawdd ydi canmol cynyrchiadau pobol eraill pan fydd eich cynnyrch chithau hefyd ymlaen ar y sgrin, ac mor hawdd ydi eu beirniadu – ffieiddio atynt, hyd yn oed – pan fo'ch cynigion chi'n cael eu gwrthod bob un.

'Dyna iti reswm arall pam dwi'n 'i cha'l hi'n anodd madda i'r diawlad.'

Gwynant, eto.

'Ma nhw wedi fy nhroi i'n hen grinc sur a gorfeirniadol, yn wfftio at unrhyw beth sy ddim yn cynnwys logo'r Daron yn y teitla ar y diwadd.'

Gwynant, Gwynant.

Lle goblyn *oedd* o?

A ble roedd o'n mynd efo *siwt*? Dyna beth oedd yn ei phoeni fwyaf. Anaml iawn y gwisgai Gwynant goler a thei, heb sôn am siwt.

Rhaid oedd iddi wynebu'r posibilrwydd – y tebygolrwydd, hyd yn oed – fod Gwynant wedi mynd â'i siwt efo fo er mwyn newid iddi ar gyfer cyfweliad o ryw fath. Mi fasa wedi sôn rhywbeth wrth rywun petai wedi gorfod mynd i ffwrdd i briodas neu angladd. Y cwestiwn amlwg wedyn, wrth gwrs, oedd: cyfweliad ar gyfer beth? Swydd newydd? Ac os felly, pa fath o swydd?

Caeodd ei llygaid.

Plis, Gwynant, paid â mynd yn ôl i ddysgu. Fasa'r ffidil wedi'i sodro go iawn yn y to *wedyn*, yn basa?

Pan agorodd ei llygaid, gwelodd fod y cwpwl a welsai'n gynharach bellach wedi troi'n ffigurau bach amwys yn y pellter ac yn diflannu o'r golwg wrth adael y traeth am y pentref. Cinio, ac yna i weld yr eglwys, mae'n siŵr, meddyliodd. O leiaf, doedden nhw ddim wedi'i holi'n dwll am R. S. Thomas, fel y gwnâi peth wmbrath o ymwelwyr ar ôl sylweddoli bod rhywun felly wedi bod yn byw'n lleol. Bu farw RS ychydig cyn iddi hi a Dyfrig a'r plant ddod yma i fyw, ond roedd cof plentyn ganddi ohono'n brasgamu ar hyd llwybrau'r clogwyni, ei gôt law laes yn fflapian o gwmpas ei gorff tal, tenau. Ni sylweddolai ar y pryd ei bod yn rhythu ar un o'r mawrion. Roedd wedi darllen cryn dipyn o'i gerddi dros y blynyddoedd, ac wrth gerdded ar hyd y traeth rŵan daeth darn o'i farddoniaeth i'w meddwl:

> I have a desire to walk on the shore,
> To visit the caged beast whose murmurings
> Kept me awake . . .
> I know what thoughts will arise,
> What questions. They have done so before,
> Unanswered.

Ac mi fyddan nhw eto hefyd, ma'n siŵr gen i, meddyliodd – yr holl gwestiynau di-rif yn disgwyl mor ddiamynedd am atebion sy mor gyndyn o ddŵad. Basa gallu meddwl yn glir yn help. Ar y foment, doedd hi ddim hyd yn oed yn siŵr iawn beth *oedd* y cwestiynau. Roeddynt i gyd ar draws ei gilydd, pen un ynghlwm yng nghynffon y llall, fel clwstwr o sianis carpiog mewn pwced abwyd pysgota.

* * *

Y noson honno aeth Rhiannon allan i'r ardd gefn am smôc ola'r dydd. Diffoddodd olau'r gegin er mwyn teimlo'r tywyllwch. Edrychodd i fyny a gweld y sêr olaf, pell yn diflannu'r tu ôl i gymylau anweledig.

Daeth geiriau Dyfrig yn ôl iddi eto.

Fedar petha ddim cario mlaen fel hyn.

Gallai synhwyro aruthredd yr awyr ac ehangder mawr y môr, a chredai ei bod yn gallu clywed sibrydion yn yr awel.

A'r tywyllwch – roedd o'n ormod, yn rhy dywyll, yn dduach na'r tu mewn i fol unrhyw fuwch.

Diffoddodd ei sigarét a brysio'n ei hôl i mewn i'r tŷ, i ailgynnau'r golau a chloi'r drws.

11

'Yearn On'

Galwad ffôn fach arall, meddyliodd.

Y tro hwn, fe atebodd o hi fwy neu lai'n syth bìn.

'Be gythral w't ti'n feddwl ti'n neud?'

'Wel, helô i chditha 'yfyd. Yndw, dwi'n dda iawn, diolch. A chysidro, yndê.'

'Wel . . .?'

'Wel be? Be dwi'n 'i neud, ia?'

'Ia!'

'O, dim llawar. Ista yma'n sgwrsio, rhoi'r byd yn 'i le . . .'

'Ti'n gwbod yn iawn be dwi'n feddwl.'

'Ydw i?'

'W't!'

Roedd cryn dipyn o bobol o'i gwmpas. Fe allai hi eu clywed yn y cefndir: lleisiau pell ac agos, gweiddi, chwerthin, drysau'n agor a chau.

A'i anadlu yntau wrth i'r saib ymestyn rhyngddyn nhw.

O'r diwedd, gofynnodd iddo, 'Fyddi di'n meddwl amdana i o gwbwl?'

'Be?'

''Chos mi fydda i'n meddwl lot amdanat ti. Yn enwedig yn hwyr yn y nos. Yn 'y ngwely. Ar ben fy hun bach.'

Saib arall, yna gofynnodd yntau'n dawel, 'Pam ti'n gneud hyn, Leah?'

'Pam ti'n meddwl?'

'Yli . . .'

Yn ei meddwl, gallai Leah ei weld yn chwilio am y geiriau, yn edrych yn wyllt i bob cyfeiriad, fwy na thebyg, gan dynnu'i law drwy'i wallt. Roedd hi wastad wedi hoffi'i weld o'n gwneud hynny. Roedd yna rywbeth bachgennaidd yn ei gylch. A'i wallt o wedyn dros y lle i gyd – fel y dylai gwallt pob dyn fod, yn ei barn hi. Doedd ganddi ddim diddordeb yn y dynion pob-blewyn-yn-ei-le hynny, dynion sy wastad yn poeni ynglŷn â sut maen nhw'n edrych.

'Gwranda . . .'

'Ia?'

'Dydi hyn ddim yn helpu.'

'Dyna be ddeudist ti'r tro dwytha.'

'Wel, *dydi* o ddim! Fedri di'm gweld hynny?'

'Dwi'n dal i ddisgwl am atab.'

'Be?'

'Fyddi di'n meddwl amdana i o gwbwl?'

Ochneidiodd.

'Bydda, siŵr Dduw,' meddai.

'Sut?'

'Sut be?'

'Sut fyddi di'n meddwl amdana i?'

'Be ti'n feddwl?'

'Fyddi di'n meddwl amdana i . . . efo hiraeth, er enghraifft? Fyddi di'n meddwl amdana i mewn ffordd hoffus? Mewn ffordd neis? 'Ta . . . mewn ffordd fudur?'

'Leah!'

'I mi, yndê – pob un o'r rheina pan fydda i'n meddwl amdanat ti. Ac mi fydda i'n meddwl amdanat ti fwy ne' lai drw'r amsar. Dwi'n ca'l traffarth i ganolbwyntio ar 'y ngwaith, traffarth i gysgu bob nos. Ro'n i'n meddwl ella 'swn i'n well erbyn rŵan, 'swn i 'di gallu deud, "Bygro fo, dydi o ddim werth o" lot cyn hyn. A dwi wedi trio gneud hynny. 'Swn i wrth 'y modd taswn i'n gallu. Ond dwi ddim. Fedra i mo'i neud o.'

'Ma *raid* i chdi,' meddai. 'Pam na fedri di dderbyn hynny?'

'Ella oherwydd nad ydw i'm isio. Ella mai dyna be sy, be sy'r tu ôl iddo fo i gyd. Be ti'n feddwl?'

Aeth yn ei blaen cyn rhoi'r cyfle iddo ateb.

'Mae o fel rhoi'r gora i smocio, 'swn i'n deud. Dwi'n cofio pan oedd Dad yn trio rhoi'r gora iddi un tro. Roeddan ni i gyd yn gallu deud, o'r eiliad y dechreuodd o drio, na fasa fo byth yn gallu rhoi'r gora iddi'n iawn. Doedd o'm *isio* gneud, ti'n gweld, ddim go iawn. 'Mond gneud er mwyn plesio Mam roedd o. Doedd 'i galon o ddim yn'o fo. Tasa fo wirioneddol isio rhoi'r gora iddyn nhw – i'r ffags – yna mi fasa fo wedi gallu gneud hynny'n weddol hawdd. Ond doedd o ddim – roedd o'n dal i ysu am smôc. Ac wrth gwrs, pan oedd o'n methu ca'l un, pan oedd o ddim *yn* ca'l smocio, mi a'th o'n flin. Yn flin fel tincar. Roedd hi'n amhosib byw efo fo. Ti'n gweld be sgin i? Rw't *ti* wedi deud wrtha *i* fod rhaid i *mi* roi'r gora i *chdi*. Ac yn y bôn, dwi'm isio gneud hynny. Dyna pam dwi'n 'i cha'l hi mor anodd.'

Saib arall.

'Ti'n dal yna?'

'Yndw. Yndw, dwi'n dal yma.'

'Dyna chdi, dwi wedi atab dy gwestiwn di, yn do?'

'Be? Pa gwestiwn?'

Dynwaredodd o yn greulon. '*Pam ti'n gneud hyn, Leah?* – dyna be ofynnist ti gynna. A dwi newydd atab dy gwestiwn di. Dy dro di ydi o rŵan. Sut byddi di'n meddwl amdana i? O – jest un peth. Bydda'n ofalus iawn sut ti'n atab. Cofia bod rhoi'r gora i smocio'n gneud pobol yn flin. Ac ma pobol flin yn . . . wel, dydi rhywun byth yn gwbod yn iawn lle ma nhw efo nhw. Be ma nhw'n debygol o'i ddeud neu'i neud nesa.'

Distawrwydd y pen arall, heblaw am y lleisiau, y gweiddi, y chwerthin, y drysau'n agor a chau.

'Mi ddeuda i wrthat ti be,' meddai Leah. 'Meddylia di amdano fo – a meddylia amdana i tra w't ti wrthi. Yn y cyfamsar, mi edrycha i mlaen at glywad dy atab di.'

Diffoddodd Leah ei ffôn. Wrth ei gadw'n ei ôl yn ei bag, cafodd gip ar yr amlen a gynhwysai'r gerdd honno, 'Yearn On' gan Katie Donovan.

Gwenodd.

* * *

Gorffennodd Leah ei thraethawd am ychydig wedi naw. I lawr y grisiau, roedd ei mam yn gwylio'r teledu.

'Dad allan yn rhwla?'

Nodiodd Morfudd. 'Wedi piciad i'r Clwb Hwylio am ryw awran, medda fo. Stedda i lawr, 'nei di, Leah?'

'Wel, rhyw feddwl mynd am fath o'n i.'

'Mi fydd hwnnw'n dal yno. Stedda i lawr – dwi isio siarad efo chdi.'

'O-o. Swnio'n *ominous*.'

Ond doedd ei mam ddim yn gwenu, gwelodd, wrth ddiffodd *Doc Martin*.

'Ia. Be?'

'Dw't ti ddim yn bod yn deg iawn efo'r hogyn bach 'na, os ca i ddeud,' meddai Morfudd.

Hanner chwarddodd Leah. 'Wel na chewch, chewch chi *ddim* deud, fel ma'n digwydd. Sgynno fo ddim byd i' neud efo chi.'

'Pam dach chi wedi dechra gweld 'ych gilydd mwya sydyn?'

'O, Mam, newch chi plis roi'r gora iddi?'

'Na wna, Leah, wna i ddim. Ar ôl bod yn gymaint o ffrindia ers yr holl flynyddoedd, pam *rŵan* o bob adag?'

'*Dwi*'m yn gwbod, nac'dw? Ma'r petha 'ma . . . jest yn digwydd.'

Edrychodd Morfudd arni braidd yn sarrug.

'Be? "This thing is bigger than both of us", ia?'

'Wel . . . ia . . .'

'Dwi'n dy nabod di'n well na hynna, Leah Wyn.'

'Sorri?'

'Glywis i chdi ar y ffôn efo fo gynna. Swta, a deud y lleia. Ma rhywun yn siarad yn fwy cwrtais na hynna efo'r bobol 'ma sy'n ffonio o Duw a ŵyr lle i drio gwerthu siwrans.'

''Mond newydd setlo i neud 'y ngwaith o'n i pan ffoniodd o.'

'Ia, wn i hynny. Ond fel'na byddi di'n swnio bob tro ma'r hogyn druan yn dy ffonio di. Dw't ti ddim yn siarad efo fo fel basa rhywun yn disgwl dy glywad ti'n siarad efo hogyn ti'n 'i ganlyn.'

Ochneidiodd Leah. 'Canlyn . . . Dydan ni ddim yn *canlyn*. 'Mond mynd allan efo'n gilydd weithia.'

'Ond dydach chi ddim.'

'Be?'

'Yn mynd allan efo'ch gilydd. Byth, bron. Ma Siôn wedi dy ffonio yma droeon i mi fod yn gwbod, a cha'l yr un driniaeth gen ti bob tro.'

'Ddim yn gwrando mae o. Mi fyddan ni *yn* siarad efo'n gilydd, ychi, Mam. Sawl gwaith mewn dwrnod weithia. Dwi'n trio deud wrtho fo mod i'n brysur gyda'r nosa fel hyn, ond mae o'n mynnu ffonio. Ydach chi'n synnu mod i'n gwylltio efo fo?'

'Yndw, Leah, mi ydw i.'

'O, reit. Tro nesa ffonith o, wna i sibrwd swît nythings, ia?'

'Paid â thrio bod yn glyfar. Os nad w't ti isio gweld yr hogyn – isio mynd allan efo fo, isio'i *ganlyn* o – yna'r peth lleia fedri di 'i neud ydi deud wrtho fo. Ma gynno fo hawl i ga'l gwbod lle'n union mae o'n sefyll, Leah – ti'm yn meddwl?'

Ysgydwodd Leah ei phen.

'Dwn 'im lle dach chi wedi ca'l y syniad mod i ddim isio mynd allan efo fo . . .'

'Gin *ti*. Dyna dwi'n 'i ddeud.'

'Ond mi *ydw* i! Jest . . . 'chi . . . weithia. Dwi'n mynd efo fo i barti nos Sadwrn nesa, fel ma'n digwydd.'

'W't ti? Lle?'

'Tŷ Marnel Richards. Ma hi'n ddeunaw.'

Nodiodd Morfudd. 'Pan mae o'n dy siwtio di, mewn geiria erill.'

'Be . . .? *Naci*!'

'Wel, felly mae o'n swnio i mi, Leah fach.'

Ochneidiodd Leah eto gan edrych o gwmpas yr ystafell fel tasa hi'n chwilio am gymorth hawdd ei gael mewn cyfyngder.

'Dwi ddim yn 'ych dallt chi weithia. Un funud dach chi'n 'yn haslo fi am 'y ngwaith, bod Lefel A *mor* bwysig, bla-bla-bla . . . a rŵan dach chi'n gweld bai arna i am fod yn flin efo Siôn pan fydd o'n ffonio a finna'n trio *gneud* y gwaith pwysig hwnnw.'

'Ia, wel – mi fasa'n well tasach chi ddim wedi dechra poitsio efo'ch gilydd yn y lle cynta,' meddai Morfudd.

'Poitsio efo'n gilydd?'

'Be bynnag tisio'i alw fo.'

'Dad sy 'di bod yn 'ych pen chi, yndê?'

'Ddim ffasiwn beth . . .'

'Dyna pam 'i fod o wedi mynd i'r clwb 'na heno 'ma, yndê? Er mwyn bod allan o'r ffordd, a gada'l y lle'n glir i chi a fi ga'l rhyw *cosy little chat*, rhyw *heart-to-heart* bach, hebddo fo yma'n bytheirio . . .'

'*Naci,* Leah. Dydi dy dad ddim wedi sôn gair am y peth ers y noson gynta honno. Fy hun, fasa'n well o lawar gin i tasa fo *yn* deud rwbath o bryd i'w gilydd. Fasa hynny'n fwy fel y fo o beth myrdd. Pan fydd o'n deud dim, dyna pryd bydda i'n gwbod 'i fod o'n poeni go iawn.'

'Dwi'm yn dallt am be mae o'n poeni – am be dach chi i gyd yn poeni. Ma mam a tad Siôn yn union 'run fath, medda fo. Hasl, hasl, hasl drw'r amsar.'

Cofiodd am y sgwrs a gawsai efo Siôn yn y ffreutur. *Mi oedd blydi Romeo a Juliet yn ca'l llai o hasl gin 'u rhieni nhw.*

'Ma'n dda gin i glywad bod Rhiannon a Dyfrig yn teimlo'r un fath â ni. Ond dwi'm yn ama na fasan nhw'n poeni dipyn mwy tasan nhw'n gwbod sut byddi di'n siarad efo'r cradur ar y ffôn.'

'O *god*, 'dan ni'n ol at hynna rŵan, ydan ni?'

'Ma'n amlwg 'i fod o'n fwy cîn nag w't ti, Leah. Bydda'n onast.'

'Ella, ond dydi hynny ddim yn deud mod i isio gorffan efo fo, nac'di?'

'Mae o wedi mopio efo chdi ers blynyddoedd.' Edrychodd Leah arni, a gwenodd Morfudd. 'Dwi'm yn ddall, 'sti. Ro'n i'n gallu deud o'r ffordd fydda fo'n sbio arnat ti yn un peth, a'r ffordd roedd o'n cadw dy bart di bob tro – byth isio dy weld ti'n ca'l cam pan oedd y tri ohonoch chi'n ffraeo wrth chwara rhyw gêm neu'i gilydd. Ma'n deg deud, yn dydi, 'i fod o wedi mopio mwy nag w't ti?'

'Wel, ella . . .'

'Jest *paid* â'i frifo fo, Leah, dyna'r cwbwl dwi'n 'i ddeud. Ella basa'n well tasat ti *yn* gorffan efo fo, cyn i'r cradur fopio mwy efo chdi.'

'Isio i mi orffan efo fo ydach chi, yndê? Chi a Dad.'

'Fasa'n well gynnon ni – a Dyfrig a Rhiannon hefyd, yn ôl be rw't ti'n 'i ddeud – tasat ti ddim wedi cychwyn mynd allan efo fo yn y lle cynta.' Plygodd Morfudd ymlaen a rhoi ei llaw dros law Leah. 'Ia, wn i, 'run diwn gron, a dwi'm isio swnio fel ryw hyrdi-gyrdi, ond . . . Yli, ma'n rhaid i mi ofyn hyn, achos mae o 'di bod ar fy meddwl i gryn dipyn yn ddiweddar. Ddigwyddodd 'na rwbath pan oedd dy dad a fi ar 'yn gwylia?'

Teimlodd Leah ei thu mewn yn troi. *Yr eneth gadd ei gwrthod, la-di-da-di-da* . . . Gweddïai nad oedd ei hwyneb wedi'i bradychu; roedd ei mam yn syllu i fyw ei llygaid. Yn y stryd caeodd rhywun ddrws car gan wneud sŵn fel ergyd uchel o wn.

'Be dach chi'n feddwl?'

'Dwi'm yn gwbod, nac'dw. Yr unig beth dwi *yn* 'i wbod ydi . . . wel, dw't ti ddim wedi bod fel chdi dy hun ers i ni gyrra'dd yn ôl adra . . .'

'Na, dwi'n tshampion.'

'. . . ac yna mwya sydyn dyma chdi'n dechra mynd allan efo Siôn. *Siôn*, o bawb. Ddaru neb d'ypsetio di tra oeddan ni i ffwrdd, naddo?'

'Ypsetio . . .? Naddo.'

Ar lan hen afon Ddyfrdwy ddofn . . .

'Naddo, Mam.'

'Ti'n siŵr?'

'*Yndw.*'

Syllodd Morfudd arni am ychydig eto, yna codi a mynd at y ffenestr. Edrychodd allan heb ddweud dim am ychydig. Yna trodd.

'Sorri, pwt, ond dwi ddim yn gallu dy goelio di.'

'Wel . . .' meddai Leah. 'Sna'm lot fedra i 'i ddeud, felly, yn nagoes? Fawr o bwynt i mi agor 'y ngheg.'

Ochneidiodd Morfudd a chau ei llygaid yn dynn am eiliad, ei phen wedi'i droi'i ffwrdd oddi wrth ei merch ac yn edrych fel petai'n cyfri i ddeg er mwyn ceisio'i rhwystro'i hun rhag rhoi slasan iddi. Roedden nhw'n ddigon tebyg i'w gilydd yn gorfforol, y ddwy yma; digon hawdd fyddai eu hadnabod fel mam a merch. Edrychai Morfudd ddeng mlynedd yn iau na'i hanner cant, yn enwedig â chryn dipyn o'r lliw haul a gawsai dros fis yn ôl i'w weld o hyd. Roedd ei gwallt hithau'n hir hefyd – cyn hired ag un Leah – ond ei fod o wedi'i glymu i fyny a bod llawer mwy o arian yn ei fritho. Roedd hi'n dal i edrych yn dda mewn jîns – fel yr atgoffai Alun hi'n wythnosol, bron; rhai duon oedd ganddi amdani heno, â chrys-T plaen gwyn, a chrys tartan coch a du'n agored drosto, fel siaced.

'Argol,' meddai, ' rydach chi bobol ifanc . . . ma'n rhaid gin i 'ych bod chi wir yn credu 'yn bod ni gyd yn hollol ddwl, neu'n hollol ddall neu rwbath.' Trodd i wynebu Leah. 'W't ti'n meddwl nad ydw i'n nabod fy merch fy hun? Cyn i ni fynd i ffwrdd, roeddat ti ar ben dy ddigon. Ers i ni ddŵad adra, rw't ti . . . wel, fel hyn. Ti'n ysu am gael mynd i fyny i dy lofft bob gyda'r nos, fel tasat ti'n methu diodda bod yn 'yn cwmni ni am funud yn hirach nag sy raid i chdi.'

'Dydi hynna ddim yn wir. Ma gin i lwyth o waith cartra i' neud.'

'Roedd gin ti lwyth i'w neud y llynadd hefyd, Leah, ond roeddat ti'n tin-droi i lawr yma efo ni am hydoedd. Y ni oedd yn gorfod dy hel di i fyny'r grisia 'na gan amla. Ac ma dy feddwl di'n bell i ffwrdd yn rwla hannar yr amsar. Ti 'di bod yn crio yn dy wely hefyd amball noson, yn do?'

'Dwi ddim . . .'

Caeodd Morfudd ei llygaid eto am eiliad. 'Dwi'm yn ddall, Leah. Dwi wedi gweld y tisiws 'na yn dy lofft di, a hoel crio arnat ti yn y bora, waeth faint o golur sgin ti ar dy wynab. Ma dy fam yn rhy graff i ga'l 'i thwyllo.' Chwarddodd yn ddihiwmor. 'Nefi wen, hogan – dwi wedi bod yno'n hun, 'sti. Fwy nag unwaith cyn i mi gyfarfod dy dad. A dwi'n gwbod bod y dyddia hynny'n hen hen hanas i chdi, ond i mi ma nhw jest fel ddoe.'

Shit, meddyliodd Leah. Shit-shit-shit-*shit*! Gwyddai nad oedd yna fawr o bwrpas iddi eistedd yno'n gwadu dim rhagor. Roedd yn amlwg fod Morfudd yn gwybod *rhywbeth*. Ond doedd hi ddim yn gwybod *popeth*.

'*Mi* ddigwyddodd rwbath, yn do?'

Gadawodd Leah i'r dagrau ddod i'w llygaid cyn nodio ac edrych i lawr ar ei glin.

'Rhywun wna'th dy frifo di, pwt?'

Nodiodd Leah eto.

'Rhyw hogyn?'

Saib fer, yna nòd arall.

Ochneidiodd Morfudd a dod i eistedd ar fraich cadair ei merch. Teimlodd Leah ei llaw yn anwesu'i phen, yna fraich ei mam yn cau am ei hysgwyddau.

'Ro'n i'n ama. Pwy ydi o?'

Ysgydwodd Leah ei phen.

'Sdim ots am hynny.'

Bron y gallai deimlo'i mam yn ysu am gael ei holi ymhellach.

'Rhywun dwi'n 'i nabod,' meddai Leah. 'Ne' rywun o'n i'n *meddwl* mod i'n 'i nabod.'

'Hwda . . .'

Ymddangosdd hances bapur dan drwyn Leah, fel petai ei mam wedi'i chonsurio o nunlle.

'Ers faint . . . am faint o amsar fuoch chi'n gweld 'ych gilydd? Chdi a . . . a'r hogyn 'ma.'

'Tua deufis.'

'Ddeudist ti ddim byd amdano fo wrthon ni.'

'Naddo . . . naddo, wn i. Doedd o'n ddim byd sbesial – ddim i ddechra, beth bynnag. Ac roeddan ni ar ganol arholiada. 'Sa chi a Dad wedi fflipio. 'Mond wedyn y gwnes i sylweddoli . . . cymint ro'n i'n 'i golli fo. Ar ôl . . . ar ôl iddo fo . . .'

Dechreuodd grio eto, a gwasgodd Morfudd hi'n dynn ati.

'Ia, ôl-reit, pwt.'

Ac yna digwyddodd rhywbeth hollol hurt. Wyddai Leah ddim beth a'i hachosodd, ond roedd ganddi'r teimlad fod ganddo rywbeth i'w wneud ag arogl cyfarwydd yr hylif golchi dillad ar ddillad ei mam, arogl roedd hi wastad yn ei gysylltu efo adra. Golchodd ton o euogrwydd drosti – môr ohono, cefnfor cyfan; euogrwydd am gelu'r gwirionedd, am ddweud brawddegau nad oedd ond hanner gwir ar y gorau. Dwi'n siŵr y basa Mam yn dallt, meddyliodd, a daeth o fewn trwch blewyn i ddweud y cwbwl wrthi.

Ond yna ochneidiodd Morfudd a thwtian yn ddiamynedd; roedd y drws ffrynt newydd agor a chau, ac eiliad yn ddiweddarach daeth Alun i mewn i'r ystafell, wedi dechrau cwyno am ryw ganwr gwerin uffernol oedd yn perfformio yn y Clwb Hwylio cyn iddo ddod drwy'r drws yn iawn.

Cyn iddo weld y tablo bychan ar y gadair freichiau, a rhewi, a thewi.

'Be?' meddai.

12

'Open up your tired eyes'

Llwyddodd Rhiannon i gael gafael ar Gwynant fore trannoeth.

'O, ma'r "happy wanderer" yn 'i ôl. Lle fuost ti?'

Eiliad neu ddau o dawelwch, yna meddai Gwynant, 'Ty'd draw, wa'th i chdi ga'l yr hanas i gyd ddim.'

Wrth yrru draw yno – glaw heddiw, felly'r car amdani – meddyliodd Rhiannon: Sgwn i oedd o'n chwara efo'r syniad o ddeud wrtha i am feindio fy musnas? Rhyw dawelwch annifyr fel yna oedd wedi dod trwy'r ffôn, teimlai. Sŵn dyn yn brathu'i dafod.

Safai Gwynant yn ffenestr grom y parlwr ffrynt yn aros amdani, mỳg o goffi yn ei law. Pwyntiodd i gyfeiriad y drws a gwelodd Rhiannon ei fod yn gilagored.

'Coffi yn y gegin,' galwodd arni wrth iddi gamu i mewn a chau'r drws.

'Iawn . . .'

Adnabu'r gerddoriaeth yn syth bìn: dyn a ŵyr, roedd Gwynant wedi'i chwarae'n ddigon aml. Un o'i hoff recordiau erioed: cerddoriaeth Bob Dylan ar gyfer ffilm Sam Peckinpah, *Pat Garrett and Billy the Kid*. Roedd coffi ffres yn bytheirio'n dawel mewn jwg, a thywalltodd fygiad iddi'i hun cyn mynd ato i'r parlwr.

'Gwranda,' meddai. 'Jest gwranda ar hon . . .'

Eisteddodd Rhiannon. Arhosodd Gwynant wrth y ffenestr a'i gefn ati, yn gwrando ar y gerddoriaeth ac yn syllu ar y glaw. Cerddoriaeth syml – gitâr acwstig a chorws o leisiau'n canu 'Nah nah-nah nah . . . Nah nah nah-nah nah' drosodd a throsodd yn ddiog. Trac 5, yn ôl cloc y chwaraeydd CDs yn y gornel; 'River Theme' oedd Trac 5, yn ôl cas y ddisg ar fraich ei chadair.

Wedi iddi orffen, meddai Gwynant: 'Dw't ti byth wedi gweld y ffilm, naddo?'

'Naddo. Ond dwi'n teimlo fel taswn i. Ganwaith.'

'Ma 'na olygfa fach fer yn 'i chanol hi, lle ma'r gerddoriaeth yna'n chwara: James Coburn wedi aros ar lan yr afon 'ma, yn uchal uwch 'i phen hi, a'r rafft 'ma'n dŵad heibio efo'r teulu tlawd uffernol 'ma arni hi, yn mynd i Dduw a ŵyr ble ac wedi dŵad o Dduw a ŵyr ble. Y tad yn foi canol oed, y fam yn edrach flynyddoedd yn hŷn na'i hoed, a'r plant . . . Ma'r rhein, Rhiannon, yn *byw* ar y blwming rafft 'ma, i bob pwrpas. Ond y pwynt ydi, sdim ots pa mor dlawd ydyn nhw, o leia ma nhw'n *mynd* i rwla.' Trodd yn ôl i edrych ar y glaw. 'Adios, adios . . .'

'Ti 'di gorffan?'

Chwarddodd Gwynant a throi yn ei ôl.

'Do, decini.'

Eisteddodd gyferbyn â hi, ar y soffa. Daeth 'Knockin' on Heaven's Door' ymlaen. Edrychodd Gwynant ar Rhiannon, a chododd hithau ei bys i'w rwystro.

'Dwi'n gwbod. Slim Pickens yn marw ar lan yr afon. Ti 'di deud wrtha i – unwaith ne' ddwy.'

Ai dychmygu roedd hi, ynteu oedd 'na rywbeth gwahanol yn y ffordd y siaradai Gwynant efo hi heddiw? Fel y ffordd y neidiodd o i roi darlith fechan iddi am y gerddoriaeth, am y ffilm. Oedd, roedd o wastad wedi bod yn un am fwydro ynghylch ffilmiau a ballu, ond heddiw roedd wedi neidio i wneud hynny heb unrhyw fath o how-di-dŵ. A dwi'n siŵr nad ydi o wedi sbio arna i'n iawn eto, meddyliodd Rhiannon.

Syllodd arno. Doedd ei chwaeth mewn cerddoriaeth – canu gwlad, yn nhyb Rhiannon, ond mynnai Gwynant gyfeirio ato fel 'Americana' – ddim yn cyd-fynd â'i ymddangosiad allanol o gwbl. Fasa rhywun wedi disgwyl iddo edrych yn debycach i arwyr a chymeriadau'r caneuon – yn dal ac yn fain, yn 'rangy' fel basa rhywun fel Willie Nelson neu Johnny Cash wedi'i ddweud. Yn hytrach, corff bach crwn oedd gan Gwynant; roedd Rhiannon yn dipyn talach na fo. Y disgwyl hefyd fyddai iddo fod wedi'i wisgo mewn jîns a chrys siec a botasau cowboi, ond na, roedd o wastad yn drwsiadus, fel tasa fo'n cael ei dalu gan Marks & Spencer i fodelu eu dillad. 'Un fel'ny ydi o,' fyddai Eirian yn arfer ei ddweud amdano. 'Fydde rhywun byth yn meddwl ei fod o wedi cael ei fagu ar fferm.' Roedd o hefyd wedi colli'r rhan fwyaf o'i wallt, a phan wisgai ei sbectol doedd o ddim yn rhy annhebyg i'r bardd Philip Larkin (un o'i arwyr mawr, yn digwydd bod).

Felly – cowboi? *No, siree.*

'Pawb yn iawn acw?' gofynnodd yn awr, eto heb edrych ar Rhiannon yn llwyr.

Nodiodd hithau. 'Yndyn, tshampion.'

Ha! – dyna i ni un dda, meddyliodd Rhiannon. Rydan ni'n bell o fod yn tshampion ar y foment. Ond un peth ar y tro. Dwi am ofyn iddo fo'n blwmp ac yn blaen, penderfynodd.

'Gwynant – croeso i chdi ddeud wrtha i am feindio 'musnas, 'de, ond ma'n rhaid i mi ofyn. Lle ti wedi bod?'

Roedd o wedi dechrau nodio ymhell cyn i Rhiannon orffen siarad, fel tasa fo wedi bod yn disgwyl iddi ofyn hyn ers iddi gyrraedd y tŷ.

'Mi ddeudodd Margaret dy fod ti wedi galw yma,' meddai. 'Mi est ti â dy siwt efo chdi, medda hi wrtha i.'

'Siwt?' Edrychodd arni o'r diwedd, ond fel rhywun oedd wedi cael pwniad wrth bendwmpian. 'O . . . y siwt. Do. 'Rarglwydd, ma honna'n well nag unrhyw gamera CCTV – fel byw wrth ymyl Sherlock Holmes ne' rywun.' Chwarddodd yn sarrug. 'Cofia, fasa waeth i mi fod wedi gwisgo sach ddim.' Yr un chwerthiniad bychan hwnnw eto. 'Sachlïain a lludw.'

Cododd yn sydyn.

'Ty'd. Awn ni drwodd i'r gegin, ia? At y coffi.'

* * *

Sgyrsiau fel y canlynol fyddai'n arfer digwydd yn reit aml dros fwrdd cegin Berwyn pan alwai Rhiannon yno gynt – llawer o dynnu coes, llawer o chwerthin, llawer o riddfan yn uchel dros ryw jôc ofnadwy neu'i gilydd (gan amlaf un oedd wedi dianc o enau Gwynant):

GOLYGFA: *Cegin Berwyn (dydd / nos)*

Rhiannon: Arwydd ar ddrws ward geni babis: 'Gwthiwch! Gwthiwch! Gwthiwch!'

Gwynant: Arwydd ro'n i isio'i roi ar ddrws y swyddfa, ond doedd *hon . . . (amnaid i gyfeiriad Eirian, sy'n rhowlio'i llygaid)* . . . ddim am ada'l imi neud, am ryw reswm: 'Knock softly but firmly. I like soft, firm knockers'.

Rhiannon: Sgwn i pam, Eirian? Ocê – arwydd ar ddrws athro Cerddoriaeth: 'Gone Chopin, Bach in a Minuet'.

Gwynant: Gamp iti guro hon, Rhiannon. Arwydd mewn ffenast siop wersylla oedd yn cael sêl aeaf: 'Now is the Discount of our Winter Tents'.

'Fade' ar Rhiannon yn griddfan, tra mae Eirian yn ffug-dagu Gwynant . . .

Ond diflannodd hynny i gyd ar ôl marwolaeth Eirian. Roedd ei habsenoldeb hi'n tueddu i warafun unrhyw firi gwirion a diniwed fel yna'n fwy effeithiol nag y byddai presenoldeb rhywun hollol sych a dihiwmor wedi'i wneud.

Mi aeth hi'n hollol annisgwyl. Gan roi ordors fod arni eisiau cael ei deffro hefo panad ymhen dwyawr fan bellaf, cymerodd barasetamol ar gyfer rhyw fudur gur pen oedd ganddi, a mynd i'w llofft i orwedd. Erbyn i Gwynant fynd i fyny'n ufudd hefo'r baned, roedd hi wedi mynd.

Roedd wedi eistedd yno efo hi nes bod ei llaw wedi oeri yn ei law o.

Gwaedlif anferth ar yr ymennydd, meddai'r doctoriaid. Go brin y basa Eirian wedi teimlo unrhyw beth mwy poenus na'r budur gur pen hwnnw, dywedodd un ohonyn nhw wrth Gwynant.

Ond methai Gwynant ddod dros y 'go brin' hwnnw. Doedd o ddim yn ddigon pendant. Allai o ddim peidio â meddwl amdani yn gorwedd yno'n dioddef y poen mwyaf aruthrol, efallai, yn gwneud ei gorau i alw arno, i ofyn iddo ddod ati, ond yn methu cynhyrchu unrhyw beth gwell na chrawc.

Cyn marw yno ar ei phen ei hun bach.

'Paid â meddwl fel'na,' meddai pawb wrtho.

'Fedra i'm peidio,' atebai yntau.

Roedd ei marwolaeth wedi dod yn rhy ddirybudd; roedd Gwynant wedi'i frifo gormod i fedru crio.

Roedd o'n bell o fod yn barod am hynny ar y pryd.

Wedyn y daeth y dagrau, a hynny fesul tipyn. Weithiau'n cael eu denu gan ganeuon a drodd yn hynod arwyddocaol mwyaf sydyn: 'Sometimes when you're doing simple things around the house, / Maybe you'll think of me and smile – Warren Zevon; 'You will miss sunrise if you close your eyes, / And that would break my heart in two' – Townes Van Zandt; 'A Song for You' – Gram Parsons; 'I would walk all the way from Boulder to Birmingham, / If I thought I could see, I could see your face – Emmylou; 'Well, you really got me this time / And the hardest part is knowing I'll survive . . .'

Alaw'r 'Skye Boat Song' hefyd, am ryw reswm gwallgof: hyd heddiw ni wyddai pam, a honno erioed wedi golygu'r un affliw o ddim i Eirian nac yntau. Prin ei fod o wedi meddwl amdani pan oedd Eirian yn fyw, ond dyna ni, clywodd hi un noson ar y radio wrth yrru adref o rywle neu'i gilydd, a gorfu iddo barcio'r car ar ochr y ffordd nes i'w ddagrau o'r diwedd roi'r gorau i lifo.

Droeon eraill, deuent heb gael eu denu gan unrhyw beth o gwbwl. Dim ond dŵad o nunlle, go damia nhw. Hyd yn oed pan oedd o'n cysgu, weithiau.

Dyn bach tew yn crio mewn tŷ ar ei ben ei hun.

Ond y peth rhyfedd oedd, pan fyddai'n meddwl am Eirian, yn meddwl amdani go iawn, a chofio, ac ail-fyw, gwnâi hynny hefo gwên bob tro. Roedd o wastad wedi hoffi meddwl ei bod hi yno efo fo o hyd, wrth ei ochr.

Tan ddoe.

Doedd o erioed wedi teimlo mor uffernol o unig o'r blaen.

* * *

'Lle buost ti, felly?' gofynnodd Rhiannon.

Glaw ar y ffenestr, y ffrij yn canu grwndi a'r peiriant coffi'n gollwng rhechfeydd gwlybion bob hyn a hyn.

'Efo dy *siwt*?'

Roedd rhywbeth ynglŷn â'r golau, mae'n siŵr – goleuni'r diwrnod llwyd – a wnâi iddo edrych fel hen, hen ddyn wrth iddo syllu i lawr ar wyneb y bwrdd.

'Caerdydd,' meddai.

'Be?'

Nodiodd. 'Llanisien.'

'Ond . . .'

'Wn i, wn i – wnes i'm deud wrthat ti.'

'Wel naddo, *dwi*'n gwbod hynny.'

'Sorri.'

'Pam? Mi faswn i wedi dŵad efo chdi.'

'Wn i. Dyna pam na ddeudis i ddim byd . . . wel, yn rhannol. Mynd ar fympwy wnes i, Rhiannon.'

'Ond jest un alwad ffôn oedd . . .'

'Do'n i ddim isio i chdi ddŵad efo fi.'

'O, dwi'n gweld.'

Ysgydwodd ei ben.

'Do'n i ddim isio i chdi fy ngweld i'n crefu, Rhiannon.' Edrychodd i fyny arni. 'Ro'n i'n ddigon parod i neud hynny, 'sti. Mynd ar 'y nglinia tasa raid, a chrefu. Ond doedd dim rhaid i mi. Ches i mo'r cyfla, fel ma'n digwydd.'

'Pryd oedd hyn, Gwyn?'

'Ddoe, ia? Ia. Ddoe. Bora ddoe. Mi gychwynnis i'n ôl yn syth: dŵad yn dow-dow, stopio yn Rhaeadr, ac wedyn yn y Sosban yn Nolgella, fel ro'n i'n arfar 'i neud pan fydda Eirian a fi'n gorfod mynd i lawr . . .'

Roedd hi wedi dechrau bwrw glaw ym Merthyr Tydfil.

Glaw mân i ddechrau – smwclyd, dyna'r gair, a'r bryniau a'r Bannau'n llechu rywle tu ôl i'r niwl. Ond trodd yn law trymach wrth i Gwynant yrru heibio i'r troad am Gefncoedycymer, ac roedd yn stido go iawn pan gyrhaeddodd Nant Ddu. Serch hynny, troes i mewn i'r arhosfan gyferbyn â Phen y Fan, gan barcio mor agos â phosib i'r caban te.

Teimlai'r glaw fel pinnau oer ar ei ben a'i wyneb wrth iddo gamu o'r car, heb gôt dros ei siwt – ei siwt orau hefyd, ond dyna ni, roedd yn wyrth ei bod yn dal i'w ffitio. Y glaw fel bwledi, yn trybowndian oddi ar y ddaear ac yn gwlychu'i fferau wrth iddo aros am ei de, ond roedd o'n falch ohono, ac o'r gwynt, wrth iddo ddychwelyd i'w gar. Roedd drewdod y saim a ddôi o'r tu mewn i'r caban te wedi codi pwys mawr arno, felly daliodd ei wyneb i fyny i'r awyr â'i geg yn llydan agored nes iddo deimlo'i stumog yn dechrau setlo rhyw gymaint. Yn ei gar, wedyn, ac yn wlyb socian, crynai fel blymonj wrth stryffaglu i dynnu caead y gwpan de heb golli dim a llosgi'i ddwylo, ond roedd y blydi stwff yn rhy boeth i'w yfed, yn chwilboeth os rhywbeth. Buasai draig wedi cael trafferth i sipian hwn.

Llenwid y car â sŵn y glaw yn dyrnu'r to, ond prin roedd o'n ei glywed.

'O'r arglwydd,' meddai. 'O'r arglwydd mawr.'

Roedd angen cerddoriaeth arno, rhywbeth oedd yn gyfarwydd ac felly'n gysurus. Nid y radio – Duw a'i helpo, na, nid y radio, a chwaeth neu ddiffyg chwaeth rhywun arall a pharablu gwirion, dwl. Roedd ei iPod ganddo, wedi'i gysylltu i chwaraeydd CDs y car – diolch i Dduw ei fod wedi cofio amdano ddoe. Roedd wedi teithio'r holl ffordd i lawr a Springsteen yn ei rwystro rhag hel meddyliau, rhag iddo ddechrau ei holi ei hun be gythral roedd o'n ei wneud, lle goblyn roedd ei feddwl, neno'r tad. Caneuon am ferched a cheir a gweithwyr cyffredin New Jersey, am iachawdwriaeth roc-a-rôl a dynion tawedog yn gyrru drwy'r nos yn ddibwrpas, i gyd yn cadw'i droed ar y sbardun a'i lygaid yn craffu tua'r de, i lawr yr A470 am Gaerdydd.

Ond rŵan, Cowboy Junkies. Un o ganeuon Neil Young. Y gitâr acwstig yn strymio'n dawel, yna'r harmonica ddolefus-felys. A llais unigryw Margo Timmins: 'Well, he shot four men in a cocaine deal / And he left them lyin' in an open field . . .' Un tro i'r weipars a chlwt dros wyneb y ffenestr flaen, a sylwi ar res o ddefaid sgraglyd yn croesi'r llethr yr ochr arall i'r clawdd, un ar ôl y llall ac yn hamddenol braf, fel tasan nhw allan am dro ar brynhawn hirfelyn o haf.

Gorymdaith ddi-frys, ddi-fref, fel basa Rowland Hughes wedi'i ddweud.

'He tried to do his best but he could not . . .'

'O'r arglwydd mawr,' meddai eto, a'r te'n rhy boeth o hyd, yn llosgi'i wefus, ei dafod, y tu mewn i'w wddf.

'Open up your tired eyes . . .'

A dyheai am gael bod gartref.

Dyn bach tew yn crio mewn car ar ei ben ei hun.

* * *

Gwenodd Gwynant yn awr.

'Beryl Watkins,' meddai. 'Ella, 'swn i'm 'di taro arni hi, faswn i'm wedi mynd o gwbwl.'

'Be, Beryl siop Spar?'

Edrychodd Rhiannon arno fel tasa fo'n prysur golli arno'i hun.

'Y hi oedd wrth y til. 'Mond piciad i nôl rhyw hannar dwsin o betha wnes i – llefrith, wya a ballu. Taswn i ddim wedi cydiad yn y *Radio Times* 'yfyd . . . Y peth ydi, fydda i byth bron yn prynu'r bali peth. 'Mond y rhifyn Dolig, gan amla. Dwn 'im be dda'th drosta i. Ond yno roedd o gin i yn y fasgiad.'

* * *

'Ew, Gwynant,' meddai Beryl. 'Ti'n o lew?'

Pwtan fach gron oedd Beryl, y math o ddynas a roddai'r argraff mai bownsian yn ôl ar ei thraed a wnâi petai hi'n syrthio i'r llawr.

'Tshampion, diolch, Beryl. A chditha?'

'Decini. Sgin ti rwbath i ni'n o fuan?'

'Sorri . . .?'

'Rhwbath medran ni edrach *ymlaen* ato fo.' Pwyntiodd at y *Radio Times*. 'Ma petha wedi bod yn sobor o hesb ers sbelan reit dda rŵan. Prin fydda i'n sbio ar y teledu'r dyddia yma.'

'O, reit . . . Wel, ma gynnon ni un neu ddau o betha ar y gweill, yndê.'

'Ar y gweill? Ar y sgrin ma nhw i fod, Gwynant, ddim ar y blydi gweill!'

Wel, roedd o eisoes yn gwybod hynny, yn doedd? Ac roedd y gweill wedi sigo dan bwysau'r holl bethau oedd gan Rhiannon ac yntau arnyn nhw erbyn hyn. Deugain o syniadau newydd sbon eto eleni, a phob un yn cael ei wrthod – pob un wan jac – heb air o eglurhad na hyd yn oed ymddiheuriad cwrtais. Daeth ysfa wyllt drosto i ddweud hynny wrth Beryl, eu bod nhw'u dau bron â laru bellach ar drio symud y bali pethau oddi ar y gweill a'u sodro ar y sgrin, ond ei fod fel taflu cerrig i mewn i gors. Waeth be roedden nhw'n ei anfon i mewn i'w ystyried, roedd o'n suddo o'r golwg yn llwyr. Deud wrthi fod y ddau ohonyn nhw wedi cael llond bol ar orfod actio, a gwisgo'r wên obeithiol, ffals honno bob tro roedden nhw'n mynd allan o'u tai oherwydd bod rhywun, yn hwyr neu'n hwyrach, yn siŵr Dduw o ofyn pryd bydden nhw'n gweld cynnyrch Daron ar y sgrin unwaith eto. Llond bol ar fyw rhyw fodolaeth Micawberaidd, yn gobeithio y deuai rhywbeth o rywle, unrhyw ddiwrnod rŵan. Deud bod arno ofn y byddai cyn bo hir, os nad oedd hynny eisoes wedi digwydd, yn cael ei adnabod fel 'Gwynant ar y Gweill'. Roedd o wedi defnyddio'r ymadrodd hwnnw gymaint o weithiau erbyn hyn wrth ddyn a ŵyr faint o bobol – a mwy nag unwaith wrth yr un rhai: roedd hynny'n amlwg o'r ffordd y byddai eu haeliau'n codi cyn iddyn nhw edrych i ffwrdd yn ffwndrus.

Wrth gerdded adref, daethai o fewn dim i adael i'r bagiau siopa ddisgyn o'i afael, o fewn dim i'w dilyn i lawr i'r pafin ei hun, ar ei liniau i ddechrau ac yna ar ei hyd. A gadael i'w lygaid gau a chysgu, cysgu, cysgu.

Gartref, ar ôl cadw'r nwyddau yn y cypyrddau, fe'i teimlodd yn bygwth cau amdano eto – yr anobaith du a myglyd hwnnw a fu'n sleifio'n nes ac yn nes ato ers tro bellach. Edrychodd o'i gwmpas yn wyllt, fel dyn a glywai rhyw leisiau dilornus a sbeitlyd yn galw enwau arno o guddfan gyfrwys . . .

A dyna pryd y penderfynodd drio *gwneud* rhywbeth, wir Dduw. Fel arall, mi fasa wedi sgrechian, neu waeth.

Felly paciodd ei fagiau ac estyn ei siwt, cloi'r tŷ ac i mewn i'r car â fo, gan ddweud wrtho'i hun mor gynnar â Llanystumdwy, ac wedyn yn Nolgellau a Llanbryn-mair, ac wrth yrru drwy bentrefi bach marwaidd y canolbarth – Dolydd, Comins-coch, Carno, Clatter, Caersŵs – ac yna wrth bi-pi yn nhoiledau Rhaeadr, ei bod yn rhy hwyr i feddwl am droi'n ôl. Ac yna, ar ôl cyrraedd y gwesty a chau drws yr ystafell ar ei ôl, roedd wedi dweud: 'Wel, dwi yma rŵan, waeth i mi aros yma ddim.'

* * *

Aeth o ddim allan o'r gwesty'r noson honno. Arhosodd yn ei ystafell, y bwyty a'r bar. Yn enwedig y bar.

Yn y gorffennol, roedd presenoldeb pobol eraill wedi'i hel oddi yno droeon, naill ai yn ôl i'w stafell neu i lawr yr allt i'r Halfway. Cynadleddau o werthwyr gan amlaf – dynion a merched mewn siwtiau rhad yn brefu chwerthin wrth drio fflyrtian â'i gilydd, pob un wan jac ohonyn nhw'n cymryd dim sylw o gwbwl o'r dyn bach tew, canol oed a eisteddai mewn cornel ar ei ben ei hun.

Ond neithiwr cawsai'r lle fwy neu lai iddo fo'i hun. Mwy na hynny, cawsai botel o Châteauneuf-du-Pape efo'i fwyd, sawl peint o Brains a thua chwe gwydryn o Glenmorangie. Dim rhyfedd, felly, iddo ddihuno efo hymdingar o gur pen ac adlais o'r frawddeg olaf iddo'i chlywed neithiwr yn llenwi'i feddwl:

'Be uffarn w't ti'n 'i neud yma, Gwynant bach?'

Fo'i hun a'i llefarodd, wrth gwrs, wedi rhoi'r gorau i nofel Gerald Seymour eiliadau ar ôl ei hagor, a gorwedd yn yr hanner tywyllwch orenddu, mewn gwely dieithr a'i gynfasau'n ogleuo'n anghyfarwydd, yn disgwyl i'r ystafell lonyddu digon iddo fedru cau ei lygaid a chysgu.

Oedd o wedi crio neithiwr yn ei ddiod? Erbyn iddo ddeffro, doedd o ddim yn siŵr.

Bore blêr a di-liw, ond roedd ei lygaid yn goch yn nrych yr ystafell ymolchi a'i wyneb yn llac a thagellog. Coffi, tabledi cur pen, cawod a shêf, ac yna'r siwt – ac oedd, roedd o *yn* edrych ychydig yn well, rhaid dweud, yn enwedig ar ôl clymu'i dei, hyd yn oed os oedd o'n teimlo'n ddiawledig.

'Be uffarn w't ti'n 'i neud yma, Gwynant bach?'

'Wedi gwylltio ydw i, wedi ca'l llond bol.'

Ia – dyna be oedd o wedi'i ddeud wrtho'i hun ddoe. Wrth

bacio'i fag, a gyrru i ffwrdd o'r tŷ, roedd o am ddeud hyn a'r llall a Duw a ŵyr be arall wrth y bobol yna, yn enwedig y ddynas Carys Meical honno oedd fwy neu lai wedi'i anwybyddu ers iddi ymddangos yn ei swydd o Duw a ŵyr lle – am ei galw hi'n bob enw tasa raid. Chwarae teg, roedd hi'n hen bryd i rywun ddeud wrthi hi, yn doedd? Wrthyn *nhw*, go damia nhw.

Ond digon hawdd oedd taranu i fyny ym Mhen Llŷn. A digon hawdd oedd bytheirio yn y car ar y ffordd i lawr. Yma, yn nrych y gwesty digymeriad hwn, gwelodd stwcyn bach tew, canol oed yn eistedd ar erchwyn ei wely sengl, wedi'i yrru yma, nid gan gynddaredd a llid, ond gan yr anobaith du hwnnw. Ei hen, hen gyfaill ers misoedd lawer.

A rŵan, gwelodd ddyn oedd wedi newid ei feddwl, a oedd erbyn heddiw am fod yn gwrtais a dymunol, mor addfwyn ag erioed.

Dyn a oedd yn barod i fynd ar ei liniau a chrefu, pe bai raid.

Gan gnoi da-da mint ffwl sbid, felly, mygodd y demtasiwn i yrru 'nôl i'r gogledd; yn lle hynny, gyrrodd ar hyd Rhodfa'r Gorllewin ac i fyny am Gabalfa ac yna i Lanisien.

'Gwynant Jones i weld Carys Meical, plis, os ydi hi ar gael.'

Dynes ddieithr oedd y tu ôl i'r ddesg yn y dderbynfa. Gwallt melyn wedi'i steilio'n fwriadol flêr, a ffrog dynn, ddim yn rhy gwta. Gwên ddisglair a oedd, hefyd, ychydig yn ddireidus. 'O's apwyntiad 'da chi, Mr Jones?'

'Sorri? O, nagoes, nagoes' – fel tasa dyn fel y fo byth yn trafferthu efo rhyw bethau felly. 'Digwydd pasio drwy Gaerdydd o'n i a meddwl y baswn i'n piciad i mewn i ddeud helô.'

'Wy'n gweld.'

Cododd y ddynes y ffôn. Be welodd hi, tybed, wrth syllu arno'n llamu tuag ati ar draws y dderbynfa? Dyn hyderus yn gwenu'n glên arni. Dyn llewyrchus, hefyd, yn ôl ei siwt.

Llwyddiant. Credai Gwynant na fedrai neb ddweud fod ei du mewn yn corddi fel buddai, fod ei goesau'n teimlo fel clai.

'Gwynant Jones . . .' meddai'r ddynes i mewn i'r ffôn, am yr eildro. Cododd ei llygaid a rhythu arno, a chwarae teg iddo, aeth o ddim mor bell â tharo winc arni, ond gwenodd arni eto. Fel giât.

Ond chafodd o ddim gwên yn ôl y tro hwn.

'Ôl-reit. 'Weda i wrtho fe.'

Dyma ni, meddyliodd – dyma lle ma hon yn mynd i ddeud wrtha i fod Carys Meical mewn cyfarfodydd trwy'r dydd, a dyma lle dwi'n deud 'Bolocs!' ac yn fy sodro fy hun ar un o'r cadeiriau esmwyth yna, gan gyhoeddi na fydda i'n symud o 'ma nes i mi ga'l siarad efo hi. A dyma lle ma hon yn codi'r ffôn eto fyth ac yn galw'r dynion seciwriti, ond dwi'n deud wrthoch chi rŵan, musus, 'dio 'mond yn deg i mi ddeud wrthoch chi, a' i ddim o 'ma heb neud uffarn o sŵn a strach.

Ond meddai'r dderbynwraig, 'Os hoffech chi gymryd sedd, Mr Jones?'

Fedrai o ddim cuddio'i syndod. 'O . . .? Reit . . . iawn. Diolch.'

'Mi fydd Meirwen gyda chi nawr.'

Pwy?

Eisteddodd yno, felly, a'i fag ar ei lin, braidd yn llywaeth, wedi disgwyl gwrthdaro ond wedi cael gwahoddiad i aros ac eistedd yn lle hynny. Nid croeso – na, dim byd tebyg i groeso, ac mi ddywedwyd rhywbeth dros y ffôn yng nghlust y dderbynwraig oherwydd daeth rhyw oerni ofnadwy o rywle wrth i'w llygaid neidio tuag ato ac yna droi i ffwrdd, fel tasa drws rhewgell anferth wedi'i agor. Doedd dim sôn erbyn hyn am y wên ddireidus – gwên annaturiol, sylweddolodd, erbyn meddwl. Faint o oriau oedd hon wedi'u treulio o flaen y drych, tybed, yn ei hymarfer?

Roedd y gwallt melyn hefyd yn annaturiol, sylweddolodd, a'r ffrog yn rhy dynn ac yn sicr yn rhy gwta i ddynes o'i hoed hi. Ac roedd yr holl golur oedd ganddi ar ei hwyneb yn gwneud iddi edrych fel stiwardes awyr.

Hen ddafad yng nghnu oen bach, penderfynodd yn sbeitlyd.

A phwy ddiawl oedd y Feirwen yma pan oedd hi adra?

Edrychodd o'i gwmpas. Roedd o wedi disgwyl mwy o brysurdeb yma; dyna un o'r pethau roedd o'n ei gofio am y lle yma – llawer iawn mwy o fynd a dŵad a dringo i fyny ac i lawr y grisiau mawr llydan. A doedd o ddim wedi gweld neb roedd o'n ei nabod – neb o gwbwl – a than yn gymharol ddiweddar, cofiai, fasa'i din o ddim wedi cael y cyfle i gynhesu'r mymryn lleiaf ar ei gadair cyn bod rhywun wedi'i weld, ei nabod ac aros i'w gyfarch a'i holi.

Penderfynodd nad oedd o am eistedd yn syllu'n ddisgwylgar i gyfeiriad y grisiau fel rhyw hen gi tarw'n aros am ei feistres, felly tynnodd yr hen Gerald Seymour o'i fag a smalio'i ddarllen, ei lygaid wedi'u hoelio'n benderfynol ar y dudalen nes o'r diwedd y daeth yn ymwybodol fod rhywun wedi agosáu ac yn hofran uwch ei ben.

'Gwynant . . .?'

'Ia?' Edrychodd i fyny. 'Argol – *Meirwen*?' Bustachodd i'w draed, ddim wedi disgwyl hyn – hon – o gwbwl. 'Wyddwn i ddim . . . Pan ddeudodd y ddynas acw fod "Meirwen" ar ei ffordd i lawr 'ma, 'nes i'm meddwl am eiliad mai chdi . . . Sut w't ti?'

Fe'i daliodd ei hun wedi hanner plygu ymlaen tuag ati, hefo'r bwriad efallai o'i chusanu neu ei chofleidio. Ond doedd hi ddim am ganiatáu hynny. A doedd ei gwên ddim yn un gynnes iawn, chwaith, erbyn meddwl: gwên ansicr, gwên oedd yn pitïo na fasa hi yn rhywle arall.

Ymdrechodd Gwynant i wneud jôc o'r peth. 'Be ma hogan neis fatha chdi'n ei neud mewn lle fel hyn, d'wad?'

'Dwi yma ers dros ddwy flynadd rŵan, Gwynant.'

'W't ti wir?'

Un o Niwbwrch oedd hi. Gwyliau'r haf, tua ugain

mlynedd yn ôl, o leiaf – dyna pryd y daeth hi at Eirian a fo o Goleg Bangor: roedd arni angen y profiad o weithio ar gynhyrchiad. Hogan swil, hoffus a llond ei chroen y dyddiau hynny, â gwallt coch hir yn byrlymu'n gyrls di-drefn dros ei hysgwyddau a chlystyrau o frychni haul yn britho'i thalcen a'i breichiau. Cafodd y cyfle ganddynt i flasu ychydig o bopeth. Roedd Eirian wedi gofalu am hynny – wedi cymryd ati hi'n fawr – ac ar ôl graddio, cawsai ei hyfforddi fel cynorthwyydd cynhyrchu gan y BBC.

Chlywson nhw ddim gair oddi wrthi wedyn. 'Run cerdyn Nadolig, hyd yn oed, ac roedd Eirian yn enwedig wedi teimlo i'r byw.

A rŵan, dyma hi. Craffodd Gwynant arni, yn cofio'i swildod yn fwy na dim arall ac yn chwilio am ryw adlais bychan ohono. Roedd y gwallt coch wedi'i dorri'n gwta a'i steilio'n ofalus, y cyrls gogoneddus, gwyllt rheiny i gyd wedi'u dofi. Roedd hi hefyd wedi colli cryn dipyn o bwysau – gormod o lawer, yn ei dyb o – ac o sylwi ar ei hosgo rŵan, yma yng nghyntedd yr adeilad mawr, modern a digymeriad hwn, ofnai fod ei naturioldeb hoffus wedi diflannu hefo'r cyrls a'r pwysi.

'Ond be w't ti'n 'i neud yma?' gofynnodd iddi eto.

'Gweithio efo Carys ydw i,' atebodd hithau.

'Carys? Carys Meical? Ond . . . A, reit . . .'

Ers dros ddwy flynedd – dyna be ddywedodd hi gynna, yndê? meddyliodd. Roedd hi'n gwybod, felly, am yr holl alwadau ffôn, yr holl lythyron ac ebyst.

'Reit . . .' meddai Gwynant eilwaith. 'Wela i.'

'Ma hi mewn cyfarfodydd, Gwynant. Ma'n ddrwg gin i. Trwy'r dydd.'

Disgwyliodd yntau ei gweld yn gwrido: roedd hon yn arfer cochi ar ddim.

'Ydi hi wir?'

'Ma'n ddrwg gin i.'

'Felly, nid dŵad i lawr yma er mwyn fy hebrwng i fyny i'r cysegr sancteiddiolaf wnest ti, Meirwen?'

'Wel . . .'

'Ond dŵad i ddangos y drws i mi.'

'Dydi Carys ddim yma, Gwynant. Ma hi yn Abertawe, fel ma'n digwydd.'

Doedd dim rhaid iddi fod wedi dod i lawr y grisiau o gwbwl, sylweddolodd; gallai'n ddigon hawdd fod wedi dweud wrth y dderbynwraig nad oedd Carys Meical ar gael heddiw, a dyna fo. Ond daeth i lawr yma o'i swyddfa fach ddiogel – efallai oherwydd ei bod yn dal i gofio'r haf cynnes hwnnw pan oedd ei gwallt yn gyrls anhydrin dros ei hysgwyddau.

Yna meddai hi, 'Dwi'n siŵr, tasach chi wedi ffonio a threfnu apwyntiad, y basa Carys wedi . . .'

'O, *Meirwen*!' Syllodd yn syth i mewn i'w llygaid gwyrddion. Roedd yr awgrym lleiaf o wrid wedi codi dros ei gruddiau. 'I'm sure, if you go round the back, Cook will find you a plate of something – ia?'

'*Be* . . .?'

Rhythodd arno fel tasa fo wedi drysu. Roedd hi'n amlwg wedi anghofio – ac roedd yna ugain mlynedd neu fwy ers iddi ei weld, chwarae teg i'r hogan – am ei duedd (anffodus ar adegau, mae'n rhaid dweud) i blycio dyfyniadau o'r awyr. Darnau o farddoniaeth, geiriau hen ganeuon, llinellau o hen ffilmiau. Fel honna, o *Mary Poppins* o bopeth: David Tomlinson yn rhoi'r plismon, Arthur Treacher, yn ei le.

Nid oedd yr amynedd ganddo i egluro.

'Dwi *wedi* ffonio, Meirwen, yn do? Droeon – fel ti'n gwbod yn iawn. Ma'n siŵr dy fod di wedi atab y ffôn dy hun fwy nag unwaith.'

Cochodd Meirwen o glywed hynna, ac edrych i ffwrdd.

'Mi ddeuda i wrth Carys 'ych bod chi wedi galw,' meddai. Trodd i fynd. 'Neis 'ych gweld chi eto, Gwynant . . .'

'W't ti'n meddwl y gneith hynny unrhyw les, Meirwen?' gofynnodd yn dawel.

Ochneidiodd hithau, a hanner troi'n ei hôl.

'Fedra i ddim deud, Gwynant,' meddai. 'Nid fy lle i ydi deud, naill ffordd na'r llall.'

Be w't ti'n 'i neud yma, Gwynant bach?

Teimlodd ar goll yn sydyn – adyn ar gyfeiliorn os bu un erioed, gŵr ar ddyfroedd hunllef yn methu cyrraedd glan. A meddyliodd, tasa Eirian yma efo fi, tasa hi ond yma efo fi. Fasa hi'n gwbod be i'w neud, be i'w *ddeud* wrth hon.

'Wyddost ti nad ydw i rioed 'di'i gweld hi, hyd yn oed? Y Carys Meical 'ma?' Edrychodd o'i gwmpas, yn ymwybodol fod ei lygaid yn goch unwaith eto, ac yn ddyfrllyd. 'Blydi hel, be ma rywun i fod i'w *neud*, Meirwen? Ac nid fi 'di'r unig un, dwi'n gwbod hynny. Yn enwedig i fyny ffor'cw; ma dwn 'im faint o gwmnïa bychan wedi gorfod . . . Dwi 'di ca'l actorion ar y ffôn yn crio, jest – yn gweddïo y medra i gynnig *rhwbath* iddyn nhw. Be ydw i i fod i' neud? Fedri di ddeud wrtha i?'

Safodd Meirwen yno'n syllu'n fud arno, yn amlwg ar dân eisiau iddo fynd – 'mond mynd, wir Dduw, allan o'i bywyd hi.

Ochneidiodd Gwynant, a throi.

'Y . . . Gwynant . . . Cofiwch fi at Eirian, yndê.'

Rhewodd. Ac wrth iddo droi'n araf yn ei ôl i rythu arni, gwelodd ei hwyneb wrth iddi sylweddoli, wrth iddi gofio.

'Gwynant, ma'n ddrwg gin i, wnes i ddim meddwl . . .'

Safodd yno a'i gwylio'n troi'n fitrwtsan fflamgoch.

'Argol fawr, Meirwen, dach chi'n bobol ofnadwy, yn dydach?' meddai.

Meddyliodd fod y drysau awtomatig yn swnio fel nadroedd gwenwynig yn hisian wrth iddo gerdded tuag atynt ac allan drwyddynt.

13
Ffarwél i'r Micawbers

Roedd ei goffi wedi hen oeri wrth iddo siarad, a'r CD trwodd yn y parlwr wedi dirwyn i ben. Billy the Kid hefyd wedi'i saethu, yn gorwedd yn gelain, wedi'i ladd gan ei ffrind gorau.

Cododd i ail-lenwi eu mygiau. Aeth Rhiannon at y drws cefn am smôc. Gwyddai'n iawn beth oedd byrdwn hyn i gyd, beth roedd Gwynant yn trio'i ddweud wrthi. Ond doedd arni ddim eisiau ei glywed, er ei bod wedi sibrwd pethau tebyg wrthi'i hun droeon wrth i'r misoedd gweigion droi'n flynyddoedd. Taniodd ei sigarét a chwythu llinyn hir o fwg llwyd i'r gwlybaniaeth.

'Yr hogan Meirwen 'ma,' meddai. 'Wnes i rioed ei chyfarfod hi, naddo?'

'Naddo. Roedd hi wedi bod a mynd – hen fynd – erbyn i chdi ddŵad aton ni.'

'Ma gin i frith go' o glywad Eirian yn sôn amdani. Be'n union ma hi'n neud, Gwyn?'

'Duw a ŵyr. Holis i ddim llawar arni hi. Ma hi 'di newid cymaint . . .' Eisteddodd i lawr efo'i goffi. 'Fel'na ma nhw. Newid lot, ond altro dim.'

Trodd ac edrych tua'r drws, ar Rhiannon yn sefyll yno'n chwythu mwg allan i'r glaw. Faint o weithiau oedd o wedi gweld hyn, a rioed wedi meddwl y basa heddiw'n dod?

'Ma'r holl beth wedi newid, Rhiannon. Yr holl fyd, mi fydda i'n teimlo weithia. *All things must pass*, fel y deudodd yr hen George. Rhyw hen newid sydyn a slei, 'yfyd. Mi ddaru Buddug Ifans drio fy rhybuddio i sbelan yn ôl, jest cyn iddi ymddeol. Dwi'n gweld rŵan – nid ymddeol ddaru'r graduras, ond dengid. Am ei bywyd, wedi ca'l cip ar y ffordd roedd y gwynt yn chwthu.'

Dwi ddim isio clywad hyn, meddyliodd Rhiannon. Fydd y stori nesa 'ma ond yn cadarnhau petha. Yr hyn dwi *isio*'i glywad ydi Gwynant yn mynegi rhyw fymryn o obaith. Trodd ei phen a gwgu arno, yn y gobaith y byddai'n cau 'i geg, ond doedd o ddim yn edrych i'w chyfeiriad, dim ond eistedd wrth y bwrdd fel o'r blaen. Duw a'm helpo, meddyliodd Rhiannon, dwi isio'i ysgwyd o'n iawn, isio'i ysgwyd o a'i waldio fo a'i gicio fo go iawn am edrach fel hyn, fel hen hen ddyn.

Hen ddyn bach tew ar ei ben ei hun yn malu cachu wrth y bwrdd.

Cyn-gomisiynydd oedd Buddug, ac yn y busnes ers blynyddoedd lawer. Ar ôl un cyfarfod yn y swyddfa yng Nghaerdydd, roedden nhw wedi mynd am bryd o fwyd – Buddug a Gwynant ac Eirian – i un o'r bwytai newydd rheiny oedd wedi agor ym Mae Caerdydd. Dyna pryd y cyhoeddodd hi ei bod am ymddeol.

'Roeddan ni'n gegrwth. Buddug, o bawb – yr un person roeddan ni i gyd yn argyhoeddedig fasa'n marw wrth ei desg. Dynas oedd yn gwirioneddol garu'r busnas 'ma, yn poeni amdano fo, yn poeni am y gwylwyr ac am eu plesio nhw – nhw oedd yn dŵad gynta bob tro ganddi hi.

'Ond dyna lle roedd hi rŵan, yn deud ei bod am roi'r gora iddi. Roedd hi wedi blino, medda hi, wedi blino'n lân. Roedd petha'n newid, yn newid yn rhy gyflym.'

* * *

'A newid er gwaeth,' meddai Buddug Ifans. 'Ma hen stejars fatha ni . . . wel, ma 'na bobol sy'n casáu'r ffaith ein bod ni'n dal o gwmpas.'

'Twll 'u tina nhw.' Roedd y gwin wedi dechrau effeithio ar Gwynant. 'Be 'di'r matar efo'r genedl yma, deudwch? Mae

’na gymaint o bobol yn casáu gweld pobol eraill yn llwyddo, ac yn ysu am gael eu sodro nhw’n ôl yn eu lle. Ma’r adnod ’na o Samiwel fel mêl ar wefusa’r diawliad, yn tydi? “Pa fodd y cwympodd y cedyrn . . .?”’

‘Be’n union ma’r bobol ’ma, pwy bynnag ydyn nhw, ddim yn ’i leicio, felly, Buddug?’ holodd Eirian.

‘O, ’run hen diwn gron. Bod rhaglenni Daron yn . . . wel, yn henffasiwn.’

‘Ond ma nhw’n boblogaidd,’ meddai Eirian. ‘Yn enwedig i fyny ffor’cw.’

‘Wn i, wn i. Ac ma nhw’n raenus, yn safonol ac yn ddifyr iawn.’ Ochneidiodd Buddug. ‘Ond ma ’na rai – mwy a mwy ohonyn nhw, ma arna i ofn – fasa ddim yn cytuno.’

‘Pwy?’ gofynnodd Gwynant.

‘Mi ddowch chi ar ’u traws nhw’n hen ddigon buan, ma’n ddrwg gin i orfod deud.’

A’i ddweud o ag ochenaid go drom. Roedd y bodau anhysbys hyn yn ddrain yn ei hystlys, roedd hynny’n amlwg – ystlys oedd â chryn dipyn mwy o gnawd drosti’r dyddiau hyn, amhosib oedd peidio â sylwi ar hynny, a’r ffaith fod ei gwallt wedi gwynnu’n o hegar ers y tro diwethaf iddyn nhw weld ei gilydd. Ac roedd rhyw flinder trwm yn llenwi’i llais a’i llygaid.

Buddug bach, be ma’r lle ’ma’n ei neud i ti? meddyliodd Gwynant. ‘A!’ meddai. ‘Y rheiny.’

‘Sorri?’

‘*Young men in a hurry*. Ro’n i’n un ohonyn nhw ar un adag.’

Cafodd bwniad gan Eirian. ‘Dydan ni ddim isio dyfyniad arall eto fyth, Gwynant.’

‘Na, ma hon yn un dda.’ Edrychodd o’r naill ddynes i’r llall. ‘Plis?’

Edrychodd Buddug ar Eirian. ‘’Dio’n newid dim, nac’di?’

‘Dwi ’di trio ’ngora, Buddug, coelia di fi.’

‘Ty’d ’ta, Gwynant,’ ochneidiodd Buddug.

'F. M. Cornford.'

'Pwy ddiawl ydi hwnnw?'

'Ma gynno fo lyfr reit enwog – *Microcosmographia Academica*. 1908.'

'O, *hwnnw*? Ia, wn i,' meddai Buddug yn goeglyd. 'Mae o ar 'yn silff i gartra, rhwng Jackie Collins a Jilly Cooper. Be mae o'n 'i ddeud, felly?'

'Mae o'n sôn ynddo fo am bobol ifanc sy ar frys. Ma'r dyfyniad wedi aros efo fi ers . . . o, ers blynyddoedd lawar.'

'Wel?'

Cliriodd Gwynant ei wddf. 'From far below you will mount the roar of a ruthless multitude of young men in a hurry. You may perhaps grow to be aware what they are in a hurry to do. They are in a hurry to get you out of the way.'

'Ga i ychwanegu, Buddug,' meddai Eirian, 'nad ydi o rioed wedi gweld copi o'r bali llyfr yna'i hun, mai wedi darllen hynna mewn ryw nofel mae o.'

Gwenodd Buddug. 'Dwi'n 'i nabod o'n hen ddigon da, Eirian fach. Ond mae o'n iawn. Roeddan ninna ar frys hefyd, yn doeddan ni, Gwyn? Ond doedd 'na neb yno o'n blaena ni. Y ni oedd y rhai cynta. Doedd dim rhaid i ni wthio pobol eraill o'r ffordd er mwyn cael cymryd eu lle nhw. Fuon ni erioed yn rhan o . . . be galwist ti nhw hefyd, yr "young men in a hurry" 'na?'

'Be? O – "A ruthless multitude".'

Yn y gwesty'r noson honno, roedd Gwynant wedi holi Eirian, 'Lle mae o i gyd wedi mynd, Eirs – y?'

'Be, d'wed?'

'Sôn am Buddug ydw i. Yr holl egni hwnnw, lle'r a'th o i gyd, d'wad? Yr holl frwdfrydedd, y tân? Roedd hi'n arfar byrlymu efo brwdfrydedd, yn doedd? Tan yn reit ddiweddar.'

'Henaint ni ddaw ei hunan,' meddai Eirian, yna ochneidiodd. 'Yli be ti'n 'i neud i rywun. *Dwi* wrthi rŵan, yn siarad mewn dyfyniade.' Edrychodd arno yn y drych: roedd

Gwynant eisoes yn ei wely, yn eistedd a'i ddwylo wedi'u plethu y tu ôl i'w ben ac yn pwyso yn erbyn yr hedbord. 'Dwi ddim yn leicio'r ffaith ei bod hi'n mynd, Gwynant. Mi ges i ryw hen deimlad annifyr pan ddeudodd hi wrthan ni. Es i'n oer drostaf i gyd.'

'Duw, hitia befo. Bydd, mi fydd yn chwith hebddi hi, ond fyddan *ni*'n iawn.'

'Ti'n meddwl?'

Chysgodd Eirian fawr ddim y noson honno. Byddai ymddeoliad Buddug Ifans yn golled aruthrol i'r byd darlledu Cymraeg, gwyddai, ac ofnai'n ddirfawr yr hyn a oedd yn amlwg yn bygwth dod yn ei lle. Yr holl bwyslais ar drio denu gwylwyr ifanc, yn un peth. Roedd hynny'n iawn i raddau – wrth gwrs ei fod o – ond nid ar draul colli'r gwylwyr hŷn. Y rheiny oedd prif wylwyr y sianel, nid y to ifanc. Yn enwedig yn yr oes oedd ohoni, gyda'r holl ddewis oedd ar gael ar Sky a ballu. Rwtsh, ia, ond rwtsh hynod boblogaidd. A'r holl gyfresi drama o America – pa obaith oedd gan gwmnïau bychain Cymru o gystadlu efo'r rheiny? *Pobol y Cwm* 'ta'r *Sopranos*? Dai Jones 'ta'r *Nympho Ninjas*? Sorri, Dai . . .

Roedd Eirian yn dawedog iawn drannoeth, yr holl ffordd adref i Aberdaron. Ac ymhen llai na mis, roedd wedi mynd i fyny i'w llofft gyda'r budur gur pen hwnnw.

* * *

Dechreuodd pethau ddigwydd yn rhyfeddol o sydyn ar ôl i Eirian farw. Lai na deufis wedi'r angladd, eisteddai Gwynant yn gegrwth o flaen y sgrin un noson, pan ddaeth rhyw wancar ifanc, hollwybodus ymlaen i adolygu rhaglenni teledu – rhyw greadur danheddog a'i ben wedi'i siafio'n hollol foel a digon o lympiau o fetel yn hongian oddi ar ei glustiau a'i drwyn, a hyd yn oed ei wefus isaf, i beri i beiriannau larwm unrhyw faes awyr sgrechian fel banshis meddw.

Doedd gan y sbesimen didalent yma ddim un gair da i'w

ddweud am yr un o'r rhaglenni. Ac am raglen Cwmni'r Daron, y rhaglen olaf i Eirian weithio arni (cyfres am leoedd a ysbrydolodd rai o gerddi enwocaf Cymru – Cwm Pennant, Cefn Mabli, Melin Tre-fin, Ystrad-fflur ac yn y blaen), meddai, â'i dafod yn ei foch a gwên tydw-i'n-glyfar ar ei wep: 'Ac ma hyn yn dod â ni at raglen eji, waci a sêni arall eto gan Gwmni'r Daron. *Not*!' – a rhowlio chwerthin fel tasa fo wedi dweud y jôc ddoniolaf erioed. Dyna pryd y cytunodd Gwynant gant y cant efo'r seicolegwyr hynny sy'n mynnu ei fod o ynom i gyd i fedru llofruddio rhywun, dim ond i'r amgylchiadau fod yn iawn. Ia, o ddifri – gwyddai i'r dim, tasa fo wedi digwydd taro ar y brych moel yna'r noson honno, y byddai wedi rhuthro am ei wddf. Un peth ydi gwrando ar rywun sy'n dallt y dalltings yn beirniadu'ch gwaith: peth hollol wahanol ydi gorfod dioddef rhyw dwat sydd erioed wedi creu unrhyw beth o unrhyw werth ei hun yn rhwygo'ch cynnyrch yn ddarnau. Y sarhad sy'n brifo – yn waeth o lawer na'i frawddegau dwl.

O oedd, roedd Gwynant yn dal i gofio. Byddai'n dda ganddo tasa fo ddim, er bod hyn wedi digwydd flynyddoedd yn ôl, ac roedd o'n dal i deimlo'i stumog yn tynhau ac yna'n troi wrth feddwl amdano, wrth gofio bod cyflwynydd y rhaglen wedi chwerthin hefyd, fel tasa hi'n cytuno â phob un sill o sylwadau hurt y ffŵl a eisteddai gyferbyn â hi.

Roedd y ffôn wedi canu'r noson honno, eiliadau ar ôl i'r cyflwynydd ddiolch i'r ffŵl a throi at y camera i gyflwyno'r eitem nesaf.

Roedd ei law yn crynu, sylwodd, wrth iddo'i ateb.

'W't ti'n iawn, Gwyn?'

'Yndw, tad.'

'Dwi'n cymryd dy fod ti wedi'i weld o.'

'Do. Lle ma nhw'n ca'l gafa'l ar y bobol 'ma, d'wad?'

'Duw a ŵyr. Wel, doedd o ddim i wbod am Eirian, decini.'

Oedd! meddyliodd Gwynant. *Ma nhw i* fod *i wbod petha fel'na – ma gynnyn nhw ymchwilwyr ar eu rhaglenni. Roeddan nhw'n gwbod yn iawn am Eirian – a doedd affliw o ots gynnyn nhw.*

Saib, ac yna meddai Rhiannon: 'Yli, mi ddo i draw . . .'

'Na, wir – sdim rhaid i chdi. Dwi'n tshampion.'

'Dwi'n dŵad, a 'na fo. Roedd hynna'n beth hurt imi 'i ddeud. Debyg iawn eu bod nhw'n gwbod.'

Roedd wedi cyrraedd ymhen hanner awr. 'Ydi hi'n bwrw eira?' rhyfeddodd Gwynant wrth agor y drws; doedd o ddim wedi sylwi ar y tywydd, ddim wedi edrych i gyfeiriad yr un ffenestr oedd heb ei chuddio y tu ôl i'r llenni. Beth oedd yno i'w weld, p'run bynnag, heblaw fo'i hun yn gwgu?

'Ma'n ôl-reit, dydi o'm yn setlo.'

Ond roedd yr eira wedi setlo, petai dim ond am eiliadau, yn ei gwallt ac ar ysgwyddau ei chôt. Cyn cau'r drws, safodd Gwynant yno am ychydig yn gwylio'r plu yn chwarae mig â'i gilydd i gyfeiliant tician injan ei char.

'Gwynant . . .?'

'Ia. Sorri . . .'

Cau'r drws, mynd trwodd i'r gegin, cynnig gwin ond setlo ar de a choffi, a llygaid mawrion Rhiannon yn ei ddilyn wrth iddo lenwi'r teciall ac estyn y mygiau a'r llefrith, nes iddo droi ati a gwenu.

'Dwi'n iawn, wir yr rŵan.'

Ond wrth gwrs, doedd hi ddim yn ei goelio; roedd y llygaid llonydd rheiny'n gyndyn o grwydro oddi wrtho, hyd yn oed ar ôl iddyn nhw eistedd wrth y bwrdd.

'Dyfrig a'r plant yn iawn?' gofynnodd Gwynant.

Nodiodd Rhiannon; doedd hi ddim wedi dod yno i siarad am ei theulu, wrth reswm. Ildiodd yntau, felly, yn bennaf er mwyn torri ar draws y tawelwch oedd yn bygwth eistedd hefo nhw wrth y bwrdd.

'Ma 'na betha llawar iawn gwaeth wedi ca'l eu deud am ein rhaglenni bach ni, Rhiannon, dros y blynyddoedd, 'does? Dŵr 'ddar gefn chwadan, dyna be oeddan nhw.'

'Ond ddim heno 'ma.'

Roedd o ar fin codi'i ysgwyddau, ond roedd y llygaid llonydd yn haeddu gonestrwydd, o leiaf.

'Na. Nid heno 'ma.'

Tic-tic tawel yr eira gwlyb ar wydr y ffenestr. Sylweddolodd ei fod, heb feddwl, wedi eistedd ar gadair Eirian, a bod Rhiannon yn ei gadair arferol o. Roedd wedi bod ar fin ymestyn ar draws y bwrdd a chyffwrdd â'i llaw.

Ni fedrai feddwl am wneud hynny'n awr.

Yn hytrach, meddai, 'Diolch iti am ddŵad draw, Rhiannon.'

'Os mêts, yndê?'

Teimlodd yn falch na fyddai'r eira'n debygol o setlo rhyw lawer. Dim ond slwj budur fyddai o erbyn canol y bore.

* * *

'Felly, mi ddoist adra'n waglaw ddoe.'

Nodiodd Gwynant. Roedd Rhiannon wedi siarad heb edrych arno, gan ymddangos fel petai hi'n annerch y glaw neu rywun a safai o'i olwg allan yn yr ardd gefn. Ac roedd awgrym o gryndod yn ei llais.

Welodd hi mohono'n nodio, sylweddolodd, felly dywedodd wrthi, 'Do, cofia.'

'Ond . . . dwi'm yn dallt. Yr hogan Meirwen 'na – ma hi'n gweithio efo Carys Meical, meddach chdi?'

'Dyna be ddeudodd hi.'

'Wel, siawns nad ydi hi, felly, yn gwbod am yr holl stwff rydan ni wedi bod yn 'i anfon i mewn, flwyddyn ar ôl blwyddyn . . .'

'Am wn i.'

'Wel blydi hel, Gwynant, wnest ti ddim *gofyn* iddi hi?'

'Faswn i ddim wedi bod fymryn haws. Be ddeudodd hi oedd . . .'

'*Wnest* ti ddim, felly?'

'Do, mewn ffordd. Glywist ti gynna be ddeudodd hi, nad ei lle hi oedd deud unrhyw beth naill ffordd na'r llall.'

'Wnest ti ddim, naddo?'

'Wel *do*! Yli, o'dd hi'n anodd – yn y cyntedd oeddan ni, a pobol o gwmpas. Doeddat ti ddim yno. Tasat ti yno, mi fasa chdi'n dallt.'

'Nag o'n, do'n i ddim yno, yn nag o'n? Ches i'm gwahoddiad i fynd yno. Ches i'm hyd yn oed gwbod dy fod *ti* am fynd yno. Taswn i yno . . .'

'Fasat ti'm wedi gallu gneud dim byd, Rhiannon.'

'Dwi'n leicio meddwl y baswn i wedi gneud gwell sioe o'i holi hi – wedi mynnu nad o'n i am fyjio o'no nes y byddan ni'n ca'l rhyw fath o eglurhad, o leia, pam bod 'yn stwff ni i gyd yn ca'l i wrthod, tra bod 'na betha . . . tra bod 'na *gachu* fel y peth *Siarad 'da'r Sêr* 'na'n ca'l 'i chomisiynu. Welist ti honno?'

Ysgydwodd Gwynant ei ben.

'Roedd hi'n rhaglen ddiawledig. Ma'n bechod, mewn ffordd, na welist ti hi. Ella 'sa hynny wedi rhoid mwy o asgwrn cefn i chdi fynd i'r afa'l go iawn efo'r Feirwen 'na.'

'Yli, doedd o'm yn fatar o ddiffyg asgwrn cefn, Rhiannon.'

'Oedd, mi oedd o. Ddeudist ti dy hun, Gwynant – doeddat ti ddim isio i mi ddod efo chdi, achos doeddat ti ddim isio i mi dy weld di'n crefu. Yndê? Dyna be ddeudist ti, 'de? Roeddat ti'n barod, medda chdi, i fynd i lawr ar dy linia a chrefu arnyn nhw.'

Roedd hi wedi gorffen ei sigarét, sylwodd Gwynant – wedi'i thaflu allan i'r glaw fel tasa hi'n taflu carreg at rywun roedd hi'n ei gasáu. Yna trodd ac edrych arno gyda dirmyg. Teimlai Gwynant ei hun yn dechrau gwylltio – efo hi? Efo fo'i hun?

'Paid â sbio arna i fel'na, Rhiannon. Doeddat ti'm yno. Dw't ti rioed wedi gorfod delio'n uniongyrchol efo'r bobol yna.'

'Na, ma'n ddrwg iawn gin i am agor 'y ngheg. Rhywun fel fi – dwi'm yn gwbod am be dwi'n siarad, nac'dw?'

'Nag w't, dw't ti ddim! Ddim yn yr achos yma, beth

bynnag.' Ceisiodd siarad yn bwyllog, ond roedd cryndod bychan yn ei lais yntau hefyd, gallai ei glywed. Gallai ei *deimlo*, yno fel fflemsan yn rhowlio yn ei wddf. Ond ni fedrai ddweud wrthi am y teimlad o unigrwydd llwyr oedd wedi'i lorio ers iddo gael cip arno'i hun yn nrych ei ystafell yn y gwesty digymeriad hwnnw.

Dyn bach tew ar ei ben ei hun yn crio wrth droed y gwely.

'Mi faswn i wedi medru strancio, Rhiannon, a gneud rhyw sioe fawr a thynnu sylw ataf fi fy hun. Ond i be? I neud mwy o ffŵl ohonaf fy hun nag ro'n i'n 'i neud yn barod? Iawn, ocê – ddylwn i ddim fod wedi mynd i lawr o gwbwl. Ddylwn i fod wedi cadw'n ddigon clir o'r blydi lle, a dwi'n siŵr na wnes i unrhyw les drwy fynd yno. Ella mod i wedi gneud lot o ddrwg, ma'n dibynnu be ddeudith . . .' – edrychodd ar ei oriawr, am ryw reswm – '. . . be *ddeudodd* Meirwen wrth y Carys Meical 'na. Ond wy'st ti be? Dwi'm yn meddwl fod affliw o ots, un ffordd na'r llall. Ddim rŵan. Dim bwys be 'swn i wedi'i neud, Rhiannon. Ti'n dallt be dwi'n drio'i ddeud? 'Swn i wedi gallu cega a gweiddi a strancio a gneud bob math o fygythiada. Taswn i wedi gallu mynd yno efo'r syniada gora am raglenni welodd neb erioed, yr un peth fasa wedi digwydd. Uffarn o ddim byd, dyna be. Ti'n dallt?'

Oedd, roedd hi'n dallt, yn dallt i'r dim. Gallai weld yn y ffordd roedd hi bellach yn gwrthod sbio arno fo, yn y ffordd roedd hi'n sgrialu am sigarét arall eto, a'i llaw yn crynu.

'Ma'n rhaid i ni wynebu'r peth, Rhiannon. Ma'n amsar i ni roi'r gora i fod yn Mr a Mrs Micawber.'

Roedd hi'n ysgwyd ei phen, dro ar ôl tro, wrth dynnu ar ei sigarét a chwythu mŵg.

'Rydan ni wedi trio'n gora. Fedran ni'm gneud dim . . .'

Heb edrych arno, camodd Rhiannon allan i'r glaw, allan o'r gegin, allan o'r tŷ, a gwelodd Gwynant hi'n mynd heibio ffenestr y gegin, ei phen i lawr.

Arhosodd wrth y bwrdd am rai munudau. Yna cododd a

chau'r drws cefn yn dawel. Dychwelodd at y bwrdd ac eistedd.

He tried to do his best, but he could not . . .

Dyn bach tew ar ei ben ei hun.

14
Parti Marnel Richards

Deuai'r sŵn i fyny drwy'r lloriau. Eminem efo Rihanna, 'Love the Way You Lie', dyna be oedd hi.

Gorweddai Leah yn ei ymyl, ar ei hochr a'i boch chwith yn gorffwys ar y carped, ei llygaid ynghau.

'Leah,' sibrydodd. 'Leah . . .'

* * *

Dridiau cyn y parti, sylweddolodd Siôn ei fod o wedi cael digon ar ei lol. Llond bol o gael ei biwisio dim ond oherwydd bod arno eisiau ei gweld, llond bol o'i chlywed yn ochneidio'n flin bob tro roedd o'n ei ffonio, fel tasa fo'n ddim byd mwy iddi na rhyw hen niwsans oedd yn aflonyddu arni byth a beunydd.

Nid hon oedd yr eneth y bu'n ei ffansïo ers blynyddoedd. Rhywun dieithr oedd hon, a rhywun nad oedd arno eisiau ei nabod wedi'r cwbwl, penderfynodd.

Chdi ydi'r boi dwytha 'swn i'n mynd efo fo.

Ond mi newidiodd Leah ei meddwl yn hollol ddirybudd, gan glosio ato fo yn y barbeciw hwnnw, ei bronnau'n rhwbio yn erbyn ei fraich yn rhy aml i fod yn ddamweiniol. Drannoeth, ac yntau fwy neu lai wedi'i berswadio'i hun mai ildio i ramant y tân a'r fflamau wnaeth hi, ac wrth iddo'i dychmygu hi'n deffro gartref y bore hwnnw a meddwl a chofio'n ôl a chladdu'i hwyneb dan ei gobennydd gan riddfan 'Be *wnes* i . . .?' drosodd a throsodd, dyma hi'n anfon tecst ato:

Hoi! Ydw i wedi dy bechu di, ne' rwbath? Ti'n difaru? Cos dwi ddim! xxx

Ar ôl hynny, prin y cafodd y cyfle i fod efo hi heb fod 'na rywun arall yn y cwmni. Weithiau, dim ond weithiau, cawsai brofi adlais o'r cusanu brwdfrydig, poeth a ddigwyddodd rhyngddyn nhw ar draeth Porthor, ond bob amser pan oedd o'n ei siwtio *hi*, meddyliodd yn chwerw. Cyffyrddodd â'i bronnau un tro, ddim ond i gael ei wthio oddi wrthi fel tasa fo newydd ollwng clamp o rech. A doedd dim byd roedd o'n ei wneud yn iawn, rywsut . . .

Roedd o wedi penderfynu gofyn am gyfres o wersi gyrru yn anrheg pen-blwydd eleni gan ei rieni. Cawsai gynnig rhai'r llynedd, ond roedd yn well ganddo gael iPod newydd yn lle hynny'r adeg honno.

Ond rŵan gallai ddweud wrth Leah, 'Mi fedra i fynd â chdi allan go iawn wedyn.'

'I lle?'

Doedd o ddim wedi meddwl cyn belled â hynny – yn fawr pellach na'i ddychmygu'i hun yn gyrru ar hyd lonydd Pen Llŷn efo Leah wrth ei ochr, y gwynt yn ei gwallt a'i llaw dde ar ei glun chwith . . .

'Dwn 'im eto. Gawn ni weld ar ôl i mi basio.'

'*Os* . . .'

'O, mi wna i. Ddaru Awel, 'do? Y tro cynta iddi drio. *Piece of piss*, medda hi.'

'Ia, wel – Awel ydi Awel, yndê.'

'Gei di weld.'

'Pryd?'

'Dwi'm yn gwbod eto, yn nac'dw? Pasg, ella?'

'Briliant. Pan fyddan ni'n brysur efo arholiada a ballu. Ro'n i'n meddwl dy fod ti isio laptop newydd, beth bynnag?'

'O'n, ond . . .'

'Ond be?'

'Ma hwnna sgin i'n gneud y tro. Ac ma dysgu gyrru'n well, yn dydi? Yn bwysicach.'

'Ydi o? Sgin ti'm car, nagoes?'
'Ga i fenthyg car Mam.'
Edrychodd Leah arno fel tasa hi'n amau hyn yn fawr.
'Chdi oedd yn deud fod y laptop 'na sgin ti'n crap.'
'Ffor ffycs sêc, Leah!'
'Be?'
'Deuda *di*.'
'Be ti'n feddwl?'
'Chdi! Be 'di dy broblam di?'
'Fi? Sgin i'm problam.'
'Ti wastad yn cwyno bod chdi'n bôrd yn y lle 'ma, bod 'na nunlla i fynd.'
'Dwi'n gwbod! Ond ti'n sôn rŵan am rwbath sy fisoedd i ffwrdd – *os* gnei di basio dy dest. Sna'm garantî o hynny, nagoes? A ti'n gwbod y shit rydan ni'n 'i ga'l gin bawb am yr arholiada. Fetia i ma chydig iawn fydda i'n ca'l mynd allan, yn enwedig ar ôl y Pasg.'
'Iawn. Wna i'm boddran 'ta.'
'Be?'
'Sna'm ffwcin pwynt, yn nagoes? Be ydw i'n mynd i' neud – dreifio o gwmpas y lle ar 'y mhen 'yn hun, ia?'
'O, tyfa i fyny, Siôn, 'nei di?'
Yna daeth y gwahoddiad i fynd i barti Marnel Richards yn ddeunaw. Dros y ffôn y digwyddodd y sgwrs hon. Doedd ar Leah ddim eisiau mynd.
'. . . a doedd gin ti'm hawl derbyn drosta i, chwaith,' meddai.
'O . . . sorri, ond ro'n i'n cymryd y basat ti isio dŵad.'
'Cymryd petha'n ganiataol.'
'Be? Naci, ddim ffasiwn beth. Yli, mi ddaru Marnel 'yn gwadd ni yno, chdi a fi. Fedrwn i'm gwrthod, na fedrwn?'
'Pam?'
''Chos do'n i'm *isio* gwrthod, ocê? Fydd hi'n noson dda.'
'Iawn. Dos di. Mwynha dy noson dda.'
'Be sy, Leah? Pam ti'm isio dŵad?'

'Ma gin i betha gwell i'w gneud, fel ma'n digwydd.'

'Fel be?'

'Meindia dy fusnas.'

'Aros adra'n gwatsiad *Britain's Got Talent*, ia?'

'Does gin be dwi'n 'i neud ar 'yn nosweithia Sadwrn ddim byd i' neud efo chdi, Siôn. Rwbath arall?'

'*Be*?'

'Oes 'na unrhyw beth arall ti isio gen i, 'ta ga i fynd yn ôl at 'y ngwaith rŵan?'

'Gin *ti*, Leah, nagoes – does 'na ffyc-ôl dwi 'i isio.'

A diffoddodd y ffôn, heb sylweddoli tan iddo feddwl yn ôl dros y sgwrs a chofio'i eiriau olaf ei fod o, mewn gwirionedd, wedi gorffen efo hi.

Fel *exit line* roedd hi'n glincar, a'i hystyr yn ddigon clir. Ond ni fedrai gael gwared ar y teimlad fod Leah wedi achub y blaen arno, rywsut. Dros y ffôn, roedd ei llais oeraidd, diamynedd, ei thôn a'i brawddegau swta, cwta ac ymosodol yn union fel petai hi eisoes wedi gorffen efo *fo*, a'i fod o'n bod yn boen yn y tin wrth fethu derbyn hynny.

Pan ofynnodd Awel iddo, felly, a oedd o'n mynd i barti Marnel, yr ateb a gafodd hi oedd, '*Dwi*'n mynd, yndê. Dwn 'im amdani *hi*.'

'Dach chi rioed 'di gorffan yn barod?'

'Do, dwi'n meddwl.'

'Meddwl? Un ai mi ydach chi wedi ne' dach chi ddim.'

'Do. Ocê? Hapus rŵan?' Ac aeth o'r ystafell cyn i Awel gael y cyfle i ddweud a oedd hi'n hapus ai peidio.

Drannoeth, rhwng darlithoedd, treuliodd bob munud rhydd oedd ganddo yng nghwmni ei ffrindiau, a phan welodd Leah'n dod tuag ato o un cyfeiriad, brysiodd yntau i ffwrdd i'r cyfeiriad arall.

Ond gyda'r nos, daeth hi draw i Benrallt. Eisteddodd y ddau yn y gegin.

'Sorri,' meddai.

Pan welodd Siôn hi drwy'r ffenestr yn dod i fyny o'r ffordd

tuag at y tŷ, roedd yn benderfynol y byddai'n ymddwyn yn oeraidd tuag ati, ac yn bell. Yn union fel roedd hi wedi bod yn ymddwyn tuag ato fo yn ddiweddar, mewn geiriau eraill. Parodd hyn am o leiaf hanner munud. Doedd ond eisiau iddi ddweud 'sorri' fel yna, a'i phen ar un ochr a'i llygaid fel llygaid Bambi ar ei rai ef, iddo'i deimlo'i hun yn toddi – fel Maelon Dafodrill wrth i Dwynwen weddïo y câi ei rhyddhau o fod yn dalp o rew.

'Dwi wedi bod yn rêl bitsh, yn do?'

'Do.'

Chwarddodd. 'Does dim rhaid i chdi gytuno cweit mor bendant.'

Ysgydwodd Siôn ei ben mewn penbleth. Hon oedd yr hen Leah, hon oedd yr hogan yr oedd o wedi gwirioni amdani. Amhosib fyddai peidio â mopio efo hogan fel hon.

Croesawodd hi'n ôl, yn llythrennol â breichiau agored.

'Ti'm yn gall,' sibrydodd Awel, hanner awr yn ddiweddarach. Roedd Leah wedi mynd i fyny i'r tŷ bach, a Siôn yn tynnu'i gôt amdano er mwyn mynd â hi adref.

'Camddealltwriaeth oedd o, ocê?'

'Os ti'n deud . . .'

'Roedd 'na fai ar y ddwy ochor.'

'Os ti'n deud.'

Daeth Leah i lawr o'r ystafell ymolchi funudau wedyn. Roedd Siôn yn aros amdani wrth droed y grisiau, yn cymryd arno 'i fod o'n pendwmpian.

'Fuosh i'm mor hir â hynny!' Slap fach chwareus ar ei ysgwydd ac yna un arall i'w bag ysgwydd. *A girl's gotta do what a girl's gotta do . . .*'

Noson glir, a'r môr i'w glywed yn ochneidio wrth iddyn nhw gerdded drwy'r pentref.

'Dwi *yn* sorri,' meddai hi eto. 'Wir yr.'

'Ma'n ocê.'

'Ydi o?' Arhosodd yn stond ac edrych i fyw ei lygaid. 'Ydi o'n ocê, go iawn?'

Nodiodd Siôn, a chwerthin ychydig yn ansicr. 'Yndi. Mae o.'

'Dwi angan clirio 'mhen, Siôn, ocê? Dyna be sy.' Gwenodd yn sydyn. 'Mi neith y parti 'ma fyd o les i mi. I *ni*. Iawn?'

Dechreuodd Siôn nodio eto, ond cydiodd Leah ynddo'n ffyrnig gerfydd ei wallt. 'Iawn?' mynnodd.

'Ia – iawn . . .'

Cusanodd o'n ffyrnig, ei gwefusau'n gwasgu ar ei wefusau o, a'i thafod yn ymwthio i mewn i'w geg.

Yna camodd yn ei hôl.

'Mi fydda i'n iawn o fama.'

'Na, mi ddo i efo chdi . . .'

'Na wnei.' Sws arall sydyn iddo – ond sws oedd hon, nid cusan fel yr un gynharach. 'Wela i di nos fory.'

Trodd a rhedeg oddi wrtho i fyny'r allt, ei gwallt yn dawnsio. Ar ben yr allt, trodd eto a'i weld yn sefyll yno'n ei gwylio. Cododd ei llaw cyn troi a diflannu am y tŷ.

* * *

'Leah,' sibrydodd eto. 'Leah . . .'

Gorffwysodd ei dalcen ar ei thalcen hi. Gallai deimlo'i hanadl yn cosi'i wyneb.

'Leah . . .'

Ymhen ychydig, cododd yn simsan ar ei draed. Drwy'r ffenestr fechan yn y to cafodd gip ar y lleuad wrth iddo groesi at y drws a'i agor. Rhuthrodd twrw'r parti i fyny'r grisiau tuag ato fel ci mawr gorfywiog.

Awel, meddyliodd.

Ma'n rhaid i mi gael hyd i Awel. Mi fydd hi'n gwbod be i' neud.

Bydd pob dim yn iawn wedyn.

Caeodd ddrws yr atig yn dawel ar ei ôl a chychwyn i lawr y grisiau i chwilio am ei chwaer.

* * *

Ofnai y byddai Leah wedi newid ei meddwl eto fyth cyn y parti, ond na. Eisteddai wrth ei ochr yn sedd gefn y car, bysedd ei llaw dde wedi'u lapio'n dynn am fysedd ei law chwith yntau. Codai hwy at ei cheg yn aml, a'u cusanu, ac unwaith neu ddwy plannodd sws ar ei foch. Teimlai ychydig bach yn anghyfforddus, er ei fod o wrth ei fodd; doedd Awel, yn y sedd flaen, yn amlwg ddim yn cymeradwyo'r ymddygiad slopi yma, a daliodd ei dad yn eu llygadu fwy nag unwaith yn y drych.

Roedd rhieni Marnel yno pan gyrhaeddon nhw'r tu allan i honglad o dŷ ar gyrion Sarn Mellteyrn, a golwg go nerfus ar y ddau wrth iddyn nhw ddechrau sylweddoli nad un o'u syniadau gorau, efallai, oedd mynnu bod eu merch yn dathlu'i phen-blwydd gartref, yn hytrach na thalu am *stretch limo* pinc hyll i fynd â hi a'i ffrindiau agosaf i Fangor ac yn ôl. Ond roedd rhywun yn clywed cymaint o straeon, yn doedd? Digon i godi gwallt pen rhywun, wir . . .

Roedden nhw am alw i mewn bob hyn a hyn, siarsiodd ei thad hi. Cofia, fyddan ni ddim yn bell – 'mond yn nhŷ Phil a Siwsan i lawr y ffordd.

Ia, ia, Dad, ocê . . .

Aethant o'r diwedd, ond roedd y parti eisoes wedi cychwyn, yn enwedig yn y gegin.

Caniau o Stella, poteli o fodca a Bacardi Breezers. Franz Ferdinand, Kings of Leon, Kanye West. Dawnsio yn y parlwr ond nid yn y parlwr gorau, a diolch i Dduw fod hwn yn dŷ mawr oherwydd cyrhaeddodd mwy a mwy o bobol gyda mwy a mwy o ganiau a photeli a Duw a ŵyr beth arall yn eu pocedi, rai ohonyn nhw. Codai sŵn y gerddoriaeth yn uwch ac yn uwch, ond câi ei droi i lawr pan alwai rhieni Marnel draw – 'Ma pob dim yn iawn, Mam, onest' – ac ambell 'Sut dach chi, Mr/Mrs Richards?' o enau cyfarwydd yn llwyddo i dawelu rhyw fymryn ar eu meddyliau dros dro. Arhosent am ryw ugain munud bob tro cyn ffoi oddi wrth Eric Prydz, Ting Tings a Florence and the Machine.

Lagyr, fodca, Bacardi Breezers . . .

Talcen Leah'n boeth ac yn wlyb, a'i thafod yn blasu o Bacardi. 'Deud wrth dy chwaer am fynd i snogio efo rywun, 'nei di? Lle bynnag dwi'n troi, ma honna . . .'

'Paid â chymryd sylw ohoni.'

'Ocê.'

Y tro nesaf y gwelodd Siôn Marnel, roedd hi ar ei gliniau yn y tŷ bach, gyda dwy o'i ffrindiau'n ei helpu. Awel oedd un ohonynt, a'i llaw ar dalcen Marnel.

'Ydi dy chwaer yn gwbod sut i fwynhau'i hun, d'wad?'

'Dwi'n dechra ama. W't ti'n dal isio treulio'r ha' nesa efo hi yn Ffrainc?'

Am ryw reswm rhythodd Leah arno fel tasa fo wedi'i phechu. Plis, paid â newid *rŵan*, Leah, ddim rŵan, plis . . .

Yna chwarddodd Leah, a chydio yn ei law.

'Ty'd . . .'

'Wo, wo . . . lle?'

'Ty'd! Tra ma hi'n rhy brysur i sbio arnon ni . . .'

Dechreuodd ei dywys i fyny'r ail set o risiau.

'Ydan ni i fod i . . .?'

'Ty'd!'

Yr atig. Gorweddai ar ei gefn ar wely brawd Marnel yn astudio'r sêr, ond roedden nhw'n mynnu symud, yn mynnu troi efo gweddill yr ystafell. O rywle, roedd Leah wedi cael gafael ar botel o win coch. 'Sshh . . .' meddai, ei bys dros ei gwefusau fel meddwyn mewn hen ffilm gomedi. 'Sshh . . .'

Roedd hi'n neis yma, penderfynodd Siôn, ac yn glyd. Deuai golau'r lleuad i mewn drwy'r ffenestr fach. Edrychai Leah fel gwrach, ei gwallt yn hongian yn hir wrth iddi blygu i agor y botel.

Roedd yr atig yn troi eto. Eisteddodd i fyny ar erchwyn y gwely. 'Sut oeddat ti'n gwbod am yr atig 'ma?'

'Dwi wedi bod yma o'r blaen, yn do?' atebodd gan sibrwd. 'Efo Marnel, tua dwy flynadd yn ôl.'

Doedd arno ddim eisiau'r gwin – yn sicr doedd arno mo'i

angen – ond yfodd rywfaint yr un fath. Plygodd Leah tuag ato a'i gusanu. Parodd y gusan ychydig yn rhy hir a dechreuodd y byd droi unwaith eto.

'Be sy . . .?'

'Dim byd. Jest . . . whiw . . .' Gwthiodd y botel win oddi wrtho. 'Gormod o hwnna. Ac ma hi'n glòs yma . . .'

'Yndi, ti'n iawn' – a thynnodd Leah ei thop.

'Wel?' meddai wrth y rhythwr ar y gwely. Rhoes blwc i ddefnydd ei grys. 'Chdi oedd yn cwyno'i bod hi'n glòs yma.'

Datododd yntau ei fotymau, ei lygaid ar ei bronnau wrth iddi ymestyn a gwneud rhywbeth i'w bra a barodd iddo lithro oddi ar ei hysgwyddau ac i lawr ei breichiau i'r llawr. Roedd ei thethi'n ymwthio allan tuag ato, yn dywyll yng ngolau'r lleuad.

Gwenodd arno, gan edrych yn debycach i wrach nag erioed. Plygodd Siôn tuag ati efo'r bwriad o'i chusanu ond cydiodd Leah yn ei ben a thynnu'i wyneb, ei geg, at ei bronnau. Teimlodd ei bysedd yn dawnsio dros ei falog, yn agor y botwm a'r sip, ei llaw'n feddal ac yn oer ar gnawd cynhyrfus ei fol. Yna roedd y bysedd gogoneddus rheiny wedi cau amdano ac yn symud i fyny ac i lawr, i fyny ac i lawr . . .

Cododd Leah'n sydyn a sgrialu yn ei bag.

'Hwda.'

Taflodd rywbeth ato. Condom. Gorweddodd ar y gwely. Gwisgai sgert laes, sgert sipsi, a thynnodd ei gwaelodion i fyny dros ei choesau, dros ei chluniau, reit i fyny at ei chanol. Cododd ei phen-ôl oddi ar y gwely a gwingo, a daeth ei nicyrs i lawr dros ei thraed. A dyna lle roedd o, yn sefyll yn llywaeth efo'r condom yn ei law, yn dal yn y papur ffoil, a'i jîns wedi dechrau llithro i lawr ei gluniau, yn rhythu, rhythu, rhythu . . .

Rhedodd Leah ei chledrau dros flaenau ei bronnau. Agorodd ei chluniau. 'Ty'd 'laen – dyma be ti 'di bod isio, yndê?'

Roedd ei llais yn galed, yn greulon.

Llais gwrach, meddyliodd.

Tynnodd ei lygaid oddi ar y triongl tywyll oedd rhwng gwynder ei chluniau.

'Leah . . .'

'Dyma be dach chi i gyd isio. Dach chi i gyd 'run fath. Ty'd!'

Roedd o'n fysedd i gyd wrth stryffaglu i dynnu'r condom allan o'r ffoil. Ag ebychiad diamynedd, eisteddodd Leah i fyny a'i gipio oddi arno, ei agor yn hawdd a llithro'r condom i lawr dros ei godiad, cyn gorwedd yn ei hôl a gwthio'i chanol i fyny tuag ato.

'Ty'd!'

Symudodd Siôn tuag at y gwely. Trawodd ei ochr yn erbyn congl cist ddroriau bren a oedd yn beryglus o agos at droed y gwely.

'Asu . . .! Shit!'

'Be . . .?'

'Y ffwcin peth 'ma . . .'

Rhwbiodd ei ochr cyn dringo ar y gwely, rhwng ei choesau. Ceisiodd ei chyffwrdd efo blaenau'i fysedd, ond trawodd Leah ei law o'r ffordd.

'Leah, ti'n siŵr . . .?'

Ag ochenaid uchel o syrffed, cydiodd ynddo a'i dynnu ati ac yna i mewn iddi. Teimlodd ei gwres yn cau'n feddal amdano. Dechreuodd hi wingo oddi tano a gwthio yn ei erbyn . . . ac yna roedd o'n dŵad, ei had yn saethu ohono ac i mewn i'r condom, dŵad, dŵad, dŵad.

'Leah . . .' meddai yn ei chlust. 'Leah . . .'

Arhosodd hi'n llonydd oddi tano am eiliad neu ddau, yna gwthiodd ef oddi arni. Eisteddodd ar erchwyn y gwely i dynnu'i nicyrs yn ôl i fyny'i choesau, ailfachu'i bra dros ei bronnau, a thynnu'i thop yn ôl dros ei phen.

Gwelodd fod ei hysgwyddau'n crynu . . . na, yn ysgwyd. Symudodd yntau oddi ar y gwely – oedd raid i'r atig yma fynnu troi mor wyllt drwy'r amser? – ac eistedd wrth ei hochr. Sylweddolodd pa mor hurt yr edrychai efo'r blydi condom afiach yna'n hongian oddi ar ei bidlan fach lipa, a rhwygodd o i ffwrdd a'i ollwng i mewn i'r bin oedd wrth y gwely. Safodd i dynnu'i drôns a'i jîns yn ôl i fyny, cyn eistedd wrth ei hochr unwaith eto.

'Leah . . .'

Dechreuodd roi ei fraich am ei hysgwydd ond ysgydwodd Leah hi i ffwrdd. Oedd, roedd hi *yn* crio, gwelodd.

'Leah, be sy?'

'Be *sy*?' meddai. 'Be sy . . .?'

Chwarddodd Leah yn chwerw. Ymdrechodd i droi'r crio yn wên, ond yn lle hynny, edrychai'n hollol grotésg iddo.

'Ti isio gwbod be sy?' meddai. 'Ti isio gwbod be sy, *go iawn*?'

Nodiodd Siôn.

'Dw't ti ddim hannar cystal ffwc â dy dad, ocê? Dyna be sy.'

Egwyl

1978–1985

'W't ti'n byw yma?' gofynnodd Rhiannon.

Edrychodd yr hogyn i fyny ac i lawr y traeth. Roedd o'n gwenu pan drodd yn ei ôl ati.

'Ddim eto,' meddai.

Haf, 1978. Yn Oldham, ger Manceinion, ganed Louise Brown, y babi testiwb cyntaf. Bu farw'r Pab Paul VI yn Rhufain. Yn yr Eisteddfod Genedlaethol yng Nghaerdydd, lwyddodd neb i ennill y Gadair, ond cipiodd Siôn Eirian y Goron, Harri Williams y Fedal Ryddiaith ac Alun Jones Wobr Goffa Daniel Owen. Roedd John Travolta ac Olivia Newton-John ar frig y siartiau efo 'You're the One that I Want' ac ar fin cael eu disodli, diolch i'r drefn, gan y Commodores gyda 'Three Times a Lady'.

Ac ar graig ar lan y môr yn Aberdaron, eisteddai dau berson ifanc a fyddai, un diwrnod, yn dod yn ŵr a gwraig.

Roedd y ddau wedi sylwi ar ei gilydd ymhell cyn hyn. Gryn dipyn ynghynt, a dweud y gwir, oherwydd daethant ar draws ei gilydd am y tro cyntaf y flwyddyn cynt, yn ystod yr haf poeth ofnadwy hwnnw pan roedd hi'n ymddangos fel tasa'r wlad i gyd am grasu'n felynfrown.

Amhosib dweud pwy oedd wedi sylwi ar bwy gyntaf. 'Ro'n i wedi dy ffansïo di ers sbelan,' dywedai Dyfrig yn aml, 'ond mod i'n ormod o ŵr bonheddig i ddangos hynny.'

'Ha . . .!'

'Ella'n wir mod i wedi dy ffansïo di heb wbod mai dy ffansïo di ro'n i. Ond 'na fo, roedd gin i wendid am yr *older woman* erioed.'

Yr haf hwnnw, roedd Rhiannon yn ddeuddeg oed a Dyfrig

yn un ar ddeg ac yn teimlo braidd yn nerfus ynglŷn â chychwyn yn yr ysgol uwchradd fis Medi.

'Be – acw, yn Eifionydd?' gofynnodd Rhiannon.

'Morgan Llwyd,' atebodd Dyfrig, a meddyliodd Rhiannon am eiliad fod yr hogyn tal hwn (a edrychai'n hŷn na hi, gyda llaw, ac oedd, roedd hi wedi'i ffansïo ac wedi cael dipyn o ail – a siom – o wybod ei fod o, mewn gwirionedd, flwyddyn yn iau na hi) wedi camddeall ei chwestiwn a'i fod o newydd ei gyflwyno'i hun iddi.

'Sorri – pwy?'

'Morgan Llwyd. Dyna ydi enw'r ysgol.'

'O. Reit. Ia, siŵr. Y . . . lle'n union ma hi?'

Dyna pryd y deallodd mai un o Wrecsam oedd o. 'Ond ma Dad yn dŵad o Bwllheli go iawn, a Mam o Lanwnda,' ychwanegodd yn frysiog, fel tasa fo'n trio'i orau brofi rhyw bedigri neu'i gilydd. 'Lle ma dy ysgol di, 'ta?'

'Port,' meddai Rhiannon. 'Porthmadog,' ychwanegodd, rhag ofn iddo feddwl mai un o ryw 'Bort' arall oedd hi, ond ar y pryd ni fedrai feddwl am un.

'Felly, yma ar dy wylia w't titha hefyd?'

Ysgydwodd Rhiannon ei phen. 'Ddim cweit.'

'Be?'

'Piciad yma bob hyn a hyn fyddan ni. Mam a fi.'

Edrychodd Dyfrig o'i gwmpas fel tasa fo'n disgwyl gweld dynes nid nepell oddi wrtho efo darn o garbord yn ei llaw a'r gair MAM arno, fel rhywun mewn maes awyr yn mynd i gyfarfod rhywun dieithr oddi ar awyren.

'Ma hi'n fan'cw.' Chwifiodd Rhiannon ei llaw yn amwys i fyny'r traeth.

'O . . . ia.'

'Ma ffrind Mam yn aros yma, mewn bwthyn. Bob tro ma hi yma, mi fyddan ni'n dŵad yma i edrach amdani. Anti Eleri. Ond dydi hi ddim yn anti go iawn, 'mond ffrind i Mam. Roeddan nhw'n ffrindia efo'i gilydd pan oeddan nhw yn yr ysgol, a . . .'

Tawodd. Pam ydw i'n paldaruo fel hyn? meddyliodd Rhiannon. Does ar yr hogyn yma ddim isio gwbod hyn i gyd.

Er hynny roedd o'n gwrando arni hi'n astud, sylwodd. Hogyn del, efo llond pen o wallt golau a chroen melynfrown, fel caramel, un o'r bobol lwcus rheiny sydd fel petaen nhw wedi cael eu geni i fod yn blant yr haul. Fel hyn roedd hi wastad wedi gweld arwyr y Mabinogi yn ei meddwl – Celtiaid tal, euraid.

Biti ei fod o flwyddyn yn iau na hi.

Yr hyn a welodd Dyfrig oedd hogan oedd bron cyn daled â fo, braidd yn denau, efallai, gyda choesau hirion. Rywbryd yn ystod y blynyddoedd oedd eto i ddod, byddai'n dod ar draws disgrifiad mewn nofel o eneth debyg i Rhiannon o ran corff, a'r gair a ddefnyddiodd yr awdur i ddisgrifio'r coesau hirion hynny oedd *coltish*. 'Ebolaidd', gwelodd wedyn mewn geiriadur Cymraeg; 'pranciog' a 'nwyfus'.

Hmm . . .

Roedd o wedi sylwi arni hi'r flwyddyn cynt, gan amlaf ar ei phen ei hun, a phan oedd hi yng nghwmni tri neu bedwar o blant iau, edrychai fel pe bai'n ysu am y cyfle i ffoi oddi wrthyn nhw, a dianc efo'i llyfr i ben pella'r traeth lle'r eisteddai ar un o'r creigiau, weithiau'n darllen a'i thraed noeth yn hongian yn y dŵr, weithiau'n gwneud dim byd ond syllu allan dros y tonnau. Fe'i gwelsai hi'n aml hefyd yn casglu cregyn oddi ar y tywod gwlyb, ac yn ei chwrcwd yn eu golchi yn y tonnau bach. Roedd hi wastad mewn siorts denim cwta (deallodd wedyn mai hi ei hun oedd wedi'u creu allan o hen bâr o jîns), ei phocedi'n llawn o gregyn ac yn edrych fel bochau rhywun oedd wedi stwffio gormod o dda-da i'w geg, a chrys-T hefo llun neu logo rhyw grwpiau roc a phync ar ei flaen. Yn wir, edrychai ychydig fel pync – neu bynces – efo'i gwallt wedi'i dorri'n gwta, ac ar ôl dod i'w hadnabod ychydig yn well, roedd hi wedi dweud wrtho ei bod wastad yn byddaru ei mam drwy swnian am gael tatŵ a stydiau a ballu yma ac acw dros ei chorff.

Ar y dechrau, credai Dyfrig mai Saesnes oedd hi. Ymwelydd ar ei gwyliau. Ond un diwrnod, wrth basio'n weddol agos at y lle roedd hi a'i mam a'r fodryb honno'n eistedd efo'r plant, clywodd hi'n gofyn, 'Faint o amsar sgin i tan dwi'n goro bod 'nôl?' Erbyn hynny, roedd Dyfrig wedi'i argyhoeddi'i hun mai Saesnes oedd hi, a rhythodd o glywed y Gymraeg yn byrlymu o'i genau. Fe'i daliodd hithau yntau'n syllu arni, a hwnnw oedd y tro cyntaf iddo brofi'r teimlad o gael y llygaid llonydd rheiny'n setlo arno – llygaid y byddai ei ferch yn eu hetifeddu ymhen rhyw bymtheng mlynedd.

'Ydach chi'n dŵad yma bob dydd?' gofynnodd iddi. 'Chdi a dy fam?'

Gwenodd y ferch.

'Weli di mohonan ni ar gyfyl y lle pan fydd hi'n stido bwrw, yndê. Fyddi di ddim yma dy hun, na fyddi?'

'O, bydda.'

'Be? Yn y glaw?'

Nodiodd. Roedd hwn o ddifrif, sylweddololodd Rhiannon.

'Ia. Ti'n ca'l y lle i chdi dy hun pan ma hi'n bwrw. A llonydd i chwilio yn yr holl bylla bach sy o gwmpas y creigia 'ma.'

'Chwilio am be?'

'Am be bynnag sy ynddyn nhw, yntê.'

Sylwodd Rhiannon ar yr 'yntê' ganddo, yn hytrach na'i 'yndê' hi, a dechreuodd wrando amdano ac am gyffyrddiadau eraill o'r hyn a gredai i ddechrau oedd acen Wrecsam, cyn cael ar ddeall flynyddoedd yn ddiweddarach fod gan deulu Dyfrig ffrindiau agos yn ardal Rhosllannerchrugog, a'i fod yntau'n blentyn wedi mabwysiadu rhywfaint o acen y Rhos. Aeth o ddim mor bell â dweud 'nene' ac 'yfory nos' – roedd dylanwad acenion ei rieni a'r Gymraeg gartref ar yr aelwyd, Cymraeg Pwllheli a Llanwnda, yn rhy gryf i hynny – ond byddai'r 'yntê' yn aros efo fo fwy neu lai ar hyd ei oes.

Ac wrth edrych yn ôl, gwenai Rhiannon wrth sylweddoli

fod yr hogan ddeuddeg oed, yn ddiarwybod iddi'i hun, wedi dechrau casglu'r pethau roedd hi'n eu hoffi amdano.

Fel y casglai gregyn oddi ar y traeth.

* * *

Bu farw ei thad, Dei Williams, pan oedd Rhiannon yn dair ar ddeg, ac yn ysbeidiol wedyn am weddill ei hoes, ni fedrai beidio â theimlo rhyw euogrwydd bychan, afresymol am fod yn fwy o hogan Mam nag o hogan Dad wrth iddi dyfu.

Ond tebyg i'w thad, yn hytrach na'i mam, yr oedd hi'n gorfforol. Yn dal ac yn fain, roedd Dei ddeng mlynedd yn hŷn nag Alwena, ac yn eu llun priodas yn y ffrâm arian oedd ar y bwrdd bach yn y parlwr ffrynt, edrychai'n debycach i dad y briodferch na'i gŵr newydd.

'Fuodd dy dad druan rioed yn ddyn iach, y cradur,' meddai ei mam wrthi droeon. Ar ei galon wan roedd y bai, ac felly roedd rhyw eironi creulon yn y ffaith ei fod yn cadw siop watshys yn y Stryd Fawr, lle roedd o'n eu trwsio yn ogystal â'u gwerthu.

Roedd yn syndod mawr i bawb oedd yn eu hadnabod fod Dei wedi dechrau canlyn efo Alwena. Yn ogystal â'r gwahaniaeth oedran, roedd Alwena, yn ei dydd, yn 'dipyn o un', fel byddan nhw'n dweud. Roedd wedi canu'n iach i'r ysgol cyn gynted ag y medrai, ac wedi gwibio o un swydd i'r llall mewn gwahanol siopau a chaffis yn yr ardal, gan adael sawl calon wedi'i thorri yn ei sgil. Roedd Dei, ar y llaw arall, wedi rhoi'r argraff i bawb mai hen lanc fyddai o am byth; ar ben hynny, roedd o'n gapelwr ac yn aelod o Gôr Meibion Madog, yn berchen ar lais tenor anghyffredin o swynol.

Ond cliciodd rhywbeth pan aeth Alwena â'i wats i mewn i siop Dei i gael ei thrwsio. Ymhen llai na blwyddyn, roeddynt yn gwpwl priod. Ddwy flynedd yn ddiweddarach, cyrhaeddodd Rhiannon, eu hunig blentyn.

Llwyddodd y Dei tawel, swil i ddofi cryn dipyn ar Alwena. Roedd eu priodas yn un hapus – ar wahân i un cwmwl.

Ac enw'r cwmwl hwnnw oedd Eleri.

Gwyddai Rhiannon nad oedd ei thad yn rhy hapus pan fyddai ei mam a hithau'n mynd yn y car i Aberdaron, ond cymerodd sbelan reit dda iddi ddeall pam. Pan oedd hi tua wyth a naw oed, credai mai rhywbeth i'w wneud ag Aberdaron ei hun oedd o. 'Ma croeso i chdi ddŵad efo ni, Dei,' clywsai Alwena'n dweud wrtho droeon, dim ond i gael 'Dim ffiars!' yn ôl fel ateb. Wrth i Rhiannon dyfu'n hŷn, daeth i sylweddoli mai Eleri oedd y bwgan, nid y lle.

'Roedd arno fo ofn y basa Anti Eleri'n ddylanwad drwg ar Mam,' meddai Rhiannon wrth Dyfrig, flynyddoedd yn ddiweddarach, pan oedden nhwytha'n canlyn. 'Roedd gin y ddwy ohonyn nhw dipyn o enw o gwmpas Port erstalwm, yn ôl fel dwi'n dallt. Dwy wyllt efo'i gilydd.'

'Dy *fam* . . .?' rhyfeddodd Dyfrig, a oedd wastad wedi meddwl, tasa rhyw gwmni fel Central Casting yn chwilio am rywun i actio rhan llywydd cangen leol o Ferched y Wawr, na fyddai raid iddyn nhw edrych ymhellach na chartref Alwena Williams.

'Doedd 'na ddim byd sychdduwiol am Dad, cofia. Ond roedd o'n gwbod am Eleri, yn gwbod yn iawn sut un oedd hi, ac yn ama a oedd y plant wedi'i dofi hi rhyw lawar. Ac roedd hi 'di ca'l difôrs oddi wrth ei gŵr.' Gwenodd Rhiannon wrth gofio. 'Y *suicide blonde* . . .'

'Y *be*?'

'Dyna be oedd Dad yn leicio'i galw hi. Mi gymrodd flynyddoedd i mi ddallt y jôc. *Suicide blonde – dyed with her own hand*.'

'Aw.'

'A wyddost ti be?'

'Na wn i.'

'Ella fod gynno fo le i fod braidd yn bryderus. Unwaith gwnes i dwigio, mi ddechreuis i sylwi fel roedd Mam yn . . . wel, chydig bach yn *wahanol*, rywsut, pan oedd Eleri o gwmpas.'

'Ym mha ffordd?'

Roedd Dyfrig yn gegrwth. Creodd ei ddychymyg ddarlun bisâr o Alwena Williams mewn sgert fini ledr a chrys-T a siaced Hells Angels – rhywbeth i'w wneud â defnydd Rhiannon o'r gair 'gwyllt' efallai. Ei unig brofiad o ferched gwyllt oedd rhyw ffilm a welsai rywbryd am feicwyr America a'u cariadon.

'Jest yn wahanol. Dim byd mawr iawn,' meddai Rhiannon, er mawr siom iddo. 'Doedd hi jest ddim yn ymddwyn fel *Mam*, rywsut. Yn chwerthin yn uwch am ddim rheswm, ac yn smocio ar y slei – doedd yna ddim smocio i fod ar gyfyl tŷ ni, oherwydd iechyd Dad. Roedd gweld Eleri, a chael bod yn ei chwmni hi, fel ca'l piciad yn ôl i'w gorffennol, decini, i'r dyddia pan oedd y ddwy ohonyn nhw'n dînejyrs o gwmpas Port.

'Ac roedd hynny'n gneud i mi deimlo'n reit annifyr ar adega,' gorffennodd.

'Mmm, dwi'n siŵr,' meddai Dyfrig, a oedd yn ddistaw bach yn difaru nad oedd o wedi sylwi mwy ar yr Anti Eleri yma.

* * *

Ond plentyn oedd Dyfrig ar y pryd, a phlentyn eitha diniwed hefyd; roedd o'n dal i fynd allan i chwarae, neno'r tad, ac yn sicr doedd o ddim yn barod i ystyried fod gan ferched y genhedlaeth hŷn fywydau heblaw bod yn famau ac yn fodrybedd. Dim ond dynes arall – un ganol oed, 'hen' – oedd yr Anti Eleri honno, a'r unig gof oedd ganddo oedd am ddynes a chanddi wallt melyn yn eistedd ar dywel lliwgar a haid o blant bach o'i chwmpas.

Bob haf, llwythid y car a'r garafán ac i ffwrdd yr âi'r teulu Parri am wythnos i ba le bynnag y byddai'r Eisteddfod, ac yna am bythefnos i faes carafannau Dwyros uwchlaw bae Aberdaron. Y pythefnos yma oedd gwobr Dyfrig am ddioddef y Brifwyl. Doedd ganddo ddim byd i'w ddweud wrth eisteddfodau, efallai oherwydd iddo gael ei orfodi i adrodd a chydadrodd mewn cynifer o rai bychain dros y blynyddoedd (a phan oedd yn hŷn, gwenai'n drist wrth ddifaru na fu ganddo'r plwc erioed i wneud fel ag y gwnaeth rhyw hogan fach y clywodd amdani a safodd ar lwyfan eisteddfod a chyflwyno'i darn adrodd, 'Y Gwdi-Hooson, gan I. D. Hŵ'). Un o'r pleserau mawr a gafodd pan ddaeth yn bennaeth adran oedd dirprwyo'r rhan fwyaf o'r cyfrifoldeb am eisteddfodau'r Urdd i Luned, oedd yn ail iddo yn yr adran.

Efallai mai un o'r pethau gwaethaf ynglŷn ag eisteddfodau ei blentyndod oedd y teimlad o gaethiwed: pur anaml y câi'r rhyddid i fod ar ei ben ei hun, oherwydd os nad oedd o'n cael ei lusgo o babell i stondin ac o stondin i babell gan ei rieni, yna roedd o yng nghwmni Delyth, ei chwaer, a oedd ddwy flynedd yn hŷn nag o ac yn feistres corn arno. Roedd ganddi'r ddawn hefyd o fedru dod o hyd i'w brawd yn hollol ddidrafferth, waeth ble'r âi o i ymguddio, pa mor gyfrwys bynnag ei ddulliau o sleifio i ffwrdd oddi wrthi. Meddyliai'n aml y buasai Delyth wedi gallu cael swydd dda yn gweithio i'r heddlu – a gorau oll os mai heddlu America fydden nhw – fel un o'r cŵn rheiny sy'n cael eu defnyddio i hela rhyw ffoaduriaid anffodus wrth iddynt fwnglera drwy goedwig neu gors.

Rheswm arall roedd Aberdaron yn rhagori ar bobman arall i Dyfrig oedd bod ei chwaer, am ryw reswm, yn casáu'r lle. Roedd ganddi lai i'w ddweud wrth lan y môr nag oedd gan Dyfrig i'w ddweud wrth eisteddfodau. A bod yn deg â'r hogan, roedd ei chroen yn rhy olau iddi fwynhau bod yn yr haul yn rhy hir; roedd hi wedi treulio sawl haf yn y gorffennol yn goch fel cimwch, yn sgrechian mewn poen bob tro y cymerai gawod neu fath, yna'n crafu fel tasa hi'n berwi o chwain cyn i'r cyfan rasglio fel gwahanglwyf. Tueddai felly i glertian yn bwdlyd o gwmpas y garafán ar ddiwrnodau braf, a olygai wrth gwrs fod Dyfrig yn rhydd i fynd i lawr i'r traeth ar ei ben ei hun. Wel – gymaint ar ei ben ei hun ag oedd yn bosib iddo fod pan oedd un ai ei dad neu ei fam ar yr un traeth. Ond doedden nhw ddim yn rhai am ymdrochi, ac yn ddigon hapus yn eistedd ar y tywod gyda llyfr tra oedd o'n diflannu i archwilio'r creigiau a'u pyllau bach difyr.

Yn sicr, doedd arno ddim eisiau Delyth efo fo yn ystod haf 1978, ac yntau wedi cyfarfod ei ffrind newydd. Deallodd mai Rhiannon oedd ei henw, a gwelodd hi'n gwenu pan glywodd mai Dyfrig oedd ei enw fo.

'Pam ti'n gwenu?'

'Mae o'n dy siwtio di, ti'm yn meddwl?'

'Be – Dyfrig? Pam?'

'Meddylia amdano fo, Dyfrig.'

Meddyliodd, ond doedd o ddim wedi deall. Cododd ei ysgwyddau.

'Os w't ti'n deud, yntê.'

Ochneidiodd Rhiannon. 'Sbia arna chdi dy hun, wastad yn dy siôrts nofio.'

'Ia . . .?'

'Ti'n treulio mwy o amsar yn y môr nag allan ohono fo.'

'Wel, dwi'n leicio nofio.'

'Yn hollol.' Ochneidiodd eto. 'Ti'n dal ddim yn dallt. Dyfrig. Newidia rai o'r llythrenna, a be sgin ti?'

Meddyliodd. Fuodd o erioed yn un da efo anagramau a ballu.

'Girfyd?'

'"Dyfrgi", yndê, twat? Dyfrgi! Ffwcin *otter*, os leici di.'

'O ia, 'fyd.'

Roedd o wedi cochi o'i chlywed yn rhegi fel hyn (ac roedd Rhiannon wrth ei bodd o'i weld yn gwneud hynny: cragan arall at y casgliad, meddyliodd). Profiad cymharol newydd iddo oedd clywed hogan yn rhegi fel hyn, fel oedolyn. Oedd, roedd o *yn* eitha diniwed, gwyn ei fyd; doedd ganddo ddim syniad beth oedd gwir ystyr y gair 'twat', yn un peth – wedi cymryd mai gair Porthmadogaidd am *twit* oedd o – a chafodd waldan gan ei dad ychydig wedyn pan alwodd Delyth yn dwat wrth wylltio efo hi am rywbeth neu'i gilydd.

Gwnaeth Rhiannon ati i regi fwyfwy yn ei ŵydd, dim ond er mwyn ei weld o'n cochi. Ond doedd yr iaith gwrs yna ddim yn dod yn naturiol iawn iddi hithau, chwaith, synhwyrodd Dyfrig, er gwaetha'i chrysau-T Sex Pistols – hogia drwg os bu rhai erioed, oedd wedi dychryn ei rieni pan feiddion nhw regi mewn cyfweliad efo Bill Grundy ar y rhaglen deledu *Today* flwyddyn a hanner ynghynt.

'Dw inna'n leicio pync, hefyd,' meddai wrthi, yn y gobaith o'i phlesio. 'Grwpia pync Cymraeg.'

'Pync *Cymraeg* . . .?' Rhythodd Rhiannon arno. Petai hi'n gyfarwydd â'r gair *oxymoron* yn y dyddiau hynny, yna'n sicr mi fasa wedi'i ddefnyddio'r diwrnod hwnnw.

'Ia. Trwynau Coch, Llygod Ffyrnig . . . Be? Be sy'n bod?'

Roedd hi'n rhythu arno, yn gegrwth. 'Dw't ti'm o ddifri, w't ti?'

'Be ti'n feddwl?'

'*Trwynau Coch*? Y peth mwya pyncish ma'r rheina wedi'i neud ydi peidio mynd i'r capal deirgwaith ar ddydd Sul. Mi fasan nhw'n rhedag adra'n crio tasa 'na byncs go iawn yn poeri arnyn nhw.'

'O, wela i – ti'n un o'r rheiny sy'n meddwl fod petha Cymraeg yn crap.'

Chwarddodd Rhiannon. 'Nac'dw. Ma 'na grŵp Cymraeg yn dŵad o ardal Port, fel ma'n digwydd. Baraciwda. A ma nhw'n grêt. Ond y chdi, Dyfrig – ochor arall y geiniog w't ti.'

'Be?'

'Un o'r bobol rheiny sy'n meddwl fod *rwbath* Cymraeg yn briliant – 'mond am 'i fod o'n Gymraeg.'

Weithiau fe'i daliai yn syllu arno efo'r llygaid llonydd rheiny, fel petai hi'n hel meddyliau dwys amdano.

'Be?'

'Mmm . . .?'

'Be sy? Pam ti'n syllu arna i fel'na?'

Ymysgydwodd Rhiannon. 'Sorri. Dim rheswm.'

A rhoddai Dyfrig y byd am gael gwybod beth yn union oedd yn mynd trwy'i meddwl ar adegau fel yna.

* * *

Daeth Rhiannon i gysylltu Aberdaron yn ei meddwl â thywydd braf a phoeth. Ni fedrai feddwl am y lle, na hyd yn oed glywed ei enw, heb feddwl am heulwen ac awyr las ac arogl olew lliw haul; tywod yn ei sandalau a'i sŵn yn crensian rhwng ei dannedd wrth iddi fwyta brechdan banana, a'r ffrwyth a'r menyn wedi troi'n slwj melys yn y gwres. Cregyn mân, miniog wedyn yn crafu gwadnau ei thraed. Wrth gwrs, câi hogan o Port fel hi yr un delweddau wrth feddwl am Borth-y-gest, Morfa Bychan a'r Graig Ddu. Ond roedden nhw'n gryfach, rywsut, pan feddyliai am Aberdaron.

Er iddi ddweud wrthi'i hun nad oedd genod i fod i ffansïo rhywun oedd yn iau na nhw – ac mi fasa ei ffrindiau yn yr ysgol, ar ôl cael ffit binc, yn ei phryfocio'n ddidrugaredd tasan nhw'n gwybod – fe'i cafodd ei hun yn edrych ymlaen fwy a mwy at weld Dyfrig wrth greigiau Aberdaron, a theimlai'n hynod siomedig os na fyddai'n ymddangos ambell ddiwrnod. Wrth gwrs, doedd Alwena a hithau ddim yn galw bob dydd y byddai Eleri yno, ychwaith. O bell ffordd, sylweddolodd wedyn, ac yn sicr nid mor aml ag yr oedd ei chof yn ceisio mynnu. Byddai Eleri weithiau'n mynd i ffwrdd i rywle yn y car am y dydd, ac onid oedd Alwena'n gweithio? Oedd, siŵr, rhesymodd y Rhiannon hŷn, rhaid ei bod hi. Doedd hi ddim yn cymryd pythefnos gyfan o wyliau dim ond er mwyn cael piciad i Aberdaron ambell dro.

Ond yr absenoldeb creulonaf i Rhiannon oedd un Dyfrig, pan fyddai wedi'i gipio i ffwrdd i rywle neu'i gilydd i dawelu ychydig ar swnian Delyth, a oedd bron â mynd yn soldiwr yn y garafán. Ar ddyddiau felly teimlai Rhiannon yn afresymol o flin, gan feddwl mai'r peth lleiaf y gallai Dyfrig fod wedi'i wneud oedd gofalu ei fod o yma, a hithau wedi teithio yma'r holl ffordd o Borthmadog.

Ond roedd o flwyddyn yn iau na hi!

Doedd o ddim wedi cychwyn yn yr ysgol uwchradd eto, hyd yn oed!

Serch hynny, gallai ei theimlo'i hun yn gwenu fel giât pan welai o'n brysio tuag ati ar draws y tywod, neu, os oedd o yno o'i blaen hi, pan fyddai hi'n ei weld o'r pellter yn rhedeg i mewn ac allan o'r môr yn ei siorts nofio coch, gwyn a gwyrdd.

Daethant i adnabod y creigiau ym Mhorth Simdde'n dda iawn, a'r llwybr drosodd i Borth Meudwy. Pur anaml y byddai Rhiannon yn mentro i mewn i'r dŵr, fodd bynnag. Eglurodd iddo ei bod hi'n hoffi'r môr ac wrth ei bodd bod yn agos ato, ar ei lannau a'i greigiau, ond doedd hi ddim yn rhy hoff o fod arno neu ynddo. Cochodd y ddau ohonyn nhw at eu clustiau un diwrnod, un o'r ychydig droeon y buon nhw nofio efo'i gilydd, pan ddaliodd Rhiannon o'n rhythu ar ei bronnau bach ifanc drwy ddefnydd gwlyb ei gwisg nofio.

Meddai Dyfrig wrthi un diwrnod, 'Ma'n bechod nad w't ti ddim yn byw yma.'

'Pam?'

Roedd o wedi cochi eto. Roedd yn amlwg nad oedd o wedi bwriadu dweud y geiriau, ond eto'r un mor amlwg eu bod nhw ar ei feddwl; wedi blino gorfod aros yno'n gwneud dim byd, allan â'r geiriau'n rhibidirês gan sboncian oddi ar ei dafod fel naw nofiwr oddi ar fwrdd deifio.

'Wel . . . ti'n gwbod . . . ma'n niwsans, yn dydi . . . dy fod ti'n gorfod mynd adra bob tro.'

Doedd o ddim yn gallu sbio arni. Yn hytrach, canolbwyntiodd ar grafu gwymon oddi ar graig â blaen carreg finiog.

'Dw't titha'm yn byw yma chwaith.'

'Dwi'n gwbod.'

'Ac rw't ti'n byw yn bellach o'ma nag ydw i. Yn lot pellach 'yfyd.'

'Dwi'n gwbod.'

'A ti'n gorfod mynd adra fory!'

Nodiodd. Y gwymon druan. Gwyliodd Rhiannon ei ben melyn yn symud i fyny ac i lawr wrth iddo ymosod ar y graig.

Ddywedodd y ddau ddim byd am ychydig. Roedd yr wybodaeth mai hwn oedd eu diwrnod olaf wedi bod rhyngddyn nhw drwy'r dydd fel trydydd person – person a oedd yn boen yn y tin ac yn drewi o oglau chwys, a nhwytha'u dau'n gallu gwneud dim heblaw edrych ar eu gilydd yn slei ac yn gyflym y tu ôl i'w gefn.

'Ti'n cofio,' meddai Rhiannon ymhen ychydig, 'y tro cynta hwnnw i ni siarad efo'n gilydd?'

'Yndw. Pam?'

Siaradodd heb edrych arni, gan swnio braidd yn flin. Roedd un clwstwr o wymon wedi'i glirio'n gyfan gwbl ganddo, a symudodd ymlaen, yn ei gwrcwd o hyd, er mwyn ymosod ar glwstwr arall efo'i garreg. Edrychai wyneb y graig yn rhyfedd o noeth, fel cefn dafad newydd gael ei chneifio.

'Mi wnes i ofyn i chdi a oeddat ti'n byw yma, a dyma chdi'n deud, "Nac'dw, ddim eto". Be oeddat ti'n 'i feddwl?'

'Mi fydda i'n byw yma ryw ddwrnod,' meddai.

'Fyddi di?'

Nodiodd.

'Pryd?'

'*Dwi*'m yn gwbod, nac'dw. Pan fydda i'n hen.'

'Ocê . . .'

Ymosododd yn fwy ffyrnig nag erioed ar y gwymon, yna cododd ar ei draed yn ddirybudd a thaflu'r garreg i mewn i'r môr.

'Dwi'n gorfod mynd rŵan, ocê?' meddai ar wib. 'Ta-ta . . .'

'Be? *Rŵan*?'

Ond roedd o eisoes yn cerdded yn gyflym oddi wrthi ar

hyd y tywod gwlyb, a darnau bychain, brown o'r tywod yn sblasio i fyny ar ei fferau.

'Dyfrig!' gwaeddodd.

Ond brysiodd yntau yn ei flaen nes ei fod o'n bell, bell i ffwrdd.

Throdd o ddim i edrych yn ôl arni o gwbl.

'Do, mi *wnes* i,' meddai wrthi flynyddoedd ar ôl hynny. 'Ond roeddat ti wedi rhoi'r gora i sbio arna i, ac yn ista ar y graig yn pwdu.'

'Pwdu? Ha! Paid â fflatro dy hun, washi.'

Ond o'r ddau ohonyn nhw, y fo oedd yr un oedd yn dweud y gwir. Roedd o wedi troi, ac wedi edrych yn ôl, ac wedi sychu'i lygaid er mwyn gweld yn well, ond roedd golau'r machlud yn rhy gryf, a'r unig beth a welai yn y pellter oedd siâp amwys merch yn eistedd ar y graig yn syllu allan dros y môr.

Welson nhw mo'i gilydd wedyn am flynyddoedd.

* * *

Roedd hi wedi teimlo'n flin tuag ato fo, cofiai Rhiannon wedyn. Wel, wrth gwrs ei bod hi. Rhedeg i ffwrdd fel yna heb hyd yn oed sbio arni hi; pwy oedd o'n meddwl oedd o? A hithau wedi meddwl gofyn iddo fo am ei gyfeiriad, i gael sgwennu ato fo rywbryd, hwyrach, neu anfon gerdyn Dolig neu gerdyn pen-blwydd.

Pryd bynnag roedd o'n cael ei ben-blwydd. Doedden nhw ddim wedi meddwl gofyn hynny i'w gilydd.

Doedd hi ddim hyd yn oed yn gwybod beth oedd ei gyfenw. Meddyliodd wedyn y gallai hi fod wedi ffonio'r fferm lle roedd eu carafán, ond erbyn hynny roedd hi wedi penderfynu, Twll ei din o; os oedd o'n ormod o fabi i fedru deud ta-ta wrthi'n iawn, yna twll ei din o.

I feddwl ei bod hi wedi bwriadu rhoi sws iddo fo.

Ha!

Ar ôl eistedd fel delw ar y graig am bron hanner awr,

cododd Rhiannon a dychwelyd i fyny'r traeth at ei mam ac Anti Eleri a'r plant. 'Eitha peth dy fod ti wedi dŵad. Yn meddwl cychwyn i chwilio amdanat ti ro'n i.' Edrychodd ei mam i fyny. Roedd cymylau wedi dechrau ymgasglu yn yr awyr. 'Ma hi'n dechra fflatio, dwi'm yn ama.'

Dechreuodd fwrw glaw cyn iddyn nhw adael Pwllheli – diferion mawr yr un siâp â dagrau mewn cartŵn. Yn chwarae yn ei phen ers iddi gerdded oddi wrth y graig roedd cân enwog Sandy Denny, 'Who Knows Where the Time Goes?' Doedd Rhiannon erioed wedi clywed y gân nes i'r gantores farw'n drychinebus o ifanc fis Ebrill y flwyddyn honno. Digwyddodd weld eitem am ei marwolaeth ar raglen deledu; roedd y cynhyrchydd wedi paratoi fideo arbennig i gyd-fynd â'r gân fel teyrnged i Sandy (a phwy a ŵyr nad y fideo yna a ysbrydolodd Rhiannon i gynhyrchu rhaglenni tebyg yn y dyfodol?). Wrth i'r gân chwarae, cerddai merch hirwallt ar hyd traeth gwag. Uwch ei phen roedd yna haid o wyddau gwylltion yn hedfan i ffwrdd dros y gaeaf.

Roedd y record wreiddiol gan ei mam, ac roedd Rhiannon wedi'i chwarae hi'n dwll, bron – ond yn ddistaw bach. Doedd arni ddim eisiau i'w ffrindiau gael ar ddeall fod ffan fawr y Sex Pistols, y Stranglers, Sham 69 ac X-Ray Spex yn gwrando ar gantores werin. Llwyddai'r gân i ddod â dagrau i'w llygaid yn ddi-ffael, a llwyddodd go iawn y noson honno wrth iddi orwedd yn ei gwely'n gwrando ar y glaw.

* * *

Ond, yn anochel, dechreuodd feddwl am Dyfrig eto wrth i'r haf canlynol agosáu. Tybed fyddai o yn Aberdaron eto eleni? Holodd ei mam a oedd Eleri am dreulio pythefnos arall yn y bwthyn. 'Am wn i, cofia. Dwi ddim wedi clywad unrhyw beth eto.'

Yna, tua diwedd tymor yr haf, roedd Rhiannon ar ganol arholiad Mathemateg pan ddaeth y ddirprwy brifathrawes i mewn i'r dosbarth. Bu sibrwd mawr rhyngddi hi a'r athro oedd yn goruchwylio, a gwelodd Rhiannon y ddau ohonyn nhw'n edrych tuag ati hi.

Teimlodd ei thu mewn yn troi a'r lliw yn gadael ei hwyneb. Gwyddai, rywsut, beth oedd yn bod: roedd y tosturi yn wyneb y ddau yn dweud y cyfan.

Daeth Eleri i aros efo nhw yn syth ar ôl iddi glywed. Cafodd Dei Williams gynhebrwng a hanner – y capel dan ei sang, a nifer o bobol yn sefyll yn y cefn ac yn y porth. Llwyddodd Alwena i beidio â chrio rhyw lawer drwy'r rhan fwyaf o'r gwasanaeth, ond bu'r emyn olaf yn drech na hi: 'Tydi a roddaist liw i'r wawr, a hud i'r machlud mwyn'.

Hoff emyn Dei.

Yr hyn oedd ar feddwl Rhiannon oedd: Leiciwn i tasa gen i daid a nain. Roedd tad Alwena wedi marw yng Ngogledd Affrica yn ystod y rhyfel, a'i mam pan oedd Rhiannon yn ddim ond babi, tra oedd rhieni Dei wedi marw ymhell cyn iddo briodi.

Doedd Rhiannon ddim wedi gallu crio o gwbwl, ond gallai ei deimlo'r tu mewn iddi fel dŵr poeth, fel pwys. Poenai am hyn. Oedd o'n golygu nad oedd hi wedi caru ei thad? Rhwbiai ei llygaid yn ffyrnig bob tro cyn mynd i mewn at ei mam, er mwyn i Alwena feddwl ei bod wedi crio.

Daliodd Eleri hi'n gwneud hynny ryw ddiwrnod.

'O, paid ti â phoeni dim am hynny, del. Mi *wnei* di grio, 'sti, pan fyddi di'n barod.'

Fe wnaeth hi, hefyd, yn y diwedd – ond dim ond ar ôl i Eleri ddychwelyd i Fanceinion. Pan gaeodd Alwena'r drws ffrynt a throi ati a dweud, 'Wel – 'mond chdi a fi rŵan, Rhiannon bach.'

Ac i lawr â'r llifddorau, wedi'u dymchwel dan *tsunami* o ddagrau, y ddwy ohonyn nhw'n bloeddio crio dros y tŷ ym mreichiau'i gilydd.

Fu dim sôn am fynd i Aberdaron yr haf hwnnw, wrth gwrs. Weithiau, byddai Rhiannon yn meddwl, tybed fydd o/ydi o/fuodd o yno eleni? Ond dim ond rhyw feddwl wrth fynd heibio wnâi hi. Erbyn yr haf canlynol, roedd Eleri wedi ailbriodi a mudo i Seland Newydd: gŵr newydd, teulu newydd, job newydd, cartref newydd, Seland Newydd.

Ymhen blwyddyn hefyd, roedd Rhiannon wedi dechrau teimlo'n euog wrth sylweddoli bod raid iddi feddwl yn galetach a chaletach wrth drio cofio wyneb ei thad. Roedd hi hyd yn oed yn gorfod edrych ar lun ohono i'w hatgoffa'i hun ohono yn iawn.

Ond weithiau, pan fyddai'n eistedd mewn cyngerdd neu wasanaeth capel neu gymanfa ganu, credai ei bod yn gallu clywed llais tenor swynol Dei yn morio uwchben y lleisiau eraill.

Ei lais i'w glywed yn glir ac yn felys.

Tra oedd ei wyneb wedi'i golli mewn tywyllwch.

* * *

Ac yna, ym 1985, mewn hymdingar o sesh yn ystod yr eisteddfod ryng-golegol yn Aberystwyth, roedd hi wedi cwrdd â Dyfrig eto . . .

Rhan 2

Y ferch yn y gwely

15
Darluniau ar gardiau

Dechrau Hydref

Y bore Sul ar ôl y ddamwain, lai nag awr ar ôl iddyn nhw ddychwelyd adref o'r ysbyty, aeth Dyfrig i redeg. Roedd Rhiannon wedi rhythu arno pan ddaeth i lawr o'r llofft yn ei siorts.

'Ma'n rhaid i mi fynd allan,' meddai wrthi cyn iddi fedru dweud dim. 'Ma 'mhen i . . . ysti . . .'

'Ond ti 'di ymlâdd. Rydan ni i gyd . . .'

'Wn i, wn i. Fydda i ddim yn hir.'

'Dyfrig, oes *raid* i chdi . . .?'

Oedd, roedd rhaid. Roedd y syniad o fynd i'w wely, o orwedd yno gyda Rhiannon yn gorwedd wrth ei ochr, bron iawn â gwneud iddo sgrechian. Rhaid oedd cael rhyw friwsionyn bychan o amser iddo'i hun.

Allan â fo, felly, a chael cip ar Awel yn sefyll yn y ffenestr fawr ar y landin a'i breichiau wedi'u plethu amdani, yn ei wylio'n cerdded yn gyflymu oddi wrth y tŷ ac i lawr yr allt. Yn mynd oddi yno am ei fywyd, meddyliodd Dyfrig; pum munud arall ac mi fasa wedi taro'i ben yn erbyn y mur agosaf nes i'r tywyllwch gau amdano.

Awel . . . yn ei wylio â'r llygaid llonydd rheiny.

Oedd Siôn wedi dweud rhywbeth wrth Leah – ar ôl i Leah ddweud rhywbeth wrtho *fo*? Teimlodd y dwrn oedd eisoes wedi cau yng ngwaelodion ei stumog yn treiddio'n ddyfnach i'w berfeddion.

Be uffarn oedd wedi *digwydd* neithiwr?

I lawr ar y traeth, sylweddolodd fod gwynt cryf yn

chwythu o'r môr, fel tasa fo'n gwneud ati i'w wthio fo'n ôl at y tŷ. Roedd tua hanner dwsin o bobol i'w gweld yma ac acw, rhai gyda chŵn ac eraill yn cerdded yn hamddenol a'u hwynebau wedi'u dal tua'r gwynt a'r heli. Neb roedd o'n ei adnabod, gobeithio, ond ofnai na fyddai'n ddigon lwcus i fedru osgoi siarad efo rhywun neu'i gilydd.

Dechreuodd redeg, a *slap slap* gwlyb ei draed ar y tywod brown i'w glywed yn uchel er gwaetha'r gwynt yn ei glustiau.

Unwaith eto, yn ei feddwl, gwelodd Siôn yn aros amdano fo a Rhiannon neithiwr. Na, roedd hi'n fore erbyn hynny – bore heddiw – toc ar ôl hanner awr wedi hanner nos, ym mharlwr ffrynt Rhydian ac Elsbeth Richards. Tablo tawel: criw bychan o ffrindiau Siôn yn sefyll o gwmpas cadair freichiau ac yn ymwahanu wrth iddo fo a Rhiannon ymddangos yn nrws yr ystafell, gan adael Siôn yn eistedd yno reit ar flaen y gadair, ei ben i lawr a'i wallt dros ei wyneb, yn rhythu ar y carped cyn iddo godi'i ben yn araf ac edrych arnynt.

Neu'n hytrach arno fo.

Ysgydwodd Dyfrig ei ben yn ffyrnig, ond gwyddai y byddai'r tablo diweddaraf hwn yn aros efo fo am byth. Meddyliai'n aml am ei fywyd fel cyfres o olygfeydd – darluniau ar gardiau y byddai'n fflician drwyddyn nhw bob hyn a hyn, a phob un yn dangos tablo gwahanol. Troed rhyw oedolyn dieithr yn sathru'r faner Ddraig Goch a gawsai yn ei eisteddfod gyntaf erioed, yntau'n fach ac wedi blino ac yn llusgo'r faner ar hyd y ddaear. Rhyw ferch na welsai mohoni erioed o'r blaen, nac wedyn ychwaith, yn marchogaeth heibio i'w tŷ yn Wrecsam ac yn tynnu'i thafod arno wrth fynd heibio. Delyth ei chwaer yn eistedd yn bwdlyd yng nghysgod y garafán, tra oedd ei rieni'n clertian yn yr haul mewn cadeiriau cynfas. Rhiannon yn dod ato ar hyd y traeth a phocedi ei siorts yn llawn o gregyn, ac yna'n eistedd ar y creigiau ar ei phen ei hun, ac yntau eisoes yn difaru iddo'i gadael yn ddisymwth rhag ofn iddi weld ei fod o'n crio oherwydd ei fod yn gorfod mynd adref drannoeth. Wynebau'r plant cyntaf iddo'u dysgu erioed, ac yntau'n sefyll o'u blaenau fel actor a ofnai fod ei linellau'n rhy wan a'i bresenoldeb ar y llwyfan yn rhy lipa. Y gweinidog a oedd wedi uno Rhiannon ac yntau mewn glân briodas, a'r darn o bapur tisiw hwnnw oedd gan y gweinidog yn sownd yn ei ên ar ôl iddo'i dorri'i hun wrth siafio'r bore hwnnw – smotyn browngoch o waed ar bapur gwyn. Geni'r efeilliaid: Awel yn ymddangos yn gyntaf ac yna Siôn, y ddau a'u pennau i lawr fel ystlumod bach gwichlyd a phinc.

Ac eleni, dau gerdyn newydd. Y darluniau arnyn nhw'n fwy tywyll. Fel dod ar draws dau gerdyn tarot mewn paced o gardiau *Happy Families*. Y sgerbwd yn crechwenu, a'r dyn a gafodd ei grogi.

Leah Wyn yn eistedd ar graig, yn syllu dros y tonnau.

Siôn yn codi'i ben yn araf ac yn syllu i fyw ei lygaid.

Newidiodd gyfeiriad yn ddisymwth ac ymladd yn erbyn y gwynt nes iddo gyrraedd y môr. Yno, yn y tonnau bach, syrthiodd ar ei liniau wrth i'r chwd ffrwydro allan o'i geg. Chwydodd i mewn i'r môr, gan daflu i fyny nes bod cyhyrau ei stumog yn brifo a'i gorff yn methu cynhyrchu dim byd mwy na chyfog gwag.

Arhosodd fel hyn am funudau hirion a'i gledrau wedi'u gwasgu yn erbyn ei gluniau a'i lygaid yn berwi â dagrau poethion, sur – ffŵl ar ei bengliniau mewn dŵr bas, prin yn sylwi fod ei goesau a'i draed a gwaelodion ei siorts yn wlyb socian. Hoffai petai ganddo'r dewrder a'r nerth i'w fwrw ei hun yn ei flaen, i mewn i'r môr a than y tonnau; hoffai petai wedi gallu gwagio'i feddwl fel roedd o newydd wagio'i stumog.

Aeth sawl munud heibio cyn iddo fedru ymsythu a chodi'n simsan ar ei draed. Wrth droi, gwelodd fod yna gwpwl ifanc – dieithr, diolch i Dduw – wedi cychwyn tuag ato'n bryderus ac wedi aros yn stond o'i weld yn sefyll a throi.

'You alright, mate?' gofynnodd yr hogyn.

Nodiodd Dyfrig. 'Yes. Fine . . . thank you.'

'Heavy night, yeah?' gwenodd yr hogyn.

O'r arglwydd mawr . . .

'Pretty rough, yes.'

Chwarddodd y ddau a cherdded i ffwrdd. Sylweddolodd Dyfrig fod y môr yn llyfu'i fferau. Camodd i'r lan, ei wddf yn llosgi a'i stumog yn dal i droi gyda synau tebyg i sinc y gegin yn gwagio. Crynodd. Dylai fynd adref am gawod boeth a dillad sych a chynnes, ond ni fedrai feddwl am ddychwelyd i Benrallt – ddim eto.

Yr eiliad hwnnw, rhoddai'r byd am beidio â gorfod dychwelyd yno o gwbl. Trodd, felly, tua'r creigiau, ond mynnai ei feddwl ei fod unwaith eto'n gweld dau gerdyn – y ddau'n dangos silwét merch yn eistedd ar y creigiau.

Dau gerdyn, dwy ferch, dau rith, ond â thri degawd rhyngddyn nhw.

A'r tro hwn roedd o'n cerdded tuag atynt yn hytrach na ffoi oddi wrthynt.

* * *

Erbyn iddo gyrraedd y creigiau, roedd o'n crynu drwyddo. Golchodd ei geg â dŵr o un o'r pyllau bychain rheiny a roddai gymaint o ddifyrrwch iddo pan oedd yn blentyn.

'W't ti'n byw yma?'

'Nac'dw, ddim eto.'

Roedd o mor benderfynol y byddai, un diwrnod, *yn* byw yma. Mor sicr. Be, tybed, oedd ffynhonnell y sicrwydd hwnnw? Ni ddaeth erioed yn agos at gael ei ddisodli. Erioed. Er bod Dyfrig, dros y blynyddoedd, wedi ymweld â lleoedd harddach ac â thywydd llawer iawn addfwynach, chafodd o mo'i demtio gan yr un ohonynt i'w ystyried fel cartref rywbryd yn ei ddyfodol. Bu wastad â'i fryd ar fyw *yma*.

Roedd y lle wedi cydio ynddo, ac ers blynyddoedd bellach roedd o wedi teimlo fod Aberdaron wedi'i fabwysiadu.

Freuddwydiodd o erioed, wrth gwrs, y byddai'n dod ar

draws Rhiannon eto. Ar ddiwedd yr haf hwnnw, 'nôl yn 1978, edrychai ymlaen at yr haf canlynol gyda chymysgedd o gyffro a nerfusrwydd, gan dreulio'r un mis ar ddeg dilynol yn ei gicio'i hun am redeg i ffwrdd oddi wrthi. Yn ei ffantasïau – oherwydd roedd o wedi dechrau mwynhau'r rheiny erbyn hynny – doedd o ddim yn gwneud y ffasiwn beth, wrth gwrs; yn hytrach, diolch i nifer o ffilmiau James Bond a welsai ar y teledu yn ystod y flwyddyn honno, fe'i gwelai ei hun yn codi un ael yn awgrymog cyn camu at Rhiannon, ei chofleidio a'i chusanu. Dro arall byddai'n ei hachub hi – trwy gymysgedd o jiwdo a *kung-fu* – rhag criw o'r dihirod gwaethaf a welsai'r byd yma erioed (a'r rheiny wedi'u modelu ar griw o iobs o ardal Queen's Park oedd yn mynd trwy gyfnod o aflonyddu ar blant Morgan Llwyd ar y pryd). Â'r dihirod yn gelain (neu o leia'n ddiymadferth) ar y llawr o gwmpas ei draed, darfyddai'r ffantasi yma hefyd mewn cofleidio a chusanu brwd.

Ond dim byw mwy nwydus na hynny – yn bennaf oherwydd ei ansicrwydd ynglŷn â beth i'w wneud nesaf. Teimlai'r cyffro cynnes hwnnw bob tro y meddyliai amdani yn ei gwisg nofio wlyb, ond doedd dim ond eisiau iddo hefyd gofio amdano'i hun yn dianc oddi wrthi fel plentyn bach dryslyd nad oedd y cyffro hwnnw'n cael ei foddi gan don o gywilydd. Oherwydd hyn, ofnai na fyddai gan Rhiannon affliw o ddiddordeb ynddo erbyn yr haf nesaf; roedd hi flwyddyn yn hŷn na fo, wedi'r cwbl, ac roedd o wedi hen sylwi ar y ffordd roedd y genod yn ei flwyddyn yn aeddfedu fwyfwy bob mis, bron, o'u cymharu ag yntau a'i ffrindiau – heb sôn am y merched oedd flwyddyn yn hŷn na fo.

Câi drafferth cysgu wrth i ddyddiad dechrau'r gwyliau nesáu, ond cyn mynd i Aberdaron, rhaid oedd treulio wythnos mewn Eisteddfod arall – ac roedd hon yng Nghaernarfon. Mor agos, ond eto mor bell. Byddai'n haws o lawer petai'r Eisteddfod wedi'i chynnal i lawr yn y de: roedd bod o fewn cyrraedd Pen Llŷn yn artaith iddo. Ac roedd gweld 'Porthmadog 20' ar yr arwyddion ffyrdd yn halen ychwanegol ar ei friw – nes iddo sylweddoli fod agosrwydd y ddwy dref at ei gilydd yn golygu fod siawns reit dda y byddai Rhiannon a'i mam yn piciad i'r Eisteddfod.

Roedd yn gryn benbleth i'w rieni, felly, pan ddechreuodd Dyfrig ddangos ei fod yn ysu am gael gadael am y Maes bob bore, a dod yn agos iawn at strancio pan ddeuai'n amser iddyn nhw ddychwelyd i'r garafán ar ddiwedd y prynhawn. Daeth yn arbenigwr ar Faes yr Eisteddfod dros y dyddiau nesaf, ei galon yn neidio bob tro y digwyddai weld merch denau â gwallt cwta, mewn siorts denim a chrys-T. Yna byddai'n sylweddoli na fyddai Rhiannon yn debygol o wisgo fel yna ar gyfer yr Eisteddfod – ac efallai ei bod wedi gadael i'w gwallt dyfu. Neu ei bod wedi troi'n fwy o bync nag erioed, a'i fod wedi mynd heibio iddi droeon a heb ei hadnabod dan golur du, â'i phen wedi'i eillio heblaw am fohican amryliw, anferth fel crib ceiliog ar ei chorun . . .

Erbyn diwedd yr Eisteddfod, felly, ac yntau heb hyd yn oed gael cip arni, roedd o fwy neu lai mewn twymyn yn cyrraedd Aberdaron – ond cafodd ei gaethiwo am ddeuddydd gan law trwm. Pan y peidiodd hi fwrw o'r diwedd, rhuthrodd i lawr i'r traeth . . . ond doedd dim golwg o Rhiannon.

Aeth deuddydd arall heibio cyn iddo benderfynu gwneud yr hyn y dylai fod wedi'i wneud yn syth, sef prowla o gwmpas y pentref yn chwilio am y bwthyn lle roedd Anti Eleri a'i phlant wedi aros y llynedd. 'Eryl Môr', dyna oedd ei enw. Doedd o ddim yn debygol o'i anghofio.

Ond pan ddaeth o o hyd i'r bwthyn yn y diwedd, teulu hollol ddieithr oedd yno. Saeson rhonc . . .

Yn ystod y flwyddyn ddilynol, cawsai ei dad ddyrchafiad yn y banc. Cafodd y garafán ei gwerthu, a'r Cyfandir, wedyn, fyddai cyrchfan gwyliau'r teulu bob haf.

A welodd o mo Rhiannon tan yr eisteddfod ryng-golegol honno yn Aberystwyth, chwe blynedd yn ddiweddarach.

* * *

Edrychodd Dyfrig yn ôl ar hyd y traeth a gweld fod y lle wedi gwagio. Dim rhyfedd: roedd hi wedi cau efo glaw mân, heb iddo sylwi. Roedd o wedi eistedd yma yng nghysgod y creigiau a'i freichiau wedi'u lapio amdano fel petai mewn siaced gaeth. Ac oedd, roedd o'n edrych – ac yn teimlo – fel dyn gwallgof, yn rhynnu a mwmian wrtho'i hun yn lle mynd adref at ei wraig a'i blant.

Ymdrechodd i glirio'i feddwl ond roedd o'n oer go iawn erbyn hyn. Symudodd o gysgod y creigiau a dechrau loncian yn araf yn ei ôl, ei draed yn sgweltsian dros y tywod.

Dwi ddim yn mynd i grio, meddai wrtho'i hun, dwi ddim . . . ond crio a wnaeth o – hen igian di-ddim, fel rhyw fersiwn wylo o'r cyfog gwag a brofodd yn gynharach.

Ai sŵn fel hyn sydd yna i hunandosturi?

Ceisiodd ddweud wrtho'i hun nad oedd o wedi *gallu* meddwl am Leah'n gorwedd yn yr ysbyty, mai dyna oedd ei reswm – ei esgus – dros beidio â meddwl am neb ond fo'i hun. Bod meddwl amdani hi, ac am boen Alun a Morfudd, yn drech na fo.

Ond methai'n glir â'i goelio'i hun. Roedd y cof am y ffordd yr oedd wedi ymateb neithiwr pan gyrhaeddodd yr honglad o dŷ hwnnw yn Sarn Mellteyrn a gweld llygaid Siôn yn codi'n araf i rythu ar ei rai o yn rhy fyw yn ei feddwl. Dyna pryd y teimlodd y dwrn ciaidd hwnnw'n cau yn ei stumog, a'r frawddeg a'i plannodd ei hun yn ei ben oedd,

Ma'r bitsh fach wedi deud wrtho fo.

16

'A thin and faded lady…'

'Siôn . . .?'

Oedodd Awel wrth y drws. Oedd o'n cysgu go iawn? Anodd oedd dweud. Roedd y llenni ynghau a fedrai hi ddim gweld mwy na'i siâp o yn y gwely.

'Siôn . . .'

Ychydig yn uwch y tro hwn. Gad iddo fo gysgu, meddai wrthi'i hun. Gad lonydd iddo fo.

Ond camu i mewn i'r ystafell a wnaeth hi, a chau'r drws yn dawel ar ei hôl. Eisteddodd ar y gadair wrth ddesg daclus ei brawd. Craffodd ar Siôn. Oedd, roedd o'n cysgu, derbyniodd o'r diwedd. Arhosodd yno am funudau hirion, yn gwylio'i brawd ar goll yn ei gwsg aflonydd. Symudai'n aml yn y gwely, gan droi un ffordd ac yna'r llall. Wedi i'w llygaid ddygymod â hanner gwyll yr ystafell, sylwodd Awel fod ei lygaid yn neidio i bob cyfeiriad o dan ei amrannau.

Be mae o'n ei weld, ysgwn i?

Aeth i'w chwrcwd wrth y gwely a chodi'i llaw hefo'r bwriad o'i ysgwyd a'i ddeffro. Doedd hi ddim yn iawn ei fod o'n cysgu fel hyn, a phawb arall wedi bod ar ddi-hun ers iddyn nhw gyrraedd adref ben bore. Doedd hi ddim yn deg. Meddyliodd fod golwg go anghynnes arno efo'i wallt hir, seimllyd, a'r plorod ar ei dalcen a'r bym-fflyff ar ei ên. Ac roedd arogl sur a chyfoglyd ar ei wynt.

Rhoes ei llaw yn ôl i lawr. 'Sorri, Siôn,' sibrydodd, 'ond dwi ddim yn dy goelio di, boi.'

Yna cododd a mynd o'r ystafell. Safodd ar y landin am ychydig yn syllu drwy'r ffenestr fawr, ar y môr llwyd tywyll, aflonydd, ac ar frân yn gwneud ei gorau i hedfan yn erbyn y gwynt, a phaced creision gwag yn hercian yn feddw ar hyd y lawnt. Roedd trymder rhyfedd i dawelwch y diwrnod – fel petai glud yn y cymylau, fel tasa'r tywod yn driog a'r môr yn uwd.

Yna clywodd sŵn y drws ffrynt yn agor a chau. Daeth ei thad i'r golwg, yn ei ddillad rhedeg. Edrychodd i fyny arni, ac yna trodd i ffwrdd, ychydig yn euog, a brysio allan heibio i'r ceir ac i lawr yr allt.

Ni ddeuai'r un smic o waelodion y tŷ: gwyddai fod ei mam yn yr ystafell fyw, yn eistedd ar y soffa â'i llygaid yn goch ac roedd wedi gofyn iddi'n gynharach, cyn i Awel fynd i fyny'r grisiau, 'Pam na 'dio ddim isio siarad efo ni? W't ti'n gwbod?'

A meddyliodd Awel: am fod neb yn y ffwcin tŷ 'ma'n *gallu* siarad efo'i gilydd, dyna i chi pam.

Dydan ni ddim wedi gallu siarad efo'n gilydd ers blynyddoedd, Mam.

A dim ond rŵan rydach chi'n dechra sylwi . . .

'Be ydan ni wedi'i neud iddo fo, Awel?'

Dwi'm yn gwbod, Mam. Dwi ddim *yn* gwbod.

Teimlai Awel yn oer drwyddi, er gwaetha'r siwmper drwchus a wisgai. Aeth i mewn i'w hystafell ei hun. Tynnodd ei hesgidiau a dringo i mewn i'w gwely, o dan y dwfe a thynnu hwnnw reit i fyny at ei gên. Gorweddodd yno'n crynu fel deilen, ei breichiau wedi'u lapio'n dynn, dynn am ei chorff.

A'r geiriau yn ei meddwl yn ei phoenydio fel y ddannodd.

Dwi ddim yn ei goelio fo.

* * *

Yn yr ystafell fyw, gwthiodd Rhiannon gopi Penguin o *David Copperfield* yn ôl i'w le ar y silff uchaf, cyn camu'n ofalus i lawr oddi ar fraich y gadair freichiau.

Hon oedd y gornel lyfrau, a'r silffoedd yn ymestyn o'r

carped i'r nenfwd. Yr un uchaf oedd cartref y clasuron Penguin. Rhesaid hir, ddu ohonynt – Dickens, Hardy, y Brontes, Austen, Trollope, Eliot . . . Er bod y rhan fwyaf ohonyn nhw wedi cael eu darllen ar un adeg, pur anaml y byddai'r llyfrau hyn yn cael unrhyw sylw bellach. Doedden nhw ddim ond yno oherwydd bod Rhiannon a Dyfrig yn teimlo y dylen nhw fod yno, gwaetha'r modd.

Mrs Micawber, meddyliodd Rhiannon – Mrs blydi Micawber. 'A thin and faded lady, not at all young,' oedd disgrifiad Dickens ohoni, a rhywun tebyg i hynna a syllai'n ymddiheurol yn ôl ar Rhiannon o'r drych. Tenau, ia; nid oedd hynny'n unrhyw beth newydd, wedi'r cwbwl. Ond roedd hi hefyd, bellach, wedi pylu, rywsut – wedi cael ei gorfodi i wywo'n dawel o'r golwg yn y cefndir. A doedd tynnu at ddeugain a phump ddim yn ifanc, waeth be roedd yr holl gylchgronau a'r 'selébs' deugain a phump oed yn ei ddweud.

Aeth at y drws cefn a thanio sigarét, yr ail o baced newydd roedd hi wedi'i brynu mewn garej ar y ffordd adref o'r ysbyty. Roedd hi wedi ploncio'r paced ar ddashbord y car, gan herio Dyfrig i ddweud rhywbeth, ond ni chredai ei fod o hyd yn oed wedi sylwi arnyn nhw. Roeddynt i gyd fel sombis yn cyrraedd adref, ond yna daeth Dyfrig o hyd i ryw nerth gwyrthiol o rywle a phenderfynu ei fod am fynd allan i redeg.

Ond doedd ganddi hi mo'r nerth i gymryd cawod, hyd yn oed, nac i redeg bath, a theimlai y byddai dringo'r grisiau'n drech na hi. Roedd ei phen fel petai'n llawn o wadin, ond eto teimlai'n aflonydd ac yn winglyd, yn methu setlo'n hir iawn ar unrhyw sedd ac yn crwydro'n ôl ac ymlaen rhwng y gegin a'r ystafell fyw. Ymdrech fawr oedd rhoi *David Copperfield* yn ei ôl ar y silff. Cawsai ei dynnu i lawr neithiwr oherwydd y sgwrs a gawsai hi a Dyfrig, y sgwrs yr oeddynt ar ei chanol pan ganodd y ffôn.

'Something will turn up.'

Ochneidiodd Rhiannon yn chwerw.

Brechdanau ham oedd eu swper nos Sadwrn, ac roedd Rhiannon wedi penderfynu gadael llonydd i'r gwin nes ei bod Dyfrig a hithau wedi cael cyfle i siarad. Bwytasant eu brechdanau wrth wylio ailddarllediad o *Wallander* ar BBC4, yr unig beth ymlaen oedd yn werth ei wylio. Wedi iddo orffen, dywedodd Rhiannon ei bod yn ystyried mynd yn ôl i ddysgu.

'W't ti?'

Swniai Dyfrig fel petai arno ofn ei chredu.

'Dydi hi ddim yn edrach fel tasa gen i fawr o ddewis, bellach, nac'di?'

'Nac'di, decini.'

Cnodd ei wefus isaf wrth syllu arni ar draws yr ystafell.

'Be sy?'

'Mm . . .?'

'Pam w't ti'n sbio arna i fel'na? Ro'n i wedi meddwl y basat ti wrth dy fodd. Rw't ti wedi awgrymu hynny ddigonadd o weithia'n ddiweddar.'

'Do, wn i. 'Mond . . .'

'Be?'

'Trio meddwl be i' ddeud ydw i, Rhiannon, ocê?'

'Be ti'n feddwl?'

'O'r arglwydd . . .'

Tynnodd ei law drwy'i wallt, yna cododd a chroesi ati, ar ei liniau. Pwy sy'n edrach fel Toulouse-Lautrec rŵan? meddyliodd Rhiannon. Cydiodd Dyfrig yn ei dwylo.

'Yli,' meddai, 'dwi ddim wrth fy modd, paid â meddwl hynny am funud. Dwi'n gwbod pa mor anodd oedd hi i chdi ddeud be ti newydd 'i ddeud. A dwi'n gwbod lle ma dy galon di.'

Nodiodd Rhiannon. Roedd ei llygaid yn wlyb, a gallai deimlo'r dagrau'n llosgi. Gwasgodd Dyfrig ei dwylo wrth iddi ddweud wrtho am ei hymweliad â thŷ Gwynant, ac am y ffordd yr oedd o wedi cael ei drin yng Nghaerdydd.

'Ddyla fo ddim fod wedi mynd yno, Dyf. Ddim ar ei ben ei hun fel'na.'

'Na . . . Ond dwi'n rhyw led ama fod y cradur yn gwbod sut dderbyniad fasa fo'n ei gael yno. Doedd o ddim isio i chdi fod yn dyst i hynny, decini.'

Cofiodd Rhiannon fod Gwynant, yn wir, wedi dweud rhywbeth i'r perwyl hwnnw.

'Ro'n i'n flin efo fo,' meddai. 'Yn gandryll efo fo, a deud y gwir. O, roedd o wedi gneud 'i ora, ro'n i'n gwbod hynny – ond be wnes i, Dyf, ond rhuthro i'w gyhuddo fo o *beidio* â gneud 'i ora. Deud y dyla fo fod wedi trio'n galetach, a gweld bai arno fo am ddod adra o'r blydi lle 'na'n waglaw.'

Trodd Dyfrig ac ymestyn am focs o hancesi papur oddi ar y bwrdd coffi a'i sodro ar lin Rhiannon. Rhwygodd hithau un o'r bocs a sychu'i llygaid.

'Ond ddim dyna be oedd, Dyfrig, ac ro'n i'n *gwbod* hynny, drwy'r amsar. Myllio efo fo am ddeud y geiria nad o'n isio'u clywad nhw o gwbwl – dyna be wnes i. Am ddeud yr hyn dwi wedi bod ofn 'i glywad ers . . . o, ers blynyddoedd bellach, fel ti'n gwbod.'

Chwythodd ei thrwyn.

'Dwi'n gwbod ers hydoedd ein bod ni wedi darfod. Do'n i jest ddim isio clywad Gwynant yn deud hynny . . .'

Cydiodd Dyfrig ynddi a gadael iddi grio yn ei erbyn, a meddyliodd Rhiannon, wrth grio: Dwi wedi bod isio hyn, dwi wedi bod isio gneud hyn ers i mi ddechra sylweddoli fod dyddia Cwmni'r Daron wedi dŵad i ben, eu bod nhw wedi gorffan mewn gwirionedd ers i Eirian fynd, wedi marw efo hi, ond bod Gwynant a finna'n rhyw rygnu mlaen yn y gobaith o fwynhau rhyw adlais bychan o'r dyddia da . . .

'. . . ac mi ddeudodd Gwynant 'i bod hi'n amsar i Mr a Mrs Micawber roi'r gora iddi.'

'*Felly* rydach chi wedi bod yn meddwl amdanoch 'ych hunain . . . fel y Micawbers?' Trodd Dyfrig ac edrych i fyny ar y silff lyfrau.

'Ia. Wastad yn byw mewn gobaith y dôi 'na rwbath, o rwla, ryw ddwrnod.'

'Os ydw i'n cofio'n iawn, mi lwyddodd y Micawbers yn y diwadd, yn do?'

''Mond ar ôl iddyn nhw fudo i Awstralia, Dyfrig.'

'A, ia . . . Wel, go brin fod yna lawar o alw am athrawon Cymraeg yn *fan'no*.'

Gwenodd arni, a gwenodd hithau'n ôl – gwên fach wlyb, hallt a sneiplyd, ond gwên yr un fath.

O'r diwedd . . .

. . . a funudau'n ddiweddarach, ebychodd yn uchel wrth i Dyfrig lithro'n boeth i mewn iddi. Tynnodd o yn nes ati, yn ddyfnach i mewn gan lapio'i choesau'n dynn am waelod ei gefn a'i gwthio'i hun yn ei erbyn, ei breichiau wedi'u plethu am ei ysgwyddau. Dim ond hanner noeth oedden nhw'u dau, jîns a nicyrs Rhiannon yn hongian yn fwndel blêr oddi ar un ffêr, a jîns Dyfrig ddim ond wedi'u hagor yn ffwndrus a'u gwthio hanner ffordd i lawr ei goesau, a gwlân ei siwmper yn crafu a chosi ei hwyneb bob yn ail, ond doedd dim ots, prin y sylwodd Rhiannon a dweud y gwir. Roedd hi mor wlyb, mor wlyb, mor barod amdano, a daeth yn agos at grio eto pan deimlodd hi'r cryndod melys, bendigedig hwnnw'n cychwyn yn ei chluniau a'i bol, a daethant fwy neu lai'r un pryd, ill dau'n griddfan yng nghlustiau ei gilydd.

O'r diwedd, o'r diwedd . . .

Ac wedyn rhythodd y ddau ar ei gilydd mewn rhyfeddod, yr un ohonyn nhw wedi disgwyl hyn o gwbwl. Yna giglan fel dau dînejyr wrth geisio ymestyn yn lletchwith am y bocs hancesi papur, sgrialu am lond dwrn a'u stwffio i lawr rhyngddyn nhw jest mewn pryd – yr ymwahanu a'r ailwisgo. Ac aeth Rhiannon allan am smôc wrth y drws cefn tra oedd Dyfrig yn hwylio panad, ac ni fedrai gofio pryd roedd hi wedi mwynhau sigarét gymaint ddiwethaf.

'W't ti'n hollol siŵr am hyn, Rhiannon?'

Cyfeirio roedd o at ddychwelyd i ddysgu. Y ddau wrth

fwrdd y gegin, a *David Copperfield* yno rhyngddyn nhw, a nac oedd, doedd hi ddim yn siŵr o gwbwl: roedd blynyddoedd lawer ers iddi sefyll o flaen dosbarth o blant ac roedd cymaint wedi newid ym myd addysg ers hynny.

Ond, 'Yndw,' ddywedodd hi.

Doedd hi ddim yn disgwyl am eiliad y byddai swydd ddysgu leol, gyfleus yn ymddangos fel manna o'r nefoedd; mae'n siŵr, meddai wrtho, mai'r peth gorau i'w wneud fyddai rhoi ei henw ar restr y sir o athrawon dros dro, yr athrawon 'sypléi'.

Cytunai Dyfrig.

'Wyddost ti byth be ddaw. Ond ma rwbath yn siŵr o ddŵad . . .' meddai. Yna edrychodd arni a gwenu. '. . . Mrs Micawber.'

Dyna pryd canodd y ffôn.

* * *

Ia, *something will turn up*. O ddiawl.

Wel, mi ddaeth rhywbeth neithiwr, yn do? meddyliodd Rhiannon.

Morfudd druan, ac Alun, ill dau wedi rhythu ar Dyfrig a hitha, yno ar eu rhiniog mor hwyr yn y nos, fel tasan nhw wedi glanio yno o ryw blaned arall. A nhwytha'n teimlo'n uffernol yn sefyll yno efo rhyw neges amwys a oedd yn fwy tebygol o'u dychryn nhw na dim byd arall: dim byd mwy na bod 'rhywbeth wedi digwydd i Leah', ei bod wedi gorfod mynd i'r ysbyty, a bod Awel wedi mynd efo hi yng nghefn yr ambiwlans.

'Ond be, Rhiannon . . .?' Roedd Morfudd wedi rhoi ei llaw ar ei braich, fel petai rhyw benysgafndod annisgwyl wedi'i tharo. Ac efallai'n wir fod 'na, meddyliodd Rhiannon wedyn. 'Be sy 'di *digwydd*?'

'Morfudd, dwi'm yn gwbod, ma'n ddrwg gin i. Rydan ni ar 'yn ffordd yno rŵan, ar ôl galw am Siôn.'

'Siôn? Lle . . .?'

'Mae o'n dal yn Sarn, yn nhŷ Rhydian Richards.'

'Pam nad ydi *o* ddim yn yr ambiwlans efo Leah?'

'Be . . .?'

Meddyliodd Rhiannon am ennyd mai cyfeirio at Rhydian Richards roedd Alun, ond yna ymwthiodd heibio iddi ac allan at lle roedd Dyfrig yn aros yn y car, yn holi ar dop ei lais be ddiawl oedd wedi digwydd – fel 'tai Dyfrig oedd yn gyfrifol am beth bynnag oedd wedi digwydd i Leah Wyn.

Debyg iawn eu bod nhw wedi panicio – mi faswn inna hefyd, meddyliodd Rhiannon, tasa 'na rywun yn landio ar garrag 'y nrws i'n deud fod Duw-a-ŵyr-be wedi digwydd i Siôn neu Awel, ac mi faswn wedi teimlo fel eu hysgwyd nhw am beidio â gwbod yn iawn be. Roeddan nhw ar fin neidio i mewn i'r car aton ni nes i'r geiniog ddisgyn – a dyna pryd dychrynon nhw go iawn, y craduriaid, pan sylweddolon nhw y basa'n well iddyn nhw fynd â'u car eu hunain, rhag ofn y basa'n rhaid iddyn nhw aros yno.

A finna'n hunanol i gyd, yn ddistaw bach yn diolch i Dduw mai dim ond mynd yno i nôl Awel yr oeddan ni, ond roedd Morfudd wedi troi a sbio arna i'n siarp, bron fel taswn i wedi deud hynny'n uchel, cyn troi i ffwrdd a mynd i mewn i'r car. 'Mi welwn ni chi yno,' waeddais i ar ei hôl, ond chlywodd hi mohona i, dwi ddim yn meddwl.

Roedd Dyfrig yn edrych yn swp sâl; cofiai Rhiannon weld ei wyneb yn sgleinio'n wyn yn y golau pan agorodd ddrws y car a mynd i mewn ato.

'Hei . . .'

Cyffyrddodd Rhiannon gefn ei law: roedd o'n gwasgu'r olwyn yn dynn.

'Ma nhw'n iawn, yr efeilliaid . . .'

'Ydyn nhw? Be am Siôn?'

'Mae o'n ocê, medda Awel.'

'Be ddeudodd hi?'

'Be? Dyfrig, dwi newydd ddeud . . .'

'Be'n *union* ddeudodd hi, am Siôn?'

'Mae o'n tshampion.' Edrychodd Rhiannon arno, yn ymwybodol o'r tensiwn a lifai ohono fel gwres o wresogydd. 'Wedi dychryn, do, ond fel arall . . . Mae o'n disgwl amdanon ni. Ty'd . . .'

Ar y ffordd i'r Sarn, gofynnodd Dyfrig, 'Ddeudodd Awel ddim oeddan nhw wedi . . . ysti, wedi cymryd rhwbath?'

'Cymryd be? O . . . cyffuria ti'n 'i feddwl? Naddo. 'Mond bod Leah wedi syrthio a tharo'i phen. Dyfrig, dw't ti ddim o ddifri'n meddwl . . .'

'Dwi'm yn gwbod be i' feddwl,' meddai ar ei thraws. 'Ddim eto . . .'

Ond roedd o'n poeni, gallai Rhiannon ei weld yn cnoi ei wefus isaf eto, a theimlai'r briwsionyn bychan o agosrwydd roedd y ddau wedi'i rannu â'i gilydd, lai nag awr ynghynt, fel tasa fo wedi digwydd ymhell, bell yn ôl.

Ac i ddau o bobol eraill.

* * *

Yr euog a ffy heb neb yn ei erlid.

Rhedai'r hen ddihareb honno drwy feddwl Dyfrig, drosodd a throsodd fel hysbyseb ar fur electronig.

Taswn i ond yn gwybod be'n union sy wedi *digwydd*! Rhywbeth wedi digwydd i Leah, wedi baglu a syrthio a tharo'i phen. Yn ddigon drwg i rywun – pwy? – fod wedi galw am ambiwlans, ac yn ddigon drwg i griw'r ambiwlans fynd â hi i'r ysbyty.

Ac Awel, efo hi yng nghefn yr ambiwlans.

Pam Awel?

Roedd cwestiwn Alun Warren yn un dilys. Siôn ddylai fod wedi mynd efo hi; y fo ydi'i 'chariad' hi.

Lle roedd o pan frifodd Leah? Oedd o efo hi? Oedd y ffycars bach dwl wedi cymryd cyffuriau? Duw a ŵyr, ma pob matha o gachu ar gael iddyn nhw'r dyddia yma. Ddim fel pan oeddan ni'n ifanc: amball i *joint* rhwng llond stafall ohonan ni mewn parti pan oeddan ni yn y coleg, digon i wneud i ni giglo am ryw awr neu ddwy, efallai, ond dyna ni, dyna'r cwbwl.

Ond ma gen i'r teimlad mwya uffernol . . .

Mae o gen i ers i Rhiannon ateb y ffôn. 'A, y symons!' meddai Rhiannon pan ddechreuodd o ganu. 'Mi ddo i efo chdi i'w nôl nhw, Dyf' – ond yna, ei gwên yn diflannu wrth iddi wrando ar y parablu dryslyd o'r pen arall. Awel yng nghefn rhyw ambiwlans . . . 'Iawn, mi awn ni draw yno rŵan i ddeud wrthyn nhw,' meddai Rhiannon wedyn. 'Ocê, del, rydan ni ar ein ffordd; welan ni chdi cyn bo hir' – a phan drodd a sbio arna i, dyna pryd y dechreuais deimlo rhwbath bach annifyr yn deffro yn fy stumog.

'Ma rwbath wedi digwydd i Leah Wyn,' meddai, a Duw a ŵyr sut olwg oedd arna i pan ddeudodd hi hynna – be oedd i'w weld ar fy ngwep – ond diolch byth, doedd Rhiannon ddim yn sbio arna i'n iawn, roedd hi wedi dechra troi a mynd i nôl ei chôt, gan ddeud fod Awel am i ni fynd draw i dŷ Alun a Morfudd.

'Siôn . . .?' fe'm clywn fy hun yn deud.

'Ma Siôn yn iawn, Dyfrig. Ty'd, 'nei di?'

Ac fel robot mi estynnais inna fy nghôt, a goriada'r car, a dilyn Rhiannon allan o'r tŷ, a meddwl drwy'r amsar, Be ma'r ffwcin hogan 'na wedi'i neud *rŵan* eto fyth? Rhyw blydi stynt arall ganddi hi, dyna be ydi hyn – unrhyw beth i dynnu sylw ati'i hun, i dynnu fy sylw *i* ati. Unrhyw beth i drio ffwcio 'mywyd i'n gyfan gwbwl . . . heno, o bob noson, a finna *yn* dechra rhyw feddwl: Diawl, ella bydd pob dim yn iawn wedi'r cwbwl – ma Rhiannon a finna newydd brofi blas yr hen agosrwydd hwnnw oedd gynnon ni flynyddoedd yn ôl. Mi ges i'r hen Rhiannon yn ôl heno – yr hen, hen Rhiannon, fel roedd hi'n arfar bod erstalwm cyn iddi hi fynd i'r blydi cyfrynga, fel roeddan *ni*'n arfar bod cyn iddi ga'l y job yna efo Gwynant, a cha'l un comisiwn ar ôl y llall nes ei bod hi i ffwrdd yn gweithio ar ryw raglen neu'i gilydd fwy nag oedd hi gartra. A phan *oedd* hi gartra, roedd hi un ai'n gweithio tan berfeddion yn sgriptio neu'n ailddrafftio (neu 'ri-jigio', fel yr arferai ddweud), neu'n rhy flinedig i wneud dim byd mwy na cholapsio i mewn i'w gwely, a finna'n gorwadd yno wrth ei hochor yn hollol effro ac efo homar o fin, ac yn meddwl yn siŵr ei bod hi'n ca'l affêr efo rhyw ddiawl. Roedd hi bron iawn fel tasa hi'n osgoi bod efo fi. Ond blinder oedd o, dim byd arall ond blinder. Ac os oedd hi'n ca'l affêr, yna affêr efo'i gwaith oedd hwnnw.

Ac roedd o ar fin meddwl, dim rhyfadd fy mod i wedi cracio ac wedi ildio i demtasiwn Leah Wyn, pan lwyddodd i ddod o hyd i ryw flewyn bychan o hunan-barch o rywle a chyfaddef, gan sgrechian yn ei feddwl: *NA!* Dydi hynna ddim yn esgus, a phaid ti â ffwcin *meiddio* chwilio am un, y cwdyn clai, y cachwr, paid ti â meiddio! Arnat *ti* ma'r bai, y chdi a Leah, does yna ddim bai *o gwbwl* ar Rhiannon, felly paid ti â thrio chwilio am unrhyw esgus, was; paid ti â thrio beio neb arall – yn enwedig Rhiannon – am y ffaith dy fod ti'n blydi ffŵl. Ma'n iawn i chdi ddychryn, ma'n iawn i chdi boeni, a gora oll os w't ti'n cachu digon o frics i godi stad newydd o dai.

Ac os ydi hi wedi syrthio a brifo go iawn – *os* – yna ella 'i bod hi'n chwil neu wedi llyncu rhwbath. Ac ella 'i bod hi wedi agor 'i cheg ddwl – os hynny, yna dw't ti ddim wedi *dechra* poeni eto, sgin ti ddim syniad *be* ydi poen eto.

Os . . .

Ar y llaw arall, yr euog a ffy heb neb yn ei erlid, yntê?

Yr euog a ffy heb neb yn ei erlid.

17
Tyrban gwyn

Doedd o ddim wedi disgwyl *hyn*. Arglwydd mawr, nac oedd – doedd ei feddwl o ddim wedi caniatáu iddo ddisgwyl hyn. Yn hytrach, yr holl ffordd yma yn y car efo Morfudd, roedd wedi cynnig iddo ddarlun diogel o wely uchel mewn ciwbicl . . .

Yn eistedd ar ochr y gwely, a chadach neu blastar ar ei phen, byddai Leah'n aros amdanyn nhw'n ddiamynedd, ei thraed yn siglo'n ôl ac ymlaen wrth iddi sgwrsio efo Awel, a eisteddai ar gadair wrth y gwely. Y ddwy ohonyn nhw'n edrych i fyny wrth i Morfudd ac yntau gyrraedd, yn falch o'u gweld ond hefyd yn disgwyl coblyn o row am eu llusgo nhw allan mor hwyr yn y nos.

A Leah'n dweud, 'Sorri, Dad . . .' gan edrych arno efo'r olwg oredifeiriol/ffugedifeiriol honno a ddefnyddiai ar ôl iddi dramgwyddo mewn rhyw ffordd fechan ddibwys.

Roedd o wedi disgwyl y byddai'n ei ôl adref ac yn ei wely ymhell cyn hyn, wedi'i weld ei hun yn codi wrth ei bwysau rywbryd yng nghanol y bore, a phan ddôi 'nôl ar ôl bod â Jimi am dro, byddai Morfudd a Leah wedi codi hefyd – Leah â hymdingar o gur yn ei phen, ac yn teimlo'n rêl ffŵl am iddi wneud peth mor hurt â baglu, syrthio a tharo'i phen.

'Sorri, Dad.'

Ond yn lle hynny . . .

'Mi ddaw hi, yn daw?' meddai wrth y meddyg, rhyw gwbyn ifanc nad edrychai fel tasa fo wedi gorffan cachu'n felyn eto, a hwnnw'n gwrthod edrych i fyw ei lygad wrth ddweud, 'Cawn weld. Ond dyna'r gobaith.'

Ia, dwi'n gwbod be ydi'r blydi gobaith, meddyliodd Alun Warren. Os oes yna rywun yn gwbod be ydi'r gobaith, yna fi ydi hwnnw. Dwi'n llawn dop ohono fo, o'r gobaith yma. Ond yr hyn dwi isio – ei angan – ydi sicrwydd. Yr hyn dwi isio, washi, ydi dy glywad di'n chwerthin ac yn deud, 'Argol fawr, Mr Warren, daw siŵr!'

Yn sicr, doedd o ddim wedi disgwyl clywed geiriau fel 'sgan' a 'phelydr X' yn cael eu dweud am ei gyw bach melyn.

Rhoddodd ei law ar ysgwydd Morfudd.

'Mi ddaw hi, 'sti.'

Nodiodd Morfudd. Eisteddai ar gadair wrth y gwely, ei llygaid wedi'u hoelio ar wyneb Leah, ei llaw wedi'i chau am ei llaw lonydd hi. Sylwodd fod y farnish pinc golau ar un o ewinedd Leah wedi'i grafu. Mae'n siŵr fod potelaid ohono ganddi yn ei bag, o nabod Leah. Mi a' i i chwilio amdano fo toc, meddyliodd. Lle bynnag mae 'i bag hi. Y tu mewn i'r cwpwrdd acw, mae'n debyg.

Gorweddai Leah ar ei chefn . . .

'Fydd hi byth yn cysgu ar 'i chefn,' meddai Morfudd. 'Byth. Ma hi wastad wedi cysgu ar 'i hochor dde.'

. . . gyda phob mathau o geriach o'i chwmpas hi, a'r gwallt tywyll, bendigedig yna o'r golwg dan ryw dyrban mawr gwyn. Roedden nhw wedi gorfod torri rhywfaint o'i gwallt, meddai un o'r nyrsys.

'O, fydd hi ddim yn leicio hynny. Duw a'ch helpo chi pan ddeffrith hi a sylweddoli be dach chi wedi'i neud i'w gwallt hi.'

Gwenodd y nyrs ychydig yn ansicr.

'Alun?' meddai Morfudd wedyn.

'Ia?'

'Alun . . .?'

Daliodd ei llaw arall i fyny a brysiodd Alun ati a chydio'n dynn ynddi.

'Be, del?'

'Mi ddaw hi, yn daw?' meddai Morfudd.

'Daw . . .' Cliriodd Alun ei wddw. 'Daw, siŵr Dduw.'

'Daw,' meddai Morfudd, heb dynnu'i llygaid oddi ar Leah. 'Dyna dw inna'n feddwl hefyd.'

18

Gardd ac atig

Caeodd Awel ei llygaid, ond fe'u hailagorodd yn syth, ei meddwl unwaith eto wedi dangos iddi'r sneipan dew o waed a welodd yn dyhidlo o glust dde Leah Wyn.

'Rho'r gola mlaen, Siôn,' clywodd ei llais ei hun yn ei ddweud yn ddiamynedd – a phwy allai ei beio am fod yn biwis? Chwarae teg, a hithau ond newydd ddod i mewn o'r ardd gefn ar ôl trio sobri rhywfaint ar Marnel Richards . . .

'Mi fyddan ni i *gyd* wedi mynd,' gweryrodd Marnel, yn beichio crio'n feddw ar fainc bren wen a'r sêr yn glir uwchben Sarn Mellteyrn. 'Pawb ohonan ni, Awel. Ti'm yn meddwl 'i fod o'n drist?'

Nac oedd, cofiai Awel, doedd hi ddim yn meddwl ei fod yn drist o gwbwl, oherwydd ar y pryd ni allai feddwl am unrhyw beth brafiach na bod yn ddigon pell o'r tŷ gorlawn hwn a'i holl dwrw. Fe fu hi'n ddigon anlwcus i fod ar fin cloi drws y tŷ bach yn gynharach pan ffrwydrodd Marnel i mewn ati a'i llaw wedi'i gwasgu'n dynn dros ei cheg a'i llygaid fel dwy soser fawr gron, a dim ond cael a chael a wnaeth Awel i neidio o'i ffordd. Yna, a'i llaw ar dalcen poeth Marnel a'i ffroenau'n llawn o ddrewdod chwd a Bacardi Breezers, cafodd gip ar Leah Wyn yn crechwenu arni o'r cyntedd, ac yna'n troi at Siôn a dweud rhywbeth wrtho, a'i brawd yn chwerthin – y ddau ohonyn nhw yn amlwg yn chwerthin am ei phen.

Marnel, wedyn, allan yn ardd yn ei mwydro am y gân felltith honno.

'Ti'n cofio? Yn y barbeciw. Y gân lyfli honno, "Adios,

amigos . . ."' – ond roedd Marnel, wrth gwrs, yn rhy chwil i fedru cofio'r alaw heb sôn am ei chanu, ac o bellter maith clywodd Awel sŵn Woody Guthrie'n troi yn ei fedd. 'Dyna pryd ddaru o 'nharo fi, 'sti. Roedd pawb arall yn crio oherwydd geiria trist y gân, ond do'n *i* ddim, Awel. Ti'n gwbod pam mod *i*'n crio? 'Chos 'nes i feddwl, mewn chydig o fisoedd mi fyddan ni i *gyd* wedi mynd, pawb i lefydd gwahanol, a fydd petha byth 'run fath eto. *Adios, amigos* . . . ffarwél, ffrindia. Yndê?'

Cofiai Awel ei bod bron â fferru, a bod ei thethi'n brifo'n galed. Roedd ganddi gur pen yn dechrau hefyd, rhyw fudur gur a fyddai'n siŵr o chwyddo'n un gwaeth. Ceisiodd ddweud wrth Marnel fod misoedd tan y byddai pawb yn gwahanu, ond 'Na! Na – dyna lle ti'n rong, ti'n gweld,' meddai Marnel. "*Mond* misoedd sy 'na tan hynny. Buan iawn yr awn nhw, Awel. Mi fyddan nhw wedi mynd cyn i chdi droi rownd. A misoedd yn llawn o . . . yn llawn o *shit* 'yfyd!' Rhoes Marnel waldan feddw i'r fainc bren lle'r eisteddai'r ddwy. 'Blydi ffwcin shit arholiada . . .' Dechreuodd igian crio eto. 'Ti'n gwbod be, Awel? Ti'n gwbod be?'

'O, ffor ffycs sêc, be?'

'Dwi'm *isio* gneud Lefel A. Dwi'm *isio* mynd i'r *ffwcin* Meirion-Dwyfor 'na bob dydd, a dwi'm *isio* mynd i'r coleg wedyn.'

Mwy o frefu crio. Roedd Awel wedi ceisio'i chodi oddi ar y fainc, ond roedd Marnel yn rhy drwm iddi.

'Ty'd i mewn i'r tŷ rŵan . . .'

'Na . . . ty'd ti yma . . . stedda efo fi am funud . . .' – a bu raid i Awel wrando ar ryw fonolog ddiflas am sut roedd hi wastad wedi ystyried Awel yn ffrind gora iddi, a bod pawb arall yn ei chymryd yn ysgafn. Yr hogia i gyd yn meddwl ei bod yn rhy dew, a doedd yr un ohonyn nhw – o'r holl hogia a oedd yno heno, yn ei thŷ *hi* – doedd yr un ohonyn nhw wedi rhoi mwy na sws glec iddi ar ei boch, a hithau'n cael ei phen-blwydd. A'i bod hi, Marnel, am ddeud wrth ei rhieni ei bod am fadal *rŵan* a mynd i weithio yn Spar neu Tesco, ac y byddai'n hapusach o beth myrdd, meddai.

'A ti'n gwbod be? Awel . . .?'

'Be?'

'Ma 'na lot o rieni, yndê, 'mond isio i ni neud yn dda yn y Lefel A er mwyn iddyn nhw fedru deud wrth bobol erill: Hei, ma'n hogan ni yn y brifysgol. Ti'm yn meddwl?'

Ceisiodd orffwys ei phen ar ysgwydd Awel wrth i'w llygaid ddechrau cau, ond doedd Awel ddim am adael i hynny ddigwydd, *no way Jose*, a llwyddodd o'r diwedd i'w thywys yn ôl i'r tŷ, lle roedd y gegin dan ei sang a lle'r edrychai wyneb Marnel fel marmor gwyn yn y golau cryf, a . . .

. . . a be wedyn?

Siôn, dyna be, rywle rhwng y gegin a'r ystafell fyw, yn dod ati a gwên hollol hurt ar ei wep. A chofiai feddwl, be ma hwn wedi bod yn 'i gymryd? – oherwydd edrychai fel tasa fo ar fin colli arno'i hun, ei wyneb bron cyn wynned ag un Marnel. A meddyliodd Awel, dyma'r peth dwytha dwi'i angan rŵan, yr idiot yma wedi bod yn smocio rhyw shit neu'i gilydd neu wedi llyncu E neu rwbath – ac os ydi o, yna bygro fo, does gynno fo ddim byd i' neud efo fi. Dwi wedi blino ar orfod edrach ar ôl pobol.

Roedd Eminem a'i sŵn yn fyddarol; gwelodd fod gwefusau Siôn yn symud wrth iddo geisio dweud rhywbeth wrthi ond roedd yn amhosib clywed na dallt yr un gair efo'r holl dwrw.

'Be . . .?'

Cododd Siôn ei fysedd i'w geg a brathu ei ewinedd cyn sylweddoli ei fod yn gwneud hynny, a thynnu'i law yn ôl i lawr. Edrychodd o'i gwmpas fel tasa fo ar goll, a dyna pryd y dechreuodd Awel gael y teimlad fod rhywbeth arall yn bod, rhywbeth mwy na dim ond meddwdod, ac meddai, 'Siôn – be sy? Ti'n ocê?'

Roedd Siôn wedi edrych i fyw ei llygaid ac yna wedi

ysgwyd ei ben. '*Be*, Siôn?' holodd Awel, a phlygodd Siôn er mwyn dweud yn ei chlust, 'Leah. Ma rwbath wedi digwydd i Leah.'

'Fel be?' Syllodd Siôn arni. Ysgydwodd ei ben eto, yn araf. 'Be ydi'r matar efo hi? Siôn!'

Roedd o wedi dechrau edrych o'i gwmpas eto, a'r un olwg goll honno yn ei lygaid, a chofiai Awel ei bod wedi'i bwnio yn ei ysgwydd, wedi teimlo fel rhoi sawl slasan iddo ar draws ei wyneb yn y gobaith o ddileu'r hen olwg goll honno. 'Lle *ma* hi?' gofynnodd, ac roedd Siôn wedi troi am y grisiau, cyn edrych yn ôl ar Awel gan wneud iddi feddwl am gi ffyddlon oedd wedi dod i chwilio am rywun a fedrai helpu ei feistres.

Aethant i fyny'r grisiau, er nad oedden nhw i fod i fynd i fyny i'r llofftydd – roedd rhieni Marnel wedi pwysleisio fod y llofftydd owt-of-bownds – ond yno roedd Siôn yn mynd, yn dringo'r grisiau â chamau cyndyn fel dyn yn mynd i fyny stepiau'r crocbren.

'Siôn . . .'

Ro'n i wedi dechrau myllio go iawn efo fo erbyn hynny, cofiai – yn siŵr ei fod o a Leah Wyn wedi bod yn shagio, yng ngwely tad a mam Marnel, ella. Gwely dwbwl neis, yn ormod o demtasiwn, yno'n eu gwahodd, ac roedd yr hulpan Leah Wyn yna wedi cael gormod i'w yfad ac wedi chwdu dros y gwely, ac roedd yr idiot brawd 'ma sy gen i'n rhy ffwcin llywath i neud dim byd am y peth ei hun ac wedi dŵad i chwilio amdana i – amdana *i* – a fynta ddim ond rhyw awr ynghynt wedi bod yn chwerthin am 'y mhen i, y fo a Leah Wyn . . . Ond mi aeth Siôn heibio i'r llofftydd a chychwyn i fyny grisiau'r atig, lle roedd ystafell brawd Marnel – Gwion? Garmon? – dipyn o nyrd os dwi'n ei gofio fo'n iawn, wedi mopio'i ben efo seryddiaeth . . .

'Siôn, 'nei di plis ddeud wrtha i . . .'

Ond roedd Siôn wedi sefyll yn stond yn nrws yr atig, ac yn syllu i gyfeiriad llawr yr ystafell.

‘Siôn . . .’

‘Ro’n i wedi gobeithio y basa hi wedi dŵad ati’i hun. Wedi codi . . .’

‘Symud o’r ffordd . . . *Siôn*!’

Symudodd, fel petai’n gyndyn o wneud hynny, fel petai’n difaru’i fod o wedi mynd i chwilio am ei chwaer yn y lle cyntaf . . . ac Awel yn gweld Leah Wyn yn gorwedd ar lawr yr ystafell, ar ei bol, ei hwyneb wedi troi ac yn wynebu’r drws. Roedd ei llygaid ynghau.

‘Leah . . .? Leah!’ Trodd Awel at ei brawd a gofyn, ‘Ocê, be ma hi wedi’i gymryd?’

‘Be?’

‘Ty’d ’laen, Siôn, ma’r hogan yn amlwg allan o’i phen ar rwbath.’ Ond roedd yn amlwg na châi fawr o synnwyr gan Siôn, felly aeth i mewn i’r ystafell a phenlinio wrth ochr Leah, a dyna pryd y dywedodd wrtho am roi’r gola mlaen, wir Dduw, er mwyn iddi fedru gweld . . .

. . . er mwyn iddi fedru gweld y sneipan dew o waed a lifai’n ddiog o glust dde Leah Wyn.

‘Baglu wna’th hi.’ Siôn, yn siarad ffwl sbid y tu ôl iddi. ‘Baglu . . . baglu . . . a syrthio, a hitio’i phen yn erbyn cornol y peth ’na, y *chest of drawers* ’na. Hwnna yli, Awel. Hitio’i phen yn erbyn hwnna, ar ôl baglu’ – a throdd Awel yn araf ac edrych arno, a gweld fod ei wyneb yn dweud y cyfan wrth iddo dewi ac edrych i ffwrdd oddi wrthi . . .

Meddyliodd Awel, ar y pryd ac wedyn yn yr ambiwlans a’r ysbyty, ac ar ôl mynd adref, ac yna drwy weddill y nos a thrwy’r bore ac eto rŵan – meddyliodd Awel: Dwi ddim yn ei goelio fo, a gorweddodd yn ei gwely a’i breichiau wedi’u lapio’n dynn am ei chorff.

Yn dynn, dynn.

19

Un rheino a dwy hyena

Rhoddai Siôn y byd am fedru cysgu, ond roedd Awel wedi'i ddeffro . . . oedd, mi *oedd* hi wedi'i ddeffro pan ddaeth i mewn i'w ystafell a dweud ei enw. Ac yntau wedi troi ati hi neithiwr . . .

Neithiwr . . . o, plis Dduw a Iesu Grist, plis wnewch chi droi neithiwr yn ddim byd mwy na rhyw hunllef.

. . . doedd arno ddim eisiau hyd yn oed sbio arni heddiw, a gorfod gweld y llygaid llonydd rheiny'n treiddio i mewn i'w lygaid, ei lygaid euog o. Oherwydd roedd hi'n *gwybod*, roedd o'n siŵr o hynny. Roedd ei chwaer yn gwybod ei fod o wedi dweud clwydda – wrthi hi, wrth ei fam, wrth y dynion ambiwlans, wrth yr holl wynebau hynny. A thrwy'r amser, tra oedd o'n dweud ei glwydda wrth bawb, roedd o wedi gallu teimlo'r llygaid rheiny arno, ar ei wyneb celwyddog.

Ac eto, rŵan, ac yntau'n smalio cysgu, roedd y llygaid wedi'u hoelio arno. Gallai eu teimlo arno . . . teimlo'u pwysau, fwy neu lai. A Duw a ŵyr sut y llwyddodd i beidio â sgrechian dros y tŷ pan deimlodd Awel yn dod at ei wely, a chlywed ei llais yn sibrwd, 'Dwi ddim yn dy goelio di.'

Awel, a oedd wastad wedi bod yno i edrych ar ei ôl. Ers pan oedden nhw'n blant bach. Ond roedd hi hefyd yn feistres arno, rhywbeth a oedd yn llawer iawn mwy amlwg i bobol eraill nag iddo fo ei hun: roedd y Siôn hamddenol wedi rhyw dderbyn mai fel yna roedd pethau i fod, ac yn ddigon bodlon ufuddhau iddi a gadael iddi gael ei ffordd ei hun. Roedd yn well ganddo hynny na chael Awel yn flin hefo fo.

'Paid â gada'l iddi dy ordro di o gwmpas,' cynghorai ei dad o yn aml, 'neu felly y bydd petha efo chdi weddill 'ych bywyda.'

'Ia, gwranda di ar dy dad,' ategai Rhiannon, ond yn aml gan daflu winc i gyfeiriad Awel, a wyddai'n iawn, ers pan oedd hi'n ddim o beth, ei bod yn llawer rhy hwyr i Siôn druan feddwl am newid y drefn. 'Mae o'n siarad o brofiad, cofia,' ychwanegai Rhiannon yn sarrug, gan wneud i Dyfrig wingo'n annifyr.

Wrth iddyn nhw dyfu'n hŷn, daeth yr efeilliaid i ddeall mai cyfeirio at Anti Delyth, chwaer eu tad, a wnâi Rhiannon. Ni fu erioed fawr o Gymraeg rhwng Rhiannon a Delyth: brawddegau byrion a chwrtais ar y gorau, ond go brin y byddai Awel yn troi'n Ddelyth arall. Roedd hi'n rhy ofalus o'i brawd, gymaint felly nes bod ei hofn, braidd, ar ffrindiau Siôn. 'Y . . . dydi dy chwaer ddim am ddŵad hefyd, nac'di?' holai sawl un o'r hogia eraill, gyda pheth nerfusrwydd, pan drefnai Siôn i fynd allan i chwarae gynt. Roedd hi'n ormod o domboi iddyn nhw, yn orawyddus i fentro pan fydden nhw'n petruso, ac yn rhy barod i waldio a chicio – annheg iawn, tybient, gan eu bod nhw gan amlaf wedi cael eu magu i beidio â chodi bys yn erbyn yr un eneth.

Lleihau a wnaeth hyn wrth i'r ddau ohonyn nhw dyfu'n hŷn – hynny yw, ciliodd y tomboi o'r golwg, er i Siôn gael ambell fflach ohono o bryd i'w gilydd, fel petai'n ei atgoffa ei fod yn dal yno.

A phob tro y meddyliai Siôn am hyn, meddyliai hefyd am Shirley Mererid. Neidiai i'w gof fel rhyw ddiafol mewn pantomeim yn sboncio i fyny ar y llwyfan, ac fel arfer gwnâi Siôn ei orau i'w gwthio'n ôl i lawr, o'r golwg, o'i gof. Ond heddiw croesawodd hi, oherwydd roedd hyd yn oed meddwl am Shirley Mererid yn well na meddwl am neithiwr.

Edrychai Shirley, iddo fo, fel un o gamgymeriadau Duw. Roedd wedi sylwi arni'n ei lygadu'n filain ers ei wythnos gyntaf yn yr ysgol uwchradd. Un o Roshirwaun oedd hi – tas wair o hogan â gwallt browngoch, rhydlyd a budur ei olwg. Sgwariai o gwmpas yr ysgol gyda dwy ffrind denau a chwarddai'n hurt bost ar ei holl gastiau – ac fel y dywedodd un o ffrindiau Siôn, tasan nhw mewn cartŵn gan Disney, yna mi fasan nhw'n cael eu portreadu fel rhinoseros gas a dwy hyena wirion a slei.

Ni fu'n hir cyn i'r llygadu milain droi'n rhywbeth mwy corfforol. Wrth iddo aros i gael mynd i mewn i'r neuadd un diwrnod, teimlodd bwniad poenus yng ngwaelod ei gefn. Trodd i weld Shirley a'r ddwy arall yn sefyll y tu ôl iddo, a Shirley'n gwneud sioe fawr o edrych yn orddiniwed i bob cyfeiriad ond i lawr arno fo. Yna cymerodd arni sylwi ar Siôn am y tro cyntaf.

'Be?' meddai.

Doedd y Siôn un ar ddeg oed ddim wedi dechrau prifio go iawn yn y dyddiau hynny, ac edrychai Shirley'n anferth iddo. Teimlai ei geg yn mynd yn sych.

'Paid . . .' oedd y cwbl y medrai'i ddweud.

'Be ti'n feddwl – paid? Paid be? Dwi'm yn gneud dim byd. 'Mond sefyll yma, yn meindio musnas 'yn hun.'

Dechreuodd y ddwy arall biffian chwerthin. Trodd Siôn oddi wrthi, ond yna teimlodd bwniad arall, mwy ciaidd na'r un cyntaf o beth myrdd, reit yng ngwaelod ei asgwrn cefn nes i'w lygaid lenwi â dagrau poethion. Ni fedrai beidio â griddfan yn uchel wrth i'r boen ledu drwy'i ganol. Bron cyn waethed oedd y ffaith fod nifer o'r disgyblion eraill wedi troi a'i weld yn crio, i bob pwrpas, ond ni ruthrodd neb i'w amddiffyn. Clywodd y ddwy hyena yn giglan y tu ôl iddo, a phan fentrodd droi, gwelodd y tair yn cerdded i lawr y coridor.

Gwnaeth ei orau i gadw'n ddigon clir oddi wrth Shirley Mererid, ond amhosib oedd gwneud hynny drwy'r amser. Er ei bod mor fawr, mor amlwg, roedd ganddi'r ddawn i ymddangos o nunlle y tu ôl iddo, wastad yng nghwmni'r ddwy hyena, gan ei faglu neu ei bwnio eto fyth yng ngwaelod ei gefn. Hyd y gwyddai, doedden nhw byth yn pigo ar Awel. Mae'n siŵr fod pigo ar hogyn yn gwneud i'r bwystfil o hogan yna deimlo'n well, penderfynodd.

Ond buan iawn y daeth Awel i glywed am hyn.

'Pam na roi di waldan i'r bitsh?' gofynnodd.

'Fedra i ddim, siŵr. Hogan ydi hi, 'de? A ma hi'n fwy na fi o beth wmbrath. *Ac* mae 'na dair ohonyn nhw.'

'Queen Kong rydan ni'n 'i galw hi,' meddai Awel.

'Be . . . i'w hwynab?' Rhythodd Siôn arni gyda rhywbeth tebyg iawn i edmygedd.

'Wel . . . ocê, naci, fydd criw *ni* ddim, ella,' cyfaddefodd Awel. 'Ond dwi 'di clywad lot o'r genod hŷn yn gneud hynny. Ma hi'n dipyn o jôc, 'sti – y hi a'r ddwy ffrîc dena 'na sy efo hi drwy'r amsar.' Edrychodd ar ei brawd. 'Bwli ydi hi, Siôn. Ma pob bwli yn fabi swci go iawn, ti'n gwbod hynny. 'Mond troi arni hi sy isio.'

Ia, digon hawdd oedd i Awel ddweud hynny: doedd hi ddim wedi cael ei thargedu, nagoedd? Yn ddistaw bach hefyd, gwyddai Siôn nad rhywbeth mor anrhydeddus â sifalri henffasiwn oedd yn ei rwystro rhag troi ar Shirley a'i ffrindiau. Roedd arno'u hofn, dyna oedd y gwir amdani, ac wedi dod yn hen gyfarwydd â theimlo'i du mewn yn troi fel buddai bob tro y meddyliai amdanynt.

'Dwi'm yn dallt pam 'i bod hi'n pigo arna i,' meddai. 'Dwi rioed wedi gneud dim byd iddi hi.'

Roedd Awel wedi rhythu arno.

'Ma'n amlwg pam, yn dydi?'

'Ydi . . .?'

'Dad, yndê.'

'Dad?'

Yn ddiniwed i gyd, doedd o erioed wedi meddwl y byddai'r ffaith ei fod o'n blentyn i un o athrawon yr ysgol yn ddigon i'w droi'n darged i greaduriaid fel Shirley Mererid.

'Ond sgin *i* mo'r help, nagoes, fod Dad yn dad i mi? Mae o'n dad i chditha hefyd – pam dydi hi'm yn pigo arnat ti?'

''Chos ma hi'n gwbod be 'sa hi'n ga'l tasa hi'n trio,' atebodd Awel.

Anwybyddodd Siôn hyn.

'Ydi Dad wedi gneud rhwbath iddi, felly?' gofynnodd.

'Ma'n siŵr. 'Swn i'm yn meddwl bod rhywun fel Queen Kong wedi para heb ga'l bolocing gynno fo rywbryd.'

'Grêt . . .'

'Gofyn iddo fo.'

'Be . . .? Fedra i ddim gneud hynny, siŵr. Mi fasa fo'n mynd ar 'i hôl hi, ac wedyn mi fasa hi a'r ddwy arall 'na'n dŵad ar f'ôl i, ac mi faswn i'n 'i cha'l hi'n waeth o beth uffarn gynnyn nhw.' Craffodd ar ei chwaer wrth i rywbeth ei daro. 'Ti'm *wedi* sôn wrth Dad a Mam, naddo?'

Ysgydwodd Awel ei phen. 'Pam, ti isio i mi neud?'

Oes, meddyliodd Siôn, os ydi hynny'n golygu na fyddan nhw hyd yn oed yn sbio arna i eto, yna oes-oes-oes! Ond meddai, 'Arglwydd, nag oes! Paid ti â meiddio, cofia.'

Roedd achwyn fel yna'n mynd yn erbyn y graen, rywsut. Gallai'r ysgol fod yn llym iawn efo unrhyw un oedd yn cael ei ddal yn bwlio, gwyddai; roedd y Prifathro'n casáu hynny'n fwy na dim. Felly rhyw hen boenydio slei a wnâi Shirley, ac roedd hi'n ddigon call i ofalu peidio â gwneud hynny pan oedd aelodau o'r staff o gwmpas.

Bob nos, bron, gorweddai Siôn yn ei wely gan deimlo'r casineb mwyaf ofnadwy tuag at Shirley Mererid. A'i ffrindiau hurt, hefyd, ond tuag ati hi yn bennaf, oherwydd credai y byddai'r ddwy arall yn rhy lywaeth i wneud fawr ddim heb Shirley yno i'w harwain. Roedd o mor annheg, meddyliodd. Roedd o'n hoffi'r ysgol uwchradd yn fawr, yn mwynhau'r gwersi, ac wedi edrych ymlaen at gael cychwyn yno. Ond roedd y tair anghenfil yma'n difetha popeth, a chan nad oeddan nhw ond tair blynedd yn hŷn na fo, roedd yna o leiaf flwyddyn arall o artaith cyn y bydden nhw'n gadael.

'Ma *raid* i chdi ddeud wrth rywun,' mynnodd Awel. Roedd hi newydd gael cip ar glais hyll oedd wedi blodeuo ar waelod ei gefn. Gwyddai'n syth mai Shirley Mererid a'i migyrna caled a milain oedd yn gyfrifol amdano, er gwaethaf gwadu llipa Siôn. 'Os na 'nei di, yna mi wna i.'

'Plis paid.'

'*Pam*? Yli, fedri ddim cario mlaen fel hyn . . .'

'Dwi'm yn mynd i achwyn!' Llanwodd ei lygaid a throdd oddi wrthi i guddio'r dagrau. Ond roedd o'n rhy hwyr – roedd llygaid siarp Awel wedi'u gweld.

'Be fasa'n digwydd wedyn – y?' meddai wrthi.

'Mi fasat ti'n ca'l llonydd.'

'Ella – ond mi fasa pawb yn meddwl amdana i fel rhyw fabi sy'n achwyn wrth Dad am y peth lleia.'

'Siôn, dydi hwn ddim *yn* beth bach . . .'

'Ond dyna fasa pawb yn meddwl!' taerodd Siôn. 'Mi fasa'n haws o lawar tasa Dad yn gweithio mewn rhyw ysgol arall.'

Nodiodd Awel. Siân Jones oedd eu hathrawes Gymraeg eleni, ond un diwrnod eu tad a fyddai'n sefyll o'u blaenau yn yr ystafell ddosbarth – a doedd yr un o'r ddau'n edrych ymlaen rhyw lawer at y diwrnod hwnnw.

'Ydi Dad wedi gneud rwbath iddi, sgwn i?' meddai Awel ymhen sbel.

'Be?'

'Jest meddwl o'n i. Ma hi wastad wedi bod yn un am bigo ar bobol sy'n iau na hi, yn ôl be ma pawb yn 'i ddeud. Ond ma hi *rîli*'n pigo arna chdi. Dydi hi rioed wedi sbio ar Leah Wyn.'

'Wel nac'di siŵr, ma Leah'n ferch i Warren *Wood*, yn dydi? Ma ar bawb ofn hwnnw.'

Dros y blynyddoedd, roedd Alun Warren wedi dysgu'r grefft o wylltio, neu o ymddangos fel petai'n gwylltio, a hynny'n reit aml dros y peth lleiaf. Yn eu diniweidrwydd un ar ddeg oed, doedd yr efeilliaid ddim eto wedi dallt mai act fawr oedd y cyfan ganddo.

Ond dyna egluro, efallai, pam fod Awel wedi cael llonydd gan Shirley Mererid: roedd hi wastad yng nghwmni Leah

Wyn, a fasa pigo ar Leah – ac felly, drwy gysylltiad, unrhyw un o'i ffrindiau – ddim ond yn gofyn am drwbwl.

Yna, un diwrnod, yn ystod egwyl y prynhawn, gwelodd Siôn y tair hunllefus yn anelu tuag ato ar draws y buarth, a phawb o'u cwmpas yn symud i'r ochr o'u ffordd, fel tonnau'r Môr Coch.

Edrychai Shirley'n fwy ffiaidd nag erioed heddiw. Roedd ei hwyneb yn goch a'i gwefusau bach tewion wedi'u gwasgu'n dynn at ei gilydd, a'i geiriau cyntaf ddeudodd hi wrth Siôn oedd, 'Ma dy dad di'n fastad.'

'Be?'

Gwthiodd ei hwyneb reit i fyny yn erbyn wyneb Siôn. Roedd ei hanadl yn drewi o greision caws a nionyn, a mynnai cof Siôn ddweud wrtho wedyn fod darnau o'r creision fel slwj anghynnes rhwng ei dannedd a darnau eraill wedi cremstio yng nghorneli ei cheg.

'Ma dy dad di,' meddai, 'yn fastad.'

'O . . .' meddai Siôn.

Diolch, Dad, meddyliodd. Be bynnag ydach chi wedi'i neud i hon, diolch yn fawr iawn . . .

. . . ond bron cyn iddo orffen meddwl hyn, roedd o ar ei gefn ar lawr, diolch i'r hen, hen dric hwnnw; tra oedd Shirley'n bytheirio drewdod caws a nionyn i'w wyneb, roedd un o'r ddwy hyena wedi mynd i lawr ar ei phedwar y tu ôl iddo. Cafodd wthiad gan Shirley nes ei fod yn rhowlio'n bendramwnwgl dros gefn yr hyena, a tharo cefn ei ben yn galed yn erbyn concrid y buarth. Yr eiliad nesaf, cafodd yr argraff fod adeilad yr ysgol wedi disgyn arno, ond Shirley Mererid oedd yno mewn gwirionedd, wedi'i phloncio'i hun ar ei frest. Dechreuodd slapio'i wyneb o, dro ar ôl tro. Roedd ei phwysau ar ei fron yn ei fygu, a'i ben yn dal yn llawn sêr ar ôl taro yn erbyn y concrid, a meddyliodd Siôn, yn hollol wallgof: Diolch i Dduw mai trowsus sy ganddi amdani, nid sgert, neu mi faswn i'n gallu gweld reit i fyny at ei hen beth hi . . .

Yna symudodd y pwysau annioddefol oddi arno'n ddirybudd, a sylweddolodd Siôn fod yna dawelwch sydyn wedi syrthio dros y buarth. Cododd ei ben i weld fod Shirley, bellach, yn gorwedd ar ei hyd, ac Awel yn sefyll uwch ei phen. Deallodd wedyn fod Awel wedi rhuthro am Shirley a'i thynnu oddi arno gerfydd ei gwallt. Ar ei phedwar erbyn hyn, edrychai Shirley'n fwy fel rhinoseros nag erioed wrth iddi guchio ar Awel.

'Ffwcin hel,' meddai. 'Ffwcin hel . . .'

Roedd yna syndod yn ei llais; wedi'r cwbl, doedd y ffasiwn beth erioed wedi digwydd iddi hi o'r blaen. Ac i feddwl mai hogan fach ifanc ym mlwyddyn saith oedd wedi'i wneud iddi . . . wel, meddai pawb wedyn, dim rhyfedd ei bod hi'n ffwcin-'el-io.

Gyda sŵn tebyg i'r rhuo gwichlyd hwnnw a geir gan rinoserosiaid wrth iddyn nhw ruthro, dechreuodd Shirley godi.

Ond chododd hi ddim llawer. Cythrodd Awel amdani gan blannu'i dwrn bach esgyrnog reit yng nghanol ei thrwyn.

Eisteddodd Shirley ar ei phen-ôl. Cododd ei llaw at ei thrwyn. Doedd yr ergyd ddim wedi gwneud iddo waedu, ond daethai â dŵr i'w llygaid.

'Ffwcin hel!' meddai eto.

Dechreuodd godi eilwaith, ac unwaith eto, rhuthrodd Awel yn ei blaen, ac am yr eildro teimlodd trwyn Shirley'r dwrn bach esgyrnog hwnnw'n ffrwydro yn ei erbyn. Y tro hwn roedd yn ormod iddo, a blodeuodd y trwyn fel pabi coch mewn ffilm natur wedi'i chyflymu.

Erbyn hyn roedd cryn chwerthin i'w glywed o'u cwmpas. Chwiliodd Shirley'n wyllt am y ddwy hyena, ond roedd y rheiny wedi sleifio i ffwrdd yn llechwraidd.

'Ti isio un arall?' meddai Awel wrthi.

Syllodd Shirley arni drwy niwl ei dagrau, ac ysgwyd ei phen.

'Nag oes,' meddai. 'Nag oes.'

Cymerodd yr ornest Dafydd a Goleiath hon ei lle yn syth

bìn yn chwedloniaeth yr ysgol. Dros nos, trodd Shirley Mererid o fod yn Queen Kong i fod yn debycach i *cheetah* o un o hen ffilmiau Tarzan – rhywun a ysbrydolai chwerthin yn hytrach nag ofn.

Braf cael dweud, felly, fod Siôn wedi cael llonydd perffaith ganddi ar ôl y diwrnod hwnnw.

Yr unig rai na chawsant eu synnu'n ormodol, wrth gwrs, oedd ffrindiau Siôn o Ysgol Crud y Werin gynt. Edrych ar ei gilydd a nodio'n ddoeth wnaethon nhw, yn gwybod ers blynyddoedd nad oedd Awel yn un i dynnu'n groes iddi.

Ond beth am Siôn? Wel, mi gymerodd gryn dipyn iddo fo ddod ato'i hun. Onid y dynion sydd i fod i drechu'r dreigiau ac achub y merched – nid fel arall rownd?

'Doedd dim isio i chdi fusnesu,' meddai wrth Awel y noson honno. 'O'n i ar fin 'i sortio hi fy hun pan gyrhaeddist ti.'

'*Oeddat* ti?'

'O'n!'

'Gorwadd ar dy gefn fatha lledan ar dywod oeddat ti pan welis i chdi.'

'Ia, wel – jest gwitsiad i ga'l 'y ngwynt yn ôl ro'n i.'

'Reit, twll dy din di, 'ta. Mi gei di'i sortio hi allan dy hun y tro nesa, os ma fel'na ti'n teimlo.'

Martsiodd o'r ystafell.

'Ia, mi blydi wna i 'yfyd!' gwaeddodd Siôn ar ei hôl. Yna, yn llai hyderus: 'Mi wna i . . .'

Ond, trwy drugaredd, ni fu unrhyw dro nesaf. Bu'n rhaid iddo gymryd ei bryfocio gan ei ffrindiau ond pharodd hynny ddim yn hir iawn. Yn ddistaw bach, gwyddai'r hogia eraill mai gorwedd fel lledod ar dywod y buasent hwythau hefyd tasa Shirley Mererid wedi dewis eistedd arnyn nhw.

Ond be oedd Dyfrig wedi'i wneud i Shirley, i gynnau ynddi'r fath awydd i ddial ar Siôn?

Y nesa peth i ddim, fel mae'n digwydd – dim ond rhoi row iddi mewn gwers.

* * *

Neithiwr, bron heb feddwl, roedd o, Siôn, wedi troi eto at Awel, ac unwaith eto roedd Awel wedi dod i'w helpu. Ac roedd wedi diolch iddi trwy ddweud celwydd wrthi.

Wel, hanner celwydd. *Roedd* Leah wedi syrthio a tharo'i phen – ond, wrth gwrs, nid bagliad damweiniol a oedd wedi peri iddi syrthio yn y lle cyntaf . . .

Yn ei wely, ac yn ddiarwybod iddo'i hun, plygodd Siôn ei gorff gan dynnu ei bengliniau reit i fyny yn erbyn ei frest. Claddodd ei wyneb yn y gobennydd mewn ymdrech i fygu'r waedd oedd yn bygwth dianc o'i wddf.

Petai Leah ddim wedi crio – petai hi 'mond heb grio . . .

Ond roedd hi wedi crio, a hynny a wnaeth iddo'i choelio a sylweddoli'r cyfan. Eiliad neu ddau gymerodd hi iddo ddeall popeth – pam fod Leah wedi'i wthio i ffwrdd oddi wrthi yng ngŵyl Wakestock â'r fath atgasedd, pam ei bod wedi sgrechian yn ei glust, 'Y chdi ydi'r boi *dwytha* 'swn i'n mynd efo fo!'

Mae'n rhaid ei bod hi . . . hyd yn oed yr adeg honno . . . hi a'i dad . . .

Ei *dad*!

Roedd yn egluro hefyd pam ei bod hi wedi newid mor ddirybudd – wedi dod ac eistedd wrth ei ochr yn y barbeciw hwnnw, wedi closio ato gan rwbio'i bron yn erbyn ei fraich, wedi codi'i hwyneb tuag ato a'i gusanu.

Doedd hi 'mond wedi mynd efo fo oherwydd ei *dad* – er mwyn cael bod yn agos at ei *dad* . . .

. . . a hwyrach, meddyliodd rŵan, y basa rhyw seicolegydd clyfar yn dweud mai gwylltio efo *Dad* wnes i neithiwr mewn gwirionedd – mai rhoi sgwd galed i *Dad* ro'n i pan gollais arni a gwthio Leah oddi wrtha i.

Wel, ella'n wir.

Ond dwi ddim yn meddwl hynny, rywsut.

Y gwir amdani ydi, *hi* ro'n i'n ei chasáu neithiwr. Hi a'i hwyneb grotésg, yn hanner crio a hanner gwenu – o do, hyd yn oed yn ei dagrau, mi wnaeth ei gorau i wenu'n sbeitlyd arna i. Ac ro'n i wedi edrych ymlaen cymaint at gael caru efo hi, caru go iawn . . . A dyna be fasa fo, hefyd, o'm rhan i: *caru*. Doedd arna i ddim eisiau i neithiwr ddigwydd fel y digwyddodd o. Roedd neithiwr yn hyll, yn flêr ac yn fudur. *Ffwc* oedd o, dyna'r cwbwl, yn holl ystyr cwrs a diramant y gair, y gair ffiaidd ac onomatopëig hwnnw.

A ffwc wael ar ben hynny.

Ddim hanner cystal â Dad . . .

Sgrialodd allan o'i wely a dim ond cael a chael i gyrraedd yr ystafell ymolchi. Chwydodd i mewn i'r toiled, heb fawr feddwl fod ei dad yn gwneud yn union yr un peth, ar yr un adeg ac ar ei liniau yn nhonnau bach y môr.

Pan ailagorodd y drws, roedd Awel yn sefyll y tu allan ar y landin, ei llygaid yn syllu arno.

'Wel?'

Edrychodd arni.

'W't ti'n barod rŵan i ddeud wrtha i be ddigwyddodd nithiwr?'

20

Glaw mân ar y tywod

Teimlai Alun Warren ychydig yn benysgafn cyn gorffen ei sigarét. Tynnodd hi o'i geg a rhythu arni fel petai hi wedi'i fradychu, cyn ei gollwng ar lawr y maes parcio a'i sathru.

Roedd hi'n bwrw glaw mân, ac roedd copaon agosaf Eryri o'r golwg yn y cymylau isel. Crynodd a mynd i mewn i'r car.

'Reit, del . . .'

Taniodd y car.

'Ti'n iawn i ddreifio?' Roedd llais Morfudd yn dew gan flinder, a'i dôn yn ddi-ffrwt.

'Yndw, yndw . . .'

Soniodd o ddim am y chwiban isel oedd yn llenwi'i ben, nac ychwaith fod ei lygaid yn llosgi fel tasa rhywun wedi tywallt halen a finag arnyn nhw.

Dechreuodd Morfudd bendwmpian cyn iddyn nhw gyrraedd Caernarfon. Erbyn Dinas Dinlle, roedd hi'n cysgu'n sownd.

Ceisiodd Alun feddwl am yr holl bethau yr oedd angen iddo'u gwneud. Roedd o eisoes wedi ffonio Esyllt a Mari: byddai Esyllt adref ryw ben fory, a Mari erbyn canol yr wythnos o Gaeredin.

'Sdim rhaid i chdi ddŵad, 'sti,' roedd o wedi'i ddweud wrthi. 'Does 'na ddim llawar y medri di 'i neud, fel ma petha ar hyn o bryd.'

'Mi fedra i fod yno, Dad.'

A ffonio'r ysgol: roedd rhifau ffôn cartrefi'r ddau ddirprwy a'r prifathro ganddo, ond nid edrychai ymlaen at ateb y cwestiwn anochel, 'Pryd wyt ti'n meddwl y byddi *di* 'nôl,

Alun?' Doedd ganddo ddim clem, dyna oedd y gwir amdani, ac ofnai fethu dweud hynny heb i'w lais dorri.

Doedd Jimi'r ci ddim yn broblem; roedd y dyn drws nesa wedi mynd â fo i wneud ei fusnes droeon yn y gorffennol, a doedd dim ond angen gofalu bod ganddo ddigon o fwyd a dŵr yn ei ddysglau . . . Ond ma'n siŵr y byddai'r cradur wedi methu dal ers neithiwr, hefyd, meddyliodd Alun. Dyna fydd y joban gynta, ac mi a' i â fo allan tra bydd Morfudd yn hel petha at 'i gilydd.

A phiciad draw i Benrallt yr un pryd, i ga'l gair efo'r hulpyn hirwallt 'na er mwyn ca'l ar ddallt be'n union ddigwyddodd yn y blydi jamborî 'na neithiwr – ond ella mai gwell fasa peidio â sôn am hynny wrth Morfudd.

Agorodd fymryn ar ffenestr y car, gan obeithio y byddai'r awyr iach yn ei gadw'n effro.

* * *

Trwy ffenestr ei llofft, gwelodd Awel ei thad yn cyrraedd adref ar ôl bod yn rhedeg, yn wlyb at ei groen. Edrychodd Dyfrig i fyny at ffenestr fawr y landin, ond heb ei gweld hi; â'i wallt wedi'i blastro'n wlyb yn erbyn ei gorun, a'i wyneb yn glaerwyn, edrychai fel drychiolaeth.

Trodd Awel o'r ffenestr.

'Ma Dad yn 'i ôl.'

Roedd Siôn yn eistedd ar erchwyn ei gwely. Cododd ar ei draed.

'Ma'n ocê i ni fynd allan rŵan, felly.'

Edrychodd Awel arno'n ddryslyd. '*Be* . . .?'

'Ysti . . . mae o yma rŵan, 'dydi? Efo Mam.'

'Allan i le?'

'Dwn 'im . . . jest allan. Ty'd . . .'

'Ti'n gwbod 'i bod hi'n bwrw, 'dwyt?'

Daeth Siôn ati ac edrych allan drwy'r ffenestr.

'Ddim llawar. Chydig o law mân. Ty'd.'

'Siôn . . .'

'Yli, dwi jest isio mynd allan, ocê? Allan o'r blydi tŷ 'ma.'

Agorodd y drws a chychwyn allan, yna camodd wysg ei gefn yn ei ôl i mewn i'r ystafell a chau'r drws, gan wneud arwydd ar Awel i beidio â dweud dim.

Clywsant Dyfrig yn dod i fyny'r grisiau, yn oedi ar y landin, yna'n mynd i mewn i'r ystafell ymolchi gan gau a chloi'r drws.

'Ga i siarad rŵan?' gofynnodd Awel.

'Do'n i jest ddim isio hasl – holi lle 'dan ni'n mynd a ballu.'

Unwaith eto mae o'n deud clwydda wrtha i, meddyliodd Awel, wrth ddilyn ei brawd i lawr y grisiau. Sylwodd hefyd ar y ffordd y taflodd Siôn edrychiad nerfus i gyfeiriad drws yr ystafell ymolchi, fel petai'n ofni i'w tad ddod allan trwyddo. Brathodd ei phen heibio i ddrws yr ystafell fyw a gweld bod ei mam yn gorwedd ar y soffa'n cysgu. Caeodd y drws yn dawel, cyn estyn ei chôt a dilyn Siôn allan o'r tŷ.

Ond llwyddodd sŵn drws yr ystafell fyw yn cau i ddeffro Rhiannon. Cododd ei phen, ychydig yn ffwndrus, a sylweddoli ei bod wedi glafoerio wrth gysgu. Ac roedd hi wedi breuddwydio . . .

Cododd i estyn hances bapur o'r bocs. Crwydrodd at y ffenestr wrth sychu'i gên. Roedd yr efeilliaid yn cerdded oddi wrth y tŷ, ochr yn ochr. Bron heb sylweddoli ei bod yn gwneud hynny, rhuthrodd Rhiannon at y drws ffrynt a'i agor. Roeddynt wedi diflannu allan drwy'r giât erbyn hynny. Rhedodd Rhiannon ar eu holau a'u gweld yn cerdded oddi wrthi, i lawr yr allt.

'Hei!'

Dim ymateb. Cododd ei llais a gweiddi'r eilwaith. Y tro hwn – diolch i'r nefoedd! – arhosodd y ddau.

A throi.

Teimlai Rhiannon fel het, yn sefyll yno yn y glaw heb ei chôt – ac ma'n siŵr fod golwg wyllt arna i ar ôl bod yn cysgu, meddyliodd. Gwyllt a gwallgof.

'Be dach chi isio?' gwaeddodd Awel.

'Lle dach chi'n mynd?'

Edrychodd y ddau ar ei gilydd.

''Mond am dro,' atebodd Awel. 'Pam?'

Taswn i'n deud wrthoch chi, mi fasach yn meddwl mod i wedi colli arni go iawn, meddyliodd.

'Dim byd. Cymerwch bwyll . . .'

Edrychodd y ddau ar ei gilydd eto, yna cododd Awel ei llaw – diolch, Awel! – ac ailgychwyn i lawr yr allt efo'i brawd.

Gwyliodd Rhiannon nhw'n mynd, nes iddyn nhw gymryd y tro wrth yr arwydd '30', a mynd o'i golwg.

* * *

Oedd, roedd Jimi druan wedi baeddu, ond nid yn ormodol, chwarae teg iddo – dim ond un pentwr bychan wrth y drws cefn. Ac roedd y glustog tu mewn i'w fasged yn wlyb. Edrychodd y ci ar Alun â rhyw olwg debyg iawn i'r un fyddai ar wyneb Leah pan fyddai'n cymryd arni fod yn edifar ganddi am rywbeth neu'i gilydd. Sorri, Dad . . .

Aeth Alun i'w gwrcwd i roi mwythau iddo. 'Ma'n ôl-reit, 'rhen ddyn, ma'n ôl-reit. Arnon ni ma'r bai, am d'ada'l di.' Anwesodd y clustiau sidan a llyfodd Jimi ei wyneb . . . yna sylweddolodd Alun mai llyfu halen oddi ar ei ruddiau roedd y ci. Ymsythodd, a chwythu'i drwyn, cyn mynd ati i lenwi'r teciall a glanhau'r gegin tra oedd hwnnw'n berwi.

Eisteddai Morfudd ar wely Leah. Un o'r petha cyntaf fydd raid iddi neud ar ôl dŵad adra fydd tacluso'r stafall yma, meddyliodd. Ma'r lle'n edrach fel tasa fo ar gychwyn. Gorweddodd ar y gwely. Roedd arogl shampŵ Leah i'w glywed yn gryf ar y gobennydd. Caeodd Morfudd ei llygaid.

'Morfudd . . .?'

Neidiodd. Roedd hi wedi cysgu eto. Teimlai'n flin efo hi 'i hun. Cysgu yn y car bron iawn yr holl ffordd adra, ac wedyn rŵan. Fel tasa ganddi hi ddim hawl i gysgu, a Leah mewn gwely ysbyty. Teimlai'n flin hefyd tuag at Alun, yn ei dal yn cysgu.

Eisteddodd i fyny. 'Dwi am sortio'i phetha hi rŵan . . .'

'Panad.'

Dododd Alun y mygiad o de ar ben llyfr oedd ar y cwpwrdd wrth ochr gwely Leah. Detholiad o farddoniaeth Saesneg oedd o, gwelodd Alun – llyfr o'r enw *Staying Alive*. 'Real poems for unreal times,' meddai'r broliant o dan y teitl.

'Dwi am biciad â Jimi am dro bach.'

'O, iawn, 'na chdi. O . . . oedd o wedi gneud llanast?'

'Fawr ddim, trwy drugaradd. Dwi wedi'i glirio fo, beth bynnag.' Wrth y drws, trodd. 'Ti'n iawn, del?'

Nodiodd Morfudd. 'Decini . . .'

'Gwranda – ella, pan gyrhaeddwn ni yno'n ein hola, y bydd hi'n ista i fyny yn ei gwely'n rêl boi, yn gwenu fel . . .'

'Paid!'

Tawodd. Ysgydwodd Morfudd ei phen.

'Paid, Alun,' meddai. 'Ocê? Plis. Jest . . . paid.'

* * *

Edrychent fel dau hwdi wrth gerdded ar hyd y traeth. Doedd neb arall o gwmpas. Byddai'n dechrau nosi cyn bo hir; ymhen llai na mis byddai'n amser troi'r clociau awr yn ôl unwaith eto, ac roedd yr awyr eisoes wedi dechrau tywyllu, fel tasa hi'n ysu am gael dod â heddiw i ben.

Arhosodd Awel yn stond a throi at Siôn. Syllodd arno'n gegrwth cyn ysgwyd ei phen yn swta a mynd yn ei blaen. Yna arhosodd eilwaith.

'Ac mi wnest ti 'i choelio hi?'

'Do.'

'Na!' meddai Awel. 'Na. *No way*.'

Cerddodd yn ei blaen am ychydig nes cyrraedd y patshyn mawr o wymon perfedd gwyrdd. Yna trodd at Siôn eto.

'Mi w't ti'n fastad dwl os w't ti'n 'i choelio hi.'

'Ti'n meddwl mod i *isio*'i choelio hi?'

Trodd Awel oddi wrtho ac edrych draw at Ynysoedd y Gwylanod, ond heb eu gweld.

'Dwi'm yn gwbod be i' feddwl,' meddai, yn fwy wrthi'i hun nag wrth Siôn. Roedd hi wedi amau i ddechrau mai *Siôn* oedd yn dweud celwydd . . . eto. Roedd o newydd gyfaddef ei fod wedi gwthio Leah Wyn ac mai dyna sut y bu iddi daro'i phen.

Ond *hyn* . . .?

Na, mi fasa rhywbeth mawr yn bod ar Siôn petai o wedi meddwl am rywbeth fel hyn ohono'i hun.

Ond roedd yn rhaid iddi ofyn. 'Siôn, rw't ti *yn* deud y gwir tro 'ma, yn dwyt?'

'Be? Ffwcin hel, be ti'n feddwl ydw i? Yndw, siŵr!'

'Ocê . . .' Roedd ei chôt law ychydig yn rhy fawr iddi, a thueddai'r hwd i lithro dros ei hwyneb. Gwthiodd hwnnw 'nôl i fyny.

'Dad . . .?' meddai. '*Dad* . . .?'

Ddywedodd Siôn ddim byd. Roedd yn amlwg ei fod o wedi coelio Leah Wyn, sylweddolodd Awel, wedi coelio'r hyn roedd yr ast wedi'i ddweud am eu tad. Roedd o'n barod i gredu fod ei dad o 'i hun wedi . . .

Cododd Awel ei llaw a phlannu'i dwrn yn ysgwydd Siôn.

'Hei . . .'

Yna ciciodd ei brawd yn galed yn ei grimog – ond dim ond pâr o *trainers* oedd ganddi am ei thraed, a'r rheiny'n wlyb ar ôl y tywod a'r glaw. Serch hynny, gwaeddodd Siôn mewn poen, a llwyddodd hynny, rywsut, i'w gwylltio hi'n waeth a dechreuodd ei waldio a'i gicio a'i ddyrnu, a'r unig ffordd y medrai Siôn ei rhwystro oedd drwy lapio'i freichiau amdani'n dynn.

'Rho'r gora iddi!' gwaeddodd yn ei chlust. 'Ti'n clywad? Ffwcin rho'r gora iddi, Awel!'

Yn raddol, mi roddodd hi'r gorau i wingo. Gwthiodd Siôn hi'n ôl oddi wrtho a phlygu er mwyn rhwbio'r goes.

'Ti'n gall?'

'W't *ti*?'

'Fi?'

'W't ti'n barod i goelio be ma rhywun fel . . . fel *honna* yn 'i ddeud am Dad? Am *Dad*?'

'Yndw!' gwaeddodd Siôn yn ôl. 'Dyna pam a'th hi allan efo fi yn y lle cynta. Yndê? Er mwyn tynnu ar Dad.'

'Be?'

'Ma'n rhaid fod Dad wedi . . . dwn 'im . . . wedi trio'i dympio hi neu rwbath.'

'Iesu, 'nei di wrando arna chdi dy hun, Siôn? Am Dad ti'n siarad. *Dad*! Fedra i'm coelio dy fod ti'n siarad fel hyn amdano fo.'

'Fedra inna ddim chwaith, ocê?' Trodd Siôn a cherddded ychydig gamau oddi wrthi cyn troi'n ei ôl. 'Blydi hel . . . pam ti'n meddwl mod i wedi goro' chwdu gynna?'

Roedd Awel yn crio erbyn hyn, gwelodd. Dagrau anferth yn powlio i lawr ei gruddiau, ei cheg wedi'i throi at i lawr fel ceg clown a'i hysgwyddau'n crynu. Cafodd fflach sydyn o wyneb Leah, neithiwr, wrth iddi hithau grio.

'Tasat ti yno, mi fasat titha wedi'i choelio hi hefyd. Dwi'n siŵr y basat ti. Roedd y ffordd gwnath hi 'i ddeud o . . . roedd hi mor . . . ysti. Mi fasat ti wedi'i choelio hi, yn bendant.'

Syllodd Awel arno am eiliad neu ddau, trwy'i dagrau, yna trodd oddi wrtho a dechrau rhedeg i gyfeiriad y llwybr allan o'r traeth.

'Awel!'

Os rhywbeth, rhedodd hi'n gyflymach. Cychwynnodd Siôn ar ei hôl, ond yn arafach o gryn dipyn, oherwydd y boen a saethai drwy asgwrn ei grimog.

Ac yn y pellter, wrth y fynedfa, safai Alun Warren.

* * *

Wrth gwrs, neithiwr, pan gyrhaeddon nhw'r ysbyty, roedd Alun a Morfudd wedi brysio'n syth i weld Leah. Prin roedd

Alun wedi sylwi bod Awel Parri'n aros wrth y dderbynfa, a dim ond wedyn, oriau'n ddiweddarach, y dechreuodd ei feddwl gael trefn ar yr holl gwestiynau roedd arno eisiau eu gofyn iddi.

Roedd o'n ymwybodol mai hi oedd wedi mynd efo Leah yng nghefn yr ambiwlans – roedd Rhiannon wedi dweud hynny neithiwr pan laniodd hi ar garreg eu drws. Doedd dim rhaid i'r hogan fod wedi gwneud hynny, chwarae teg; gallai'n hawdd fod wedi dewis aros efo'r hulpyn brawd yna sy ganddi, nid bod unrhyw beth yn bod ar y brych. Na, mae *o*'n tshampion – wnaeth *o* ddim syrthio a tharo'i ben, doedd *o* ddim wedi gorfod cael ei ruthro i'r ysbyty.

A fo dwi isio'i holi, meddyliodd Alun. Y fo ydi'i chariad hi – i fod. Ac un o'r petha dwi isio'u gofyn iddo fo ydi pam gythral nad aeth o efo Leah? Pam gadael i'w chwaer fynd? Oedd o'n rhy chwil? Oedd o allan o'i ben ar ryw gyffur?

Be ddigwyddodd?

Ei fwriad, fel y dywedodd wrth Morfudd, oedd mynd i fyny i Benrallt unwaith roedd o wedi bod â Jimi am dro. Ond mi welodd nhw'n cerdded ar y traeth – dau ffigwr a edrychai'n fach iawn dan awyr enfawr Aberdaron, yn edrych fel petaen nhw'n cadw reiat wrth ymyl y dŵr.

Tra oedd ei gyw melyn ola fo yn gorwedd mewn ysbyty.

Yna, gwelodd un ohonyn nhw'n rhedeg i'w gyfeiriad ar hyd y traeth. Awel, sylweddolodd, wrth iddi nesáu. Ac roedd hi'n edrych fel tasa hi'n crio. Doedd hi ddim wedi sylwi arno'n sefyll yno, roedd hi'n sbio i lawr ar ei thraed wrth redeg, ond yna edrychodd i fyny a'i weld.

'O!'

Safodd Awel yn stond. Roedd ei brawd wedi cychwyn ar ei hôl, ond rhyw hopian a hercian yr oedd o, ac yna arhosodd yntau hefyd gan edrych fel tasa fo'n chwarae â'r syniad o droi a dengid i gyfeiriad arall. Ond doedd ganddo nunlle i fynd, wrth gwrs – dim dewis ond dod yn ei flaen tuag atynt.

'Sut ma Leah?' gofynnodd Awel.

Edrychodd Alun arni. Oedd, gwelodd, roedd hi wedi bod yn crio go iawn; roedd ei llygaid wedi chwyddo'n goch, ac olion dagrau i'w gweld yn glir ar ei hwyneb. Sylwodd Awel arno'n syllu arni, a phlygodd yn gyflym gan esgus rhoi mwythau i Jimi.

'Dydi hi ddim yn dda iawn, Awel, ma gen i ofn,' atebodd. Hwn oedd y tro cyntaf iddo ddweud y geiriau yma ers iddo gyrraedd adref o'r ysbyty, a gorfu iddo droi i ffwrdd oddi wrthi, llyncu a chlirio'i wddf. 'Dydi hi ddim . . . dal i gysgu roedd hi pan ddaethon ni adra. 'Dan ni am fynd yn ôl toc, unwaith 'dan ni wedi . . .'

Pesychodd. Sylwodd nad oedd Siôn yn gwybod lle i sbio: roedd ei lygaid yn mynd i bob cyfeiriad. Ond roedd llygaid Awel wedi'u hoelio ar ei wyneb o wrth iddi ymsythu oddi wrth y ci. Roedd yn amlwg nad oedd hithau ychwaith wedi disgwyl hyn, ddim wedi disgwyl bod pethau mor uffernol.

Ac roedd y tosturi a welai yn ei hwyneb yn annioddefol.

'O, Yncl Alun . . . wyddwn i ddim . . . wnes i ddim meddwl. Leah druan.'

Dwi ddim yn mynd i grio, meddai Alun Warren wrtho'i hun, dwi ddim yn mynd i grio o flaen y ddau yma. Roedd Siôn yn rhythu arno fo'n awr, sylwodd, ac wedi colli'i liw. Mae'n siŵr eu bod nhw, fel fi, wedi cymryd bod Leah yn ei hôl adra, a'r cadach am 'i phen.

'Ar fy ffordd i fyny i Benrallt ro'n i, fel ma'n digwydd,' meddai. Oedd yr hogyn yn edrych yn fwy anghyfforddus fyth, 'ta Alun oedd yn dychmygu hynny? 'Roedd petha braidd yn flêr yn y 'sbyty neithiwr, a dwi'n dal ddim mymryn callach be'n union ddigwyddodd i Leah. 'Mond 'i bod hi wedi syrthio a tharo'i phen.'

Nodiodd Awel. Neidiodd ei llygaid at ei brawd.

'Ia,' meddai Siôn. 'Dyna be ddigwyddodd.'

'Ond *be*?' gofynnodd Alun. Cadwodd ei lygaid ar wyneb

Siôn; roedd o'n ymddwyn fel tasa fo ac Alun erioed wedi taro llygad ar ei gilydd tan heddiw.

'Be . . .?'

'Be ddigwyddodd, Siôn?' Teimlai Alun fod hynny o amynedd oedd ganddo ar fin chwalu. 'Oeddat ti yno efo hi pan ddigwyddodd o?'

Meddyliodd am eiliad fod Siôn am ddweud na, doedd o ddim ar ei chyfyl hi pan syrthiodd Leah, ond yna fe nodiodd.

'O'n,' meddai.

'Wel yr arglwydd mawr, hogyn – be *ddigwyddodd,* felly?'

'Dwi'm yn siŵr iawn . . .'

'Be?'

'Baglu 'nath hi. Dros . . . dros rwbath. Ac roedd 'na ryw hen jest o' drôrs yno, ac mi drawodd Leah ei phen ar ei gornol o, rhyw hen bigyn o gornol gas. Y peth nesa o'n i'n wbod, roedd hi ar y llawr. Es i i chwilio am Awel yn syth.'

'Am Awel?'

'Roedd o wedi dychryn, Yncl Alun,' meddai Awel. 'Ma Siôn yn gallu bod yn anobeithiol weithia.'

Arglwydd, ti'n deud wrtha *i* . . . meddyliodd Alun. 'Sut daru hi faglu, 'ta?' gofynnodd. 'Be oedd hi'n 'i neud? Dawnsio ne' rwbath, ac wedi ca'l gormod i yfad?' Ochneidiodd. 'Ylwch, ma hyn fatha tynnu dant, a fedra i'n 'y myw ddallt pam. 'Mond rhyw hannar stori dwi'n 'i cha'l gynnoch chi . . . Awel, dwi'n cymryd nad oeddat ti yno pan ddigwyddodd hyn?'

Ysgydwodd Awel ei phen. 'O'n i allan yn yr ardd gefn efo Marnel.'

Trodd Alun yn ôl at Siôn.

'Ond roeddat *ti* yno.' Nòd gan Siôn. 'Dawnsio oedd hi?'

Ysgydwodd Siôn ei ben.

'Wel, sut ddiawl gwnath hi faglu, 'ta?' Roedd o'n gweiddi bron iawn, sylweddolodd, ond doedd dim bwys ganddo'n awr, roedd Siôn yn amlwg yn cuddio rhywbeth. 'Oedd hi'n chwil, 'ta be? Oeddat *ti*'n chwil?'

'O'n . . . wel, o'n ryw chydig . . . Roedd y stafall yn dywyll . . .'

Tawodd. Craffodd Alun arno.

'Pa stafall? Lle digwyddodd o? Yli, dwi'm hyd yn oed yn gwbod hynny . . .' Sylwodd fod Siôn yn edrych yn fwy anghyfforddus nag erioed, a'i fod wedi cochi at ei glustiau. Dechreuodd Alun ddeall.

'*Pa* stafall, Siôn?' gofynnodd yn dawel. 'Dw't ti'm yn meddwl bod gen i, o bawb, yr hawl i wbod be ddigwyddodd neithiwr?'

Mwmiodd Siôn rywbeth.

'Be oedd hynna?'

'Yr atig,' meddai. 'Roeddan ni i fyny yn yr atig.'

O, dwi'n dallt rŵan, meddyliodd Alun. '*Llofft* rhywun w't ti'n feddwl, dwi'n cymryd?'

Nodiodd Siôn.

''Mond y chdi a Leah.'

Petrusodd am eiliad, yna edrychodd i fyny i wyneb Alun, fel tasa fo'n gwybod be oedd ar fin dod nesa.

Nodiodd hwnnw eto.

Camodd Alun tuag ato a rhoi waldan galed iddo reit ar draws ei wyneb. Gwelodd lygaid Siôn yn llenwi efo dagrau wrth i ôl ei fysedd ymddangos yn wyn, ac yna'n goch, ar ei foch.

'Yncl Alun!'

Camodd Awel rhyngddyn nhw, ond doedd dim angen iddi bryderu; roedd Alun yn syllu ar ei law fel pe na bai'n rhyw siŵr iawn sut roedd y llaw wedi gallu ymddwyn fel yna.

'Doedd ddim isio i chi neud hynna,' meddai Awel wrtho.

Edrychodd Alun arni, ac ochneidio. 'Nag oedd,' meddai, 'ti'n iawn.' Edrychodd ar Siôn, ond doedd o ddim am ymddiheuro i'r cwdyn bach.

Cydiodd Awel ym mraich Siôn a dechrau ei dywys oddi yno. 'Leah,' meddai wrth Alun. 'Gobeithio . . . wel, 'ychi . . . gobeithio, 'de. Os oes 'na rwbath . . .'

Dydi pobol ifanc ddim yn gyfarwydd â deud petha fel hyn, meddyliodd Alun. Dydyn nhw ddim yn gwbod yn iawn be i'w ddeud, na sut i'w ddeud o.

'Wn i, del,' meddai wrthi.

Arhosodd ar y traeth nes ei fod yn siŵr eu bod nhw wedi mynd yn ddigon pell, tuag at Benrallt. Roedd o'n wlyb, ac roedd côt flewog Jimi'n wlyb socian, ond arhosodd yno nes ei fod o'n siŵr.

Rhoes blwc i'r tennyn.

'Ty'd, Jimi bach.'

Teimlai gywilydd mawr. Doedd o ddim mymryn elwach ar ôl y sgwrs ofnadwy yna, ac roedd o fwy neu lai wedi bwlio'r efeilliaid i'w chynnal hi efo fo. Nhw'u dau, o bawb. Roedd Leah a nhwytha wedi bod i mewn ac allan o dai ei gilydd ers dyddiau ysgol gynradd, ac roedd Morfudd ac yntau wedi'i chymryd hi bob yn ail efo Rhiannon a Dyfrig i fynd â'r tri ohonyn nhw allan yn eu ceir yn ystod y gwyliau.

Na, doedd o ddim gwell ar ôl cael gwybod am neithiwr.

Os rhywbeth, teimlai'n waeth.

21
Y mab a'r tad

'Ro'n i'n haeddu honna,' meddai Siôn.

'Oeddat.' Arafodd Awel ei chamau wrth gychwyn i fyny'r allt. 'A mwy, hefyd.'

Roedd cwt bychan gyferbyn â giât ochr y fynwent, a mainc bren y tu allan iddo.

'Gawn ni jest ista am funud?' meddai Siôn. 'Dwi'm cweit yn barod i fynd adra eto.'

'Ma'r fainc 'na'n wlyb, cofia.'

Edrychodd Siôn arni. 'Ond 'dan ninna hefyd.'

Roedd y sgwrs efo Alun Warren wedi'u hysgwyd. Fel tasan ni ddim wedi cael ein hysgwyd digon yn barod, meddyliodd Awel.

'Wnes i'm meddwl ei bod hi wedi brifo cymint â hynna,' meddai Siôn. 'O'n i'n meddwl y basa hi'n ocê, ac adra erbyn hyn.' Cyffyrddodd ei foch yn ysgafn â blaenau ei fysedd, lle roedd Alun Warren wedi'i daro, cyn tynnu'i fysedd yn ôl fel petai'r croen wedi'u llosgi nhw. 'Dydi hi ddim wedi deffro, medda fo. Dydi hi'm wedi deffro ers neithiwr.'

'Naddo.'

'Awel – be ydan ni'n mynd i' neud?'

Teimlai Awel fel troi ac ymosod arno fo unwaith eto. Y *ni*? meddyliodd. Pam *ni*? Dy lanast *di* ydi hyn! Teimlai'n flin tuag ato fo hefyd am ddweud wrthi am Leah, ac am yr hyn roedd Leah wedi'i ddeud am eu tad. Clwydda oedden nhw o, penderfynodd – clwydda noeth, sbeitlyd, cas. Ma rwbath yn bod arni hi i ddeud y ffasiwn glwydda, i ymddwyn fel ma hi wedi bod yn ei neud drwy'r haf. Ers *dechrau*'r haf, fe'i hatgoffodd ei hun, gan gofio am ryw hanner gwên y sylwodd arni fwy nag unwaith ar wyneb Leah, ac a aethai dan groen Awel yn fuan iawn. Gwên fach oedd i fod yn enigmatig, cofiai feddwl. Pwy oedd Leah Wyn yn ei feddwl oedd hi – y ffwcin Mona Lisa? Roedd rhywbeth yn nawddoglyd yn y wên – fel petai Leah wedi profi rhyw epiffani oedd wedi dweud wrthi ei bod mewn gwirionedd flynyddoedd yn hŷn na'i chyfoedion, ac nad oedd ond yn dioddef eu castiau bach diniwed, lled ddifyr, nes y câi gyfle i ddianc oddi wrthynt. Yna roedd Awel wedi penderfynu mai ceisio dynwared actores a welsai mewn ffilm neu ar y teledu roedd Leah, oherwydd doedd y wên hon ddim yn un naturiol: gwisgai Leah hi fel rhyw golur newydd yr oedd hi wedi'i ddarganfod cyn pawb arall . . . Ac yna roedd Awel wedi troi'n flin efo hi ei hun: y fi ydi'i ffrind gora hi i fod, a dyma fi'n hel meddyliau cas amdani dim ond oherwydd bod Leah wedi arbrofi efo ffordd ychydig yn wahanol o wenu ar bobol . . .

'Awel?'

Roedd Siôn yn dal i ddisgwyl am ateb i'w gwestiwn. Safodd Awel, gan deimlo defnydd ei throwsus yn glynu'n wlyb wrth groen ei phen-ôl a'i chluniau. Edrychodd yntau i fyny arni o'r fainc, gan wneud iddi feddwl eto fyth am gi ffyddlon, a theimlai fel dweud yn ddiamynedd wrtho am roi'r gorau iddi.

'Clwydda oeddan nhw, Siôn. Deud clwydda wrthat ti roedd hi.'

Ochneidiodd Siôn ac edrych i ffwrdd oddi wrthi.

Gwylltiodd Awel.

'Rw't ti'n actio fel tasat ti *isio*'i choelio hi.'

'Paid â bod yn ddwl, 'nei di?'

'Ma hi wedi bod yn chwara rhyw gêm wirion efo chdi ers wsnosa, fedri di'm gweld hynny? Un dwrnod dach chi'n mynd efo'ch gilydd, a'r dwrnod nesa dach chi wedi gorffan.'

'Dwi'n gwbod hynny!' ffrwydrodd Siôn. 'Ond . . .'

'Ond be? Paid â deud eto nad o'n i ddim yno, ac y baswn

inna wedi'i choelio hi taswn i yno. Faswn i ddim, Siôn. Mi welis i'r botal win 'na ar lawr llofft brawd Marnel. Roedd hi'n hollol *pissed* – ro'n i 'di bod yn 'i gwatsiad hi'n yfad fel idiot ers iddi gyrradd y parti. Dwi'm yn dy ddallt di – dwi'm yn dallt pam bod chdi mor barod i'w choelio hi.'

Aeth yn ei blaen, yn ei bledu â geiriau.

'Ocê – ti isio bygro bywyda pobol yn llwyr, w't ti? Bywyd Mam, bywyd Dad – eu priodas nhw. Bywyda tad a mam Leah. I gyd dros un frawddeg o glwydda sbeitlyd. Gyrfa Dad, hefyd. A be am fama? Fyddwn ni'm yn gallu byw yma wedyn – ti 'di meddwl am hynny? Ac ar ben bob dim, mi fasat ti'n ca'l dy neud am *assault*. Iawn – os ma dyna be ti isio, deud . . . awn ni adra rŵan, a mi gei di ddeud wrth Mam.'

Roedd o'n ysgwyd ei ben. Fedrai o ddim meddwl am wneud hynny. Fedrai o chwaith ddim meddwl am wynebu'i dad.

'Meddylia am y peth, 'nei di?' meddai Awel. '*Leah* ydi hi. Ma Dad yn 'i nabod hi ers pan oeddan ni'n blant. Fasa fo byth yn . . . Ma hi'r un oed â fi, Siôn. Nac'di – ma hi'n iau na fi, o jest i chwe mis. Ti wirioneddol yn meddwl y basa Dad hyd yn oed yn *sbio* arni hi?'

* * *

Dyna'r peth. Doedd o ddim mor siŵr erbyn hyn.

Sicrwydd pendant Awel yn erbyn un frawddeg feddw gan Leah.

Roedd ei synnwyr cyffredin, ei ymennydd, yn dweud wrtho'n ddigon clir pa un a enillai'r dydd.

Ar ôl siarad efo'i chwaer, rhaid oedd cyfaddef ei fod yn cael cryn drafferth meddwl am ei dad fel rhyw Lothario, Don Juan neu Gasanofa. Iawn, roedd Dyfrig yn ddigon golygus – yn wir, roedd Siôn wedi clywed mwy nag un eneth yn ei ddosbarth ysgol yn cyfeirio ato fel 'rêl hync'. A hwyrach mai dim ond meddwl amdano fel tipyn o 'hync' a wnâi Leah –

wedi'r cwbwl, ddywedodd hi ddim ei bod hi *wedi* cysgu efo fo, waeth faint oedd ei thôn a'i hosgo'n awgrymu hynny. Hwyrach ei bod yn cymryd yn ganiataol hefyd fod pob hync yn wych yn y gwely. Ac mai'r hyn a ddywedodd wrtho mewn gwirionedd oedd nad oedd o, Siôn, cystal ag y *dychmygai* hi yr oedd ei dad.

Câi fwy fyth o drafferth meddwl am Dyfrig yn profi a mwynhau rhyw: ychydig iawn ohonon ni sy'n teimlo'n gyfforddus yn meddwl am ein rhieni'n caru a chnychu. Ac ni wyddai Siôn pa un oedd waethaf, pa un oedd yn troi arno fwyaf – y syniad o'i dad a'i fam yn cael rhyw, ynteu'r syniad o'i dad a Leah wrthi.

Ond y crio, y crio . . .

Petai hi 'mond heb *grio*.

Sylweddolodd nad oedd wedi ystyried *pam* roedd Leah wedi wylo fel y gwnaeth hi. Un esboniad, wrth gwrs – a'r un mwyaf amlwg – oedd ei bod yn hollol *pissed*. Doedd dim dwywaith ei bod wedi yfed fel ych o'r eiliad y camodd dros riniog Marnel Richards – ac ych oedd newydd gerdded trwy anialwch Death Valley ar hynny. Roedd o 'i hun wedi teimlo'n reit chwil yn yr atig fach glòs honno, a doedd o ddim wedi yfed hanner cymaint â Leah.

Eglurhad arall oedd ei bod wedi cael ei siomi ynddo. Roedd o wedi gorffen mor sydyn, mor drasig o sydyn. Ni allai beidio â meddwl am y dyfyniad a roesai ei fam ar garreg fedd ei nain a'i daid ym Minffordd: 'Cyrraedd, ac yna ffarwelio'. Dyna'n union be wnaeth o, yndê? Roedd o wedi cael ambell bwl o disian oedd wedi para'n hwy. Dim rhyfedd fod yr hogan wedi crio! Ond chwarae teg – hwn oedd ei dro cynta fo erioed. Be oedd hi'n ddisgwyl? Michael Douglas neu rywun?

Ac efallai hefyd fod Leah wedi wylo oherwydd ei bod hi'n teimlo'n drist. Yn galaru dros yr hyn a fu rhyngddyn nhw ar un adeg – tan yn ddiweddar iawn – sef eu cyfeillgarwch. Daeth y dagrau, hwyrach, oherwydd iddi deimlo fod hwnnw wedi'i golli am byth. Roedd hi wedi colli ffrind – dau ffrind, os oedd hi am gynnwys Awel, a oedd wedi oeri cryn dipyn tuag ati ers iddi ddechrau mynd allan efo Siôn – ac yn eu lle, cawsai gariad nad oedd arni hi fawr o'i eisiau wedi'r cwbwl.

I goroni'r cwbwl, roedd yn ddigon posib mai cyfuniad annioddefol o'r tri pheth a ddenodd ei dagrau.

Ac o'r diwedd – o'r diwedd! – teimlai'r cywilydd mwyaf ofnadwy'n golchi drosto. Nid yn unig roedd o wedi cyflawni gweithred a fu wastad yn hollol wrthun ganddo, sef codi'i fys yn erbyn merch, ond roedd o wedi gwneud hynny i ferch a oedd, ar y pryd, yn beichio crio – wedi'i gwthio'n giaidd oddi wrtho, ac wedyn doedd o ddim hyd yn oed yn ddigon o ddyn i syrthio ar ei fai.

Cofiai sut yr edrychai Leah mor fach ac archolladwy wrth iddi gael ei chludo i gefn yr ambiwlans, a'i hwyneb mor wyn; cofiai hefyd yr edrychiad rhyfedd a gawsai gan Awel wrth iddi ddringo i mewn ar ei hôl, ac mai'r peth mwyaf ar ei feddwl ef oedd, tybed a oedd Awel wedi gweld trwy ei gelwydd? A be fyddai'n digwydd iddo fo unwaith y byddai Leah wedi dod ati'i hun? Byddai pawb am ei waed – gydag Alun Warren yn udo ar eu blaen.

Ac yn hytrach na phoeni am Leah wedyn, yr hyn roedd o wedi'i wneud oedd cymryd arno ei fod o'n pryderu yn ei chylch, ond trwy'r amser roedd o'n ei gynddeiriogi'i hun trwy feddwl am ryw frawddeg wirion, feddw, nad oedd yn gwneud unrhyw synnwyr o gwbwl unwaith roedd rhywun yn ei dadansoddi go iawn.

Daeth y dagrau iddo yntau hefyd, felly – ychydig yn hwyr yn y dydd, efallai, ond fe ddaethon nhw. Addunedodd fynd i edrych am Leah yn yr ysbyty cyn gynted ag y byddai wedi dechrau dod ati'i hun – hyd yn oed os byddai Alun Warren yno'n sefyll fel rhyw Rottweiler rheibus a chynddeiriog wrth ei drws.

22

Mam a'i merch

Wythnos yn ddiweddarach ac roeddynt yn dal yno, ac yn dal i ddweud 'Mi ddaw hi' wrth bawb a ddôi i mewn i'r ystafell.

'Mi ddaw hi ati'i hun, gewch chi weld.'

'Daw, siŵr,' atebai pawb.

Beth arall allen nhw 'i ddweud? Doedd neb am anghytuno efo nhw, nid efo'r ddau yma a eisteddai wrth droed y gwely a'u hwynebau'n llac o flinder, eu llygaid yn goch ond yn llawn gobaith mud a despret. Anodd iawn oedd edrych i fyw'r llygaid yna. Yn hytrach, edrychai pawb ar y ffigwr llonydd yn y gwely; yn wir, amhosib oedd peidio â gwneud hynny – ond sut ar wyneb y ddaear y gallai'r ffasiwn lonyddwch ddenu'r llygaid i'r fath raddau?

'Daw, siŵr, mi ddaw hi,' meddai pawb, ac Alun a Morfudd yn nodio bob tro.

Yn ddistaw bach, roedd pawb wedi dechrau meddwl: Ma hi yma ers wythnos rŵan.

Fel arall y meddyliai ei thad a'i mam: Dim ond wythnos sy ers iddi fod yma, chwarae teg. 'Mond wythnos.

Dydi wythnos yn ddim byd. Mae rhai pobol yn . . . wel, am flynyddoedd, rai ohonyn nhw. Blynyddoedd lawer hefyd.

Mi ddaw hi.

'Siaradwch efo hi,' medden nhw wrth bob un ymwelydd. 'Peidiwch â sibrwd chwaith. Siaradwch efo hi, fel tasa hi'n . . .'

Dyna pryd y byddai'r llygaid cochion, poenus, rheiny'n troi at wynebau'r ymwelwyr. 'Ma hi *yn* gallu'n clywad ni, ychi' – fel petaen nhw'n eu herio i anghytuno.

* * *

'Ond ma pawb yn mynnu sibrwd, 'dydyn nhw, pwtan?' meddai Morfudd wrthi. 'Ma'n ddigon naturiol, decini. Rhwbath greddfol ydi o, yndê? Cerddad i mewn i stafall lle ma rhywun yn cysgu'n sownd – ti'n mynd i sibrwd, yn dwyt? Yng nghefn dy feddwl, ti'm isio'u deffro nhw.'

Gwasgodd fysedd Leah yn y gobaith o gael gwasgiad bach yn ôl.

'Ma'n eironig, 'sti,' meddai. 'Dydi dy dad na finna ddim yn gallu gneud llawar o ddim byd mwy *na* sibrwd erbyn hyn. Neu rhyw hen grawcio'n gryg ar y gora. Ma'n lleisia ni wedi mynd, a ninna wedi gneud dim byd *ond* siarad efo chdi, fesul un neu ar draws 'yn gilydd. Parablu a phaldaruo ddydd a nos.

'Y peth gwaetha ydi ein bod ni weithia'n methu'n glir â meddwl be i' ddeud wrthat ti. Ma rhywun yn gyndyn o ddeud yr un peth drosodd a throsodd, rywsut . . . Ond eto, ella'n wir y basa hynny'n gneud y tric. Be *ti*'n feddwl, Leah Wyn? Be taswn i'n malu awyr drwy'r amsar am betha nad oes gen ti ddim affliw o ddiddordab ynddyn nhw? Rwbath fel . . . fel . . . gweitsia, gweitsia, mi feddylia i am rwbath . . . Mair Ifas! Ia, mi wneith hi'n tshampion. Mair Ifas a'i pheiriant golchi. Dyna iti saga! Os wyt ti'n meddwl bod hanas y gegin newydd gafodd hi'n ddiflas, aros nes i ti glywad am y peiriant golchi. Mi farwodd yr hen un dros fis yn ôl, felly dyma ordro un newydd. Pan gyrhaeddodd hwnnw, mi ddeudodd y dynion na fedren nhw'i osod yn ei le – roedd y dynion erill, y rheiny osododd 'i chegin newydd hi, wedi llwyddo rywsut i falu'r tapia coch a glas rheiny sy ar y peipia, a ddim wedi trafferthu rhoi rhai newydd yn eu lle nhw. "Fedrwch chi mo'u trwsio nhw i mi?" gofynnodd Mair, ond na – fasa wiw i'r dynion neud hynny, rhyw gybôl efo'r siwrans neu rwbath. Erbyn hyn, cofia, ro'n i wedi dechra blino, felly wnes i ddim gwrando rhyw lawar ar y busnas siwrans 'ma. Roedd yn rhaid i'r mashîn fynd yn 'i ôl, felly, nes bod Mair wedi ca'l gafal ar rywun i drwsio'i thapia iddi. Mi gafodd hi rywun i neud hynny ymhen hir a hwyr, a dyma ailordro'r peiriant golchi. Erbyn iddo gyrradd yn 'i ôl, dyma ffeindio'i fod o'n rhy lydan . . .'

Ochneidiodd.

'Leah Wyn, dydi hyn ddim yn ddigon da! Dwi wedi bod wrthi'n fan'ma fel ragarŷg, gan ddisgwl dy weld ti'n agor dy llgada unrhyw funud a chrefu arna i i gau 'ngheg – "Blydi hel, Mam, newidiwch y record, newch chi?" Wyt ti am neud hynny i mi, pwtan? *Plis* . . .?'

Gwasgodd ei bysedd eto.

'I feddwl, pan oeddat ti'n fabi, y draffarth oedd dy dad druan a finna'n ei ga'l efo chdi bob nos – chditha'n gwrthod yn lân â chysgu i ni. Roedd dy dad yn deud yn amal, "Dwi'n siŵr ein bod ni wedi creu fampir yn hon." Mi ddeudodd o hynny gymaint o weithia, dwi'n siŵr 'i fod o wedi rhyw ddechra hannar coelio hynny ei hun. Mi wnes i 'i ddal o fwy nag unwaith yn gwgu arna i, fel tasa fo wirioneddol yn f'ama i o fod wedi treulio nosweithia nwydus ym mreichia Draciwla neu ryw greadur tebyg. Roedd y ddau ohonan ni wedi cerddad filltiroedd lawar efo chdi, yn ôl ac ymlaen o gwmpas dy got di ac ar hyd y landin ac i fyny ac i lawr y grisia . . . ma'n syndod bod gynnon ni garpedi ar ôl acw, erbyn meddwl. A chditha â dy wynab yn biws fel bitrwtsan biwis, nes bod nerfa'r ddau ohonan ni'n dynn ac yn fregus, a'r sŵn crio yn ein clustia ni'n mynd reit trwyddan ni fel sŵn dril y deintydd.

'Roeddat ti fel tasat ti'n gneud ati i gwffio yn erbyn cwsg, a'r ddau lygad brown yna'n syllu arna i dros ysgwydd dy dad, neu arno fo dros f'ysgwydd inna. A phan fyddai'r llgada yna o'r diwadd – *o'r diwadd* – yn cau, dyma fynd â chdi'n ôl i dy got, a'th osod i lawr ynddo fo'n ofalus, ofalus – dwi'n deud wrthach chdi, roeddan ni fel dau soldiwr yn gosod bom yn rwla! – a throi a mynd ar flaena'n traed at y drws. Ond bydda'r llgada brown yna'n agor eto cyn i ni fedru dengid, a dril y blydi deintydd yn ailgychwyn eto fyth.

'A'r frwydr yn ystod oria'r dydd, wrth gwrs, oedd dy gadw di'n effro, yn y gobaith ofer y byddat ti wedi blino digon i gysgu drw'r nos. Ha! Sym hôps, yndê? Os oedd Madam wedi penderfynu cysgu, yna cysgu fydda hi, waeth befo neb na dim. Roeddat ti'n deffro i ga'l dy fwyd, a dyna'r cwbwl – yn ôl â chdi wedyn yn syth bìn, gan amla pan oeddan ni'n rhwbio dy gefn er mwyn trio dy ga'l di i dorri gwynt. Doeddat ti 'mond yn deffro pan oeddat *ti*'n barod i ddeffro.

'Y fadam bach benderfynol . . .

'Mi wnest ti'n rhoid ni drwy uffarn, Leah Wyn, 'mond i chdi ga'l dallt. Am fisoedd a misoedd. Y ni, ac Esyllt a Mari hefyd. Y pedwar ohonon ni fel sombis o gwmpas y bwrdd brecwast bob bora, a chditha'n chwrnu'n braf yn dy got efo rhyw olwg fodlon ar dy wynab rywsut – fel tasat ti'n gwbod yn iawn dy fod ti wedi cadw'r tŷ i gyd yn effro am y rhan fwya o'r nos.

'Ac yn hidio'r un iot, damia chdi!

'O'r argol – yli be w't ti wedi'i neud rŵan. Ti wedi gneud i mi grio, a finna mor benderfynol o beidio. Wy'st ti be? Mi fydda i weithia – na, yn reit amal, wa'th imi 'i ddeud o mwy na'i feddwl o – yn amal iawn, a deud y gwir – yn teimlo fel cydiad ynat ti gerfydd d'ysgwydda a'th ysgwyd di'n iawn nes dy fod ti'n dŵad allan o'r blydi cwsg 'ma, a deffro. Dy ysgwyd di nes bod dy ddannadd di'n clecian yn erbyn 'i gilydd fatha castanets. Ti'n meddwl y basa hynny'n gweithio? Achos mi ddeuda i gymaint â hyn wrthat ti, taswn i'n meddwl am un eiliad y basa hynny'n gneud unrhyw les, yna mi faswn i'n 'i neud o, wir yr rŵan . . .

'O, pwtan, sorri.

'Ond mi faswn i'n 'i neud o, 'sti. Mi wnawn i rwbath, unrhyw beth. A dy dad hefyd. Ac Esyllt a Mari. Maen nhw adra efo ni . . . wps, dyma fi'n ailadrodd fy hun. Ti'n gwbod yn iawn eu bod nhw adra, a nhwytha wedi bod yma'n dy fwydro di – fel pawb arall, tasa hi'n dŵad i hynny. Ond *maen* nhw, ac ma'r ddwy ohonyn nhw'n ôl ac ymlaen yma ryw ben bob dydd, fel io-ios . . . O, ac ma Mari am i chdi newid dy enw, medda hi, unwaith rwyt ti wedi dŵad yn ôl aton ni. Wyddost ti i be? Ophelia. Ti'n 'i hatgoffa hi o ryw lun, medda hi – ti'n gwbod fel ma Mari, yn gwbod am y petha rhyfedda. Llun o ryw hogan, rhyw Ophelia, yn gorwadd ar wastad ei chefn mewn pwll o ddŵr a bloda gwylltion, llun wedi'i baentio gen yr un boi ag a baentiodd y llun 'na sy ar dunia Pears. Ysti, yr hogyn bach hwnnw efo llond pen o wallt melyn, cyrliog – hwnnw sy'n chwthu bybls – ac sy'n edrach yn rêl hen sisi bach, yn ôl dy dad . . .'

Gwasgodd fysedd ei merch eto, yn sydyn y tro hwn fel petai'n trio'i dal, ac yn y gobaith y byddai Leah'n gwasgu'n ôl cyn iddi fedru ei hatal ei hun.

'O, *Leah*! Wnei di plis roi'r gora i'r blydi nonsans 'ma? *Plis*? Dwi'n hollol gryg rŵan; ma'n llais i jest â mynd, a dwi'n siŵr, taswn i'n dechra canu, y baswn i'n swnio'n fel Rod Stewart neu Louis Armstrong . . .

'Leah!

'*Plis* deffra, Leah, 'nei di? Tasa fo ond er mwyn i bawb arall gael cysgu.

'Plis, Leah.

'Plis . . .'

23
Merch a'i mam

Ers pan oedd hi'n wyth oed, arferai Awel a'i mam dreulio diwrnod cyfan yng Nghaer – dim ond nhw'u dwy – yn siopa ar gyfer y Nadolig. Diwrnod mawr oedd hwn i Awel – rhan hanfodol o'r ŵyl a'r holl baratoi ar ei chyfer. Dyma pryd y byddai'r cosi bach cynhyrfus hwnnw yng ngwaelod ei bol yn cyrraedd unwaith eto, ac yn setlo yno wedyn nes bod cyffro dydd Nadolig ei hun yn dechrau pallu, gan amlaf ar ôl iddi orffen ei chinio.

Edrychai ymlaen at y Sadyrnau hyn bron cymaint â'r Nadolig ei hun. Roedd wedi gwylltio'n gacwn bum mlynedd yn ôl pan grybwyllodd ei thad efallai y byddai'n syniad i'r pedwar ohonyn nhw fynd fel teulu . . .

'Dim ond mynd yno a dŵad yn ôl . . .'

'Na!'

'Welat ti mohonan ni unwaith basan ni yng Nghaer ei hun. Eith Siôn a fi i rwla arall. Dydan ni'm isio mynd o gwmpas rhyw hen siopa diflas . . .'

'*Na*!'

. . . ac roedd wedi llyncu homar o ful a diflannu i'w stafall, gan wrthod dod allan nes i Rhiannon ei sicrhau nad oedd Dyfrig a Siôn am fynd efo nhw wedi'r cwbwl.

'Stwffia dy Gaer i fyny dy din,' roedd Siôn wedi'i ddeud wrthi.

'Mi faswn i'n ca'l dipyn o job.'

'Dwi'm isio mynd yno, beth bynnag.'

'Gẁd.'

Tan yn ddiweddar meddyliai fod ei mam wedi deall pa

mor sanctaidd oedd y dyddiau Sadwrn rheiny. Mynnai Awel eu bod yn gwneud popeth yn union yr un fath bob blwyddyn. Roedd pob manylyn yn hollbwysig ac yn cynnwys ei gyffro arbennig ei hun: y codi ben bore a hithau'n dal i fod yn dywyll y tu allan (ac am weddill ei bywyd byddai'r dywediad 'codi cyn cŵn Caer' yn atgyfodi rhith bychan o'r cosi-bol gogoneddus hwnnw); gorau oll os oedd hi'n bwrw glaw, oherwydd roedd hi wedi cau efo glaw mân y tro cyntaf iddyn nhw fynd fel hyn, Awel a'i mam, a doedd wiw i'r bore ddechrau goleuo nes bydden nhw wedi gadael Clynnog ac yng nghyffiniau Llandwrog a Dinas Dinlle.

Parcio'r car ar lan yr afon yng Nghaer, yn yr un lle bob tro os oedd hynny'n bosib, ac yna mynd i'r un caffi am frecwast. Brecwast go iawn, hwn – bacwn ac wy a bara saim a sosej – cyn ymosod ar y siopau. Cinio ym mwyty un o'r siopau mawrion, ac wedyn rhagor o siopa – ond rhaid oedd aros iddi ddechrau tywyllu cyn cychwyn yn ôl am adref, er mwyn medru gweld y goleuadau Nadolig yn iawn. Cysgu'r rhan fwyaf o'r ffordd adref, â'i thraed yn llosgi, a chael ei deffro wrth i'w mam yrru i lawr yr allt am Aberdaron.

'Ty'd rŵan. 'Dan ni adra, yli – 'dan ni adra.'

* * *

Y llynedd, roedd Awel wedi crio ar ôl dod adref, ar ôl brwydro yn erbyn y dagrau yr holl ffordd o Gaer i Aberdaron, gan gymryd arni ei bod yn cysgu.

Ac os oedd Rhiannon wedi sylwi, doedd hi ddim wedi dweud dim byd.

Ond roedd yr *os* hwnnw'n un mawr. Doedd hi ddim wedi sylwi, siŵr, meddai Awel wrthi'i hun y bore wedyn. Prin roedd hi'n ymddwyn fel 'mod i hefo hi yn y car. Ac ro'n i wedi edrach ymlaen cymaint.

A dyna oedd y drafferth. Roedd Awel wedi edrych ymlaen cymaint, fel nad oedd wedi sylwi nad oedd Rhiannon yn edrych ymlaen o gwbwl. Dim ond ar ôl iddyn nhw gyrraedd yr ochr arall i Fangor, a hithau wedi parablu fwy neu lai bob cam o Aberdaron, y dechreuodd Awel synhwyro nad oedd pethau'n union fel y dylsent fod.

'Y CD,' meddai Awel. 'Lle ma hi?'

Agorodd y cwpwrdd bach ym mlaen y car i chwilio am y CD o ganeuon pop Nadoligaidd. Roedd hyn hefyd yn rhan bwysig o'r diwrnod – cael cyrraedd Caer i gyfeiliant Wizzard, Slade, Greg Lake ac – ia – Paul McCartney'n canu 'Wonderful Christmastime', hyd yn oed.

Neu, os oedden nhw'n lwcus, y Pogues.

'Fasa ots gen ti tasan ni'n peidio â'i chwara hi heddiw?' meddai Rhiannon.

'Be, ddim hyd yn oed Brigyn yn canu "Haleliwia"?' Roedd Awel wedi rhythu arni. Roedd hyn yn ffinio ar fod yn gabledd.

'Ma gin i hen sglyfath o gur pen,' meddai Rhiannon. 'Dwi ddim wedi bod yn cysgu'n rhyw dda iawn yr wsnosa dwytha 'ma.'

'O, ocê . . .'

Caeodd Awel ddrws y cwpwrdd bach, ychydig yn bwdlyd. Ond ymhen rhai munudau roedd hi'n parablu bymtheg y dwsin eto.

Yna daliodd ei mam yn cuchio arni ychydig yn ddiamynedd. 'Sorri – ydw i'n siarad gormod?'

'Wyt braidd.'

'Wps! Sorri . . . ond dwi 'di bod yn edrach ymlaen at heddiw.'

'Ia, wel, tria gofio fod gin i gur yn 'y mhen, wnei di?'

'O – sorr-*iiii*!'

'Awel, plis . . .'

'Be?'

'Dim byd, dim byd,' ochneidiodd Rhiannon.

Roedd pethau wedi dirywio fwyfwy wrth i'r dydd fynd yn ei flaen. Amser cinio, wrth aros mewn ciw i dalu, roedd Awel wedi edrych 'nôl at y bwrdd lle'r eisteddai ei mam. Doedd

Rhiannon ddim hyd yn oed wedi agor sip ei chôt. Nac wedi gwisgo unrhyw golur ychwaith. Roedd hi'n hanner eistedd, hanner clertian ar ei chadair a'i breichiau wedi'u lapio am ei chorff, i bob pwrpas, yn syllu'n ddall o'i blaen. Ac yn ei jîns a'i hen anorac, edrychai Rhiannon yn . . . wel, yn ddi-raen, a bod yn hollol onest.

Ma hi'n edrach fel *bag lady*, jest iawn, meddyliodd Awel, a oedd wedi gwisgo'i dillad gorau. Ychydig iawn, iawn o sgwrs fu gan Rhiannon trwy'r dydd. 'Ia, iawn, be bynnag leici di,' oedd yr ymateb i bopeth roedd Awel yn ei gynnig, a hynny mewn tôn flinedig.

Ei gwaith, dyna be oedd, gwyddai Awel. Neu, yn hytrach, ei diffyg gwaith. Doedd Awel ddim wedi sylweddoli'r effaith andwyol roedd methiannau diweddar Cwmni'r Daron wedi'i gael mewn gwirionedd ar ei mam. Dim ond wrth iddi sefyll mewn ciw yn disgwyl ei thro, a chael cip cymharol wrthrychol ar Rhiannon, y gwelodd yr olion straen ar ei hwyneb: petai rhywun dieithr yn ei gweld, mae'n siŵr y buasent yn meddwl ei bod yn dioddef o'r felan.

Ella'i *bod* hi, meddyliodd Awel, ond bod neb ohonom wedi sylweddoli hynny. Efallai i'r iselder chwyddo ynddi yn raddol ac yn slei – a dyma lle ydw i, yn gneud rhyw ffys fawr am nad ydi fy niwrnod bach sbesial i fel y dylsai o fod . . .

Eleni, roedd Daron wedi cael llai fyth o gomisiynau – os yw'n bosib cael llai na dim un, hynny yw. A gwyddai Awel fod Gwynant wedi dweud wrth ei mam mai rhoi'r ffidil yn y to fyddai orau. Roedd Rhiannon wedi dechrau gwneud ymholiadau ynglŷn â'r posibilrwydd o fynd yn ôl i ddysgu, hyd yn oed.

'Mi fydda i wastad yn ca'l dipyn bach o sioc pan fydda i'n cofio mai athrawas oeddach chi ar un adag,' roedd Awel wedi'i ddweud wrthi'r diwrnod cynt.

'Amsar maith yn ôl,' meddai Siôn. 'Pan oeddan nhw'n defnyddio llechi yn lle papur sgwennu, ia?'

'Hoi!'

'Cyfryngi ydach chi 'di bod i mi erioed,' meddai Awel.

'Dyna be faswn i am weddill 'y mywyd hefyd taswn i'n ca'l' – ac am eiliad, cafodd Awel gipolwg arall ar y *bag lady* a welsai wrth y bwrdd caffi yng Nghaer y llynedd.

Yn awr, er mai dim ond mis Hydref oedd hi, roedd anrhegion a bwydydd a chardiau Nadolig eisoes ar silffoedd y siopau mawrion. Ers dechrau mis Medi, rai ohonyn nhw. Dydi Dolig ddim yn dŵad ar gefn ceffyl pren y dyddiau yma, meddyliodd Awel; yn hytrach, daw mewn sbortscar swnllyd a choman gyda'r pwyslais fwy a mwy ar or-wneud pethau. A hynny cyn bod yr haf wedi dirwyn i ben.

Roedd Awel wedi penderfynu ei bod hi, eleni, am grybwyll y trip i Gaer. Mwy na hynny, roedd hi am *fynnu* bod ei mam yn dod efo hi. Ond roedd pethau wedi newid erbyn hyn, efo Leah fel ag yr oedd hi. 'Dydi rhywun ddim yn leicio meddwl am fynd, rywsut,' meddai wrth Siôn. 'Ma'n anodd peidio teimlo'n euog.'

'Bolocs.'

'Sorri, be?'

'Awel, fydda Leah'n gneud dim byd ond cymryd y *piss* allan ohonat ti a Mam am 'ych tripia chi i Gaer.'

''Mond am 'i bod hi jest â marw isio dŵad efo ni, ond 'i bod hi ddim yn ca'l. Ond ella na fydd Mam ddim isio dŵad, beth bynnag.'

'Pam?'

'Wel . . .' Cododd Awel ei hysgwyddau. Doedd hi ddim wedi sôn wrth neb sut roedd Rhiannon wedi codi ofn arni hi'r llynedd.

'Ma hi'n fwy fel hi'i hun y dyddia yma, ti'm 'di sylwi?' meddai Siôn. 'Yn well o lawar ers iddi dderbyn bod Daron wedi rhoi'r rhech ola.'

* * *

'Wyddost ti be? Rwyt ti'n mynd â fi i'r llefydd neisia dan haul,' meddai Gwynant. Edrychodd o gwmpas y fynwent. 'Biti na roist ti fwy o rybudd i mi. Mi faswn i 'di gallu paratoi picnic.'

'Ia, ocê.' Ymsythodd Rhiannon o'i chwrcwd a sychu haen denau o chwys oddi ar ei thalcen.

'Lle fydd hi nesa, sgwn i? Yr *incinerators* yn Ysbyty Gwynedd, ella? Neu dwi'n siŵr fod 'na arddangosfa o gadeiria deintydd newydd yn rwla, tasat ti'n mynd ati i chwilio.'

'Ma'r fynwant yma'n neis, be haru ti? Sbia ar yr olygfa 'ma. Chwara teg – be gei di'n well?'

Ym mynwent Minffordd yr oedden nhw. Roedd Rhiannon wedi deffro â'i chydwybod yn ei phoeni ynghylch dau beth: doedd hi ddim wedi bod ar gyfyl y fynwent ers blynyddoedd, a doedd hi ddim chwaith wedi gweld Gwynant ers iddi fartsio allan o'i dŷ wedi iddo ddychwelyd o'i siwrnai ddi-ddim i Gaerdydd. Mi fuon nhw'n siarad ar y ffôn – am Leah Wyn a Siôn, gan amlaf, a Morfudd ac Alun. Roedd Alun Warren wedi dechrau galw'n rheolaidd efo Gwynant yn Berwyn yn hwyr yn y nos.

'Methu cysgu, er bod y cradur yn cysgu ar 'i draed, bron,' meddai Gwynant. 'Roedd o acw neithiwr yn gofyn i mi sut oedd gweddïo.'

Roedd y dagrau wedi rhuthro i lygaid Rhiannon pan glywodd hi hyn. Alun bach, meddyliodd. Ceisiodd gadw'i llais yn weddol normal. '*Chdi*? Grasusa. Roedd o'n gofyn i un da.'

Ofnai iddi fynd yn rhy bell. Aeth Gwynant yn dawel am ychydig. Yna meddai, 'Ro'n i *yn* gallu deud wrtho fo sut ma gneud. Ond sgin i'm clem sut ma ca'l rhywun i atab, chwaith.' Saib fer. 'Na sut ma nabod yr atab tasa fo'n dŵad. *And what remains when disbelief has gone?/Grass, weedy pavement, brambles, buttress, sky . . . A serious house on serious earth it is . . .*'

'Hogyn da rŵan, Gwynant.'

'Philip Larkin, y pesant.'

'Wn i hynny! *Llawr y fendith yn lle i'r fandal...*'

'O, Musus Parri, *plis*. Triwch roi dipyn o her i ddyn o bryd i'w gilydd. Dic Jôs . . .'

Heddiw, roedd wedi galw amdano ar ei ffordd, heb ei rybuddio ei bod am wneud hynny. Sefyll yn ei ardd gefn yr oedd o, mewn pâr o jîns llac, crys siec a siwmper wlân drwchus, yn ceisio penderfynu ble i gychwyn arni i'w thacluso. Neidiodd ar y cyfle er mwyn osgoi penderfynu.

'A does dim isio i chdi newid dy ddillad chwaith,' meddai Rhiannon wrtho.

Edrychodd arni'n ddrwgdybus wrth fynd i mewn i'r car.

'Lle 'dan ni'n mynd, felly?'

'A-ha . . .'

'O – *mystery tour*.' Chwarddodd.

'Be?'

'Rwbath yn y papur ha' dwytha. Y cwpwl 'ma o Landudno wedi mynd i Ardal y Llynnoedd ar eu gwylia, ac wedi ennill raffl yn y gwesty. Taith ddirgel oedd y wobr gynta. Wyddost ti i ble?'

Edrychodd Rhiannon arno. 'Paid â deud wrtha i . . .'

Nodiodd Gwynant. 'Ia, Llandudno. Felly mi bicion nhw adra am banad cyn mynd yn eu hola i Windermere. Ac mi gawson nhw benwythnos hir gin y gwesty, yn rhad ac am ddim, fel rhyw fath o wobr gysur.'

Rhythodd arni pan barciodd wrth giatiau'r fynwent ac estyn offer tacluso a bwnshiad o flodau siop Spar o fŵt y car.

'Ti'm o ddifri?'

'Paid â phanicio, sdim isio i chdi neud dim byd, 'mond sefyll yn 'y ngwylio i.'

Teimlai rywfaint o gywilydd fod y beddau eraill o gwmpas

bedd ei rhieni mor raenus – potiau bychain yn llawn blodau a'r cerrig mân, gwynion, bron yn sgleinio yng ngolau'r haul. Aeth ati i chwynnu a thacluso, yno yn ei chwrcwd, ond ni fu'n hir cyn i'w chluniau a'i phengliniau ddechrau protestio.

Roedd gwynt oer yn chwythu o'r môr pan oedden nhw'n gadael Aberdaron, ond yma ym Minffordd roedd yn gynhesach o gryn dipyn. Syllodd Rhiannon dros y Traeth Mawr; roedd hi wastad wedi mwynhau'r olygfa yma o'i chynefin yn fwy na'r un olygfa arall. Yr hen Foel y Gest yn swatio uwchben y dref ac yn edrych, yn ei thyb hi, fel petai wedi llyncu mul, yno ar ei phen ei hun. Pan oedd hi'n iau, hoffai feddwl bod Creigiau Tremadog a gweddill Eryri wedi gadael yr hen Foel wrth iddyn nhw lithro ar draws y dyffryn – fel plant hŷn wedi rhedeg i ffwrdd oddi wrth yr un ieuengaf, gan ei chondemnio i dreulio tragwyddoldeb o syllu'n bwdlyd ar eu holau.

'"Cyrraedd, ac yna ffarwelio. Ffarwelio – och! na pharhaent,"' darllenodd Gwynant y tu ôl iddi. 'Dy ddewis di, dwi'n cymryd?'

'Roedd Dad wrth 'i fodd efo barddoniaeth.'

Nodiodd Gwynant. 'Dwi'n gwbod. Dwi'n dy gofio di'n deud. Dwi'm yn ama na faswn i wedi gneud yn iawn efo dy dad. Oedd o'n dipyn o ffan o Williams Parry felly?'

'A T.H. ac Eifion Wyn, yndê. Waldo, Gwenallt hefyd . . . ond Williams Parry oedd *y* boi. A doedd Mam ddim yn un am adnoda. Roedd "Clychau'r Gog" yn tshampion ganddi hi i'w roi ar y garrag.'

Roedd o'n ddistaw am funud neu ddau. 'Braf bod chdi wedi ca'l y cyfla i jecio efo hi, decini.' Ymysgydwodd. 'Roedd dy dad yn gapelwr, yn doedd?'

'Yn selog.'

Siaradodd Gwynant efo'r garreg fedd. 'Ma'ch merch chi wedi gyrru yma heddiw fel Jehu fab Nimsi, Dei Wilias. Ia, dyna chi – "canys y mae efe yn gyrru yn ynfyd".' Gwenodd ar Rhiannon.

'Wa'th i chdi heb â dangos dy hun, Gwynant, does 'na neb yma'n gwrando arnat ti.'

Edrychodd yntau o'i gwmpas. 'Sut gwyddost ti? Dwi'm yn ama bod 'na sawl clust ysbrydol wedi troi tuag ata i o glywad Cymraeg William Morgan.'

'Ella'u bod nhw'n cymryd mai un o'i ddefaid o sy wrthi'n brefu.'

''Tydi hi'n gês, deudwch? Sut fasa'r fersiwn Cymraeg modern 'na wedi deud yr adnod yna, sgwn i? "'Chos mae o'n sbîdio fel lŵni", ella.' Craffodd arni a'i ben ar un ochr, fel petai'n ei hastudio. 'Ti'n edrach yn well o beth myrdd na'r tro dwytha i mi dy weld di, Musus Parri.'

'Ti'n meddwl?'

'Yn fwy fel chdi dy hun.' Pwniodd hi'n ysgafn yn ei braich. 'Roedd yn dipyn o straen bod yn Fusus Micawber, yn doedd, 'rhen hogan?'

'Oedd. Oedd, mi oedd hi, o sbio'n ôl. Ond wyddost ti be, Gwyn? Taswn i'n ca'l hannar cyfla eto, yndê – chwartar un, hyd yn oed . . .'

'. . . mi fasat yn rhedag i ffwrdd am dy fywyd.' Gwenodd, ychydig yn drist, a syllu dros y Traeth Mawr. 'Fedran ni ddim cwyno, mwn. Mi gawson ni *innings* reit dda. Yn enwedig o ystyried nad oeddan ni'n *zany* nac yn *wacky*.'

'Diolch i'r drefn am hynny.' Daeth Rhiannon ato a sefyll wrth ei ochr. Roedd yna awel fechan yn cribo wyneb afon Glaslyn ac yn cynhyrfu'r brwyn ar ei glannau. Arhosodd y ddau yno, ochr yn ochr, gan ddweud dim, nes i gwmwl ddod a chuddio'r haul a throi'r fynwent yn oer.

24

Rhyfeddod y machlud

Ar y nos Iau, cafwyd un o'r machludoedd gwyrthiol rheiny sydd i'w gweld o bryd i'w gilydd ym Mhenrhyn Llŷn.

* * *

Ar draeth Aberdaron, cerddai dyn gyda'i gi defaid du a gwyn. Gadawodd i'r ci redeg i fyny ac i lawr y traeth, yn cyfarth ar y tonnau bach.

Safai Alun yn syllu ar yr awyr. Dyn wedi ymlâdd, dyn oedd newydd ddysgu sut mae gweddïo. Gwnaeth hynny'n awr, ar y machlud. 'Jimi bach, dwi 'di mynd – dwi'n gweddïo ar bob uffarn o bob dim,' meddai wrth ei gi.

Cyn hir, byddai'n gyrru allan o Aberdaron unwaith eto, a thua'r gogledd-ddwyrain. Gwnâi hyn bob nos y dyddiau yma, ond heno byddai'n mynd â gweddillion y machlud yn ei ddrych. Ymhen ychydig oriau wedyn byddai'n dychwelyd, mynd â'i gi am dro bach o gwmpas y pentref, ac yna i'w wely ar gyfer noson aflonydd arall.

Heno, yn yr ysbyty, roedd am sôn am y Frân wrth ei gyw melyn olaf, er iddo rhyw led amau ei fod wedi sôn eisoes wrthi hi am y bwbach hwnnw. Rhyw greadur arall roedd Alun wedi cymryd yn ei erbyn am ddim rheswm oedd y Frân; dyn tal a chythreulig o denau oedd wedi llwyddo, dyn a ŵyr pam, i godi gwrychyn Alun Warren pan aeth o a Morfudd ar fordaith fer yn ystod gwyliau yng Nghyprus. Roedd y dyn wastad mewn pâr tila o Speedos ac roedd ei wallt du wedi'i dorri yn yr un steil â gwallt Ronnie Wood o'r

Rolling Stones. Lle bynnag y byddai Alun yn troi, dyna lle byddai'r Frân.

'Mae o fel y brain yng ngherdd Euros Bowen,' eglurodd wrth Morfudd. 'Hen bethau sy byth a hefyd gyda ni . . .'

'Plis, Alun,' crefodd Morfudd, a gredai'n gryf fod yna amser a lle i Euros Bowen.

Ond ar ôl dod adref a bwydo cerdyn y camera digidol newydd drwy'r cyfrifiadur er mwyn gweld y lluniau, pwy oedd i'w weld yn sefyll y tu ôl i Alun mewn llun roedd Morfudd wedi'i dynnu ohono ar fwrdd y llong, yn cynnig llwncdestun iddi gyda rhyw ddiod afiach o liwgar, ond y Frân . . .

Ia, y Frân amdani heno 'ma.

Plygodd a chlipio'r tennyn yn ei ôl ar goler Jimi. Yna cychwynnodd y ddau am adref gan gerdded yn araf, fel petaen nhw'n gyndyn o gefnu ar y machlud.

* * *

Ym Mhorth Meudwy, cerddodd Cledwyn i fyny o'r traeth i gyfeiriad y maes parcio. Dyma i ni ddyn oedd wedi gweld mwy na'i siâr o fachludoedd godidog, ond nid dyn a flinai ar y fath harddwch mo hwn, felly cerddai wysg ei gefn i fyny'r llwybr. Hoffai petai ei gamera ganddo heno . . . ond wedyn, faint o luniau o ryfeddod y machlud sydd ar unrhyw ddyn call eu heisiau?

Gwenodd.

Gorau po fwyaf, meddyliodd.

Ar ei ffordd adref yn ei fan, fe'i cafodd ei hun yn meddwl am Siôn Parri. Y tro diwethaf iddo'i weld, roedd wedi dal y creadur bach yn crio. Cymerodd Cledwyn arno nad oedd o wedi sylwi (doedd o ddim yn gwybod yn iawn lle i'w roi ei hun, dyna'r gwir amdani), ond roedd yr hogyn yn amlwg wedi'i gynhyrfu. Biti garw am yr hogan fach honno, merch Alun Warren. Hogan fach ddigon clên, hefyd.

Biti garw.

* * *

Ym Mhenrallt, daeth Dyfrig i lawr o'r llofft yn ei ddillad rhedeg. Roedd Rhiannon wrthi'n plicio tatws yn y gegin. Edrychodd i fyny a'i weld.

'Dw't ti ddim…?'

'. . . yn mynd i redeg rhag gwastraffu'r gyda'r nos ffantastig yma? Yndw, tad.'

'Dwi'n synnu bod gen ti'r nerth, rhwng pob dim.'

Trodd Rhiannon yn ôl at y bwyd gan guddio'i gwên ddireidus. Taflodd Dyfrig edrychiad nerfus i gyfeiriad y bwrdd. Roedd Siôn â'i drwyn yn y *Radio Times* diweddaraf, ond roedd Awel, gellid mentro, wedi clywed ac wedi deall; cymerodd arni ei bod ar goll yng ngeiriau Rimbaud am uffern. '*Je me crois en enfer, donc j'y suis*' darllenodd, a throdd ei thad i ffwrdd cyn i'w gwên fedru dianc. Gwisgodd ei esgidiau a chau'r careiau.

'Dwi 'di bod yn meddwl eto am y busnas mynd i Lundain 'ma,' meddai, 'a dwi ddim mor siŵr rŵan y medran ni'i fforddio fo.'

Edrychodd pawb i fyny a chwarddodd Dyfrig. 'Sorri, sorri . . .' Wrth Awel, meddai: 'Ti ddim am ddŵad efo fi, felly, dwi'n cymryd?'

'Ddim heno 'ma.'

'Dy gollad di, machlud mor wych. Reit. Wela i chi toc.'

'Dad . . .?'

Trodd Dyfrig wrth y drws. 'Siôn?'

Cododd Siôn ar ei draed. 'Os medrwch chi witsiad am bum munud, ma gin i ffansi dŵad efo chi. Os ca i . . .?'

Gwenodd Dyfrig. 'Cei, siŵr Dduw. Brysia.'

Brysiodd Siôn, ac edrychodd Awel i lawr ar ei llyfr gan guddio gwên arall.

Gwên wahanol.

* * *

Yng ngardd gefn Berwyn – gardd a oedd bellach yn

daclusach o gryn dipyn – ymsythodd Gwynant gan duchan ar ôl llenwi'r pumed bag gwyrdd efo dail a brigau bychain a digon o chwyn i lenwi twll chwarel Dorothea. Roedd ei feddwl ar fath poeth, dysglaid o lobsgows a ffilm gowboi yr oedd wedi'i chodi oddi ar un o'r sianeli Freeview yn gynharach yn yr wythnos.

Roedd yr awyr, sylweddolodd, yn hollol oren a'r haul isel yn ei ddallu. Petawn i yn Key West rŵan, meddyliodd, ar Mallory Pier, mi faswn i'n dymuno iechyd da i'r godidowgrwydd hwn gyda sawl Margarita, ac yna'n crwydro i fyny'r stryd i Sloppy Joe's am ychydig o gwrw yn olion traed Hemingway . . .

Trodd yn ei ôl at y bagiau gwyrddion, gyda'r bwriad o'u cludo at gefn y garej o'r ffordd. Safodd yn stond, a throi'n araf. Gallai daeru ei fod newydd glywed llais dynes yn galw'i enw.

Llais cyfarwydd.

Roedd yr haul reit yn ei lygaid, ond roedd yn siŵr fod rhywun yn sefyll wrth ochr y tŷ. Cododd ei law i gysgodi'i lygaid, ond doedd neb yno.

Ond mi glywodd o'r llais, roedd yn bendant o hynny, ychydig bach yn uwch heno, ac yn gliriach.

Gwenodd.

'Dwi ddim cweit yn barod eto, pwt,' meddai. 'Fydda i ddim yn hir iawn. Ond ddim eto.'

Trodd yn ei ôl at y bagiau. Tyfai'r cysgodion yn hir ar draws y lawnt.

* * *

Cyrhaeddodd Alun faes parcio'r ysbyty. Roedd arlliw bychan o'r machlud yn dal ar ôl yn yr awyr, digon i beri i nifer oedd yn byw yn y rhan yma o Wynedd resynu na fydden nhw'n byw yn rhywle fel Llŷn.

Arhosodd Alun yn ei gar nes bod y gân ar y chwaraeydd

CDs wedi dod i ben. Yr hen Fleetwood Mac – y gwreiddiol, gyda'r anfarwol Peter Green ar y gitâr.

Y tu mewn i'r ysbyty eisteddai Morfudd yn pendwmpian yn ei chadair. Roedd hi'n breuddwydio am Esyllt, ei merch hynaf. Rhedai Esyllt ar hyd y traeth yn Aberdaron, ond am ryw reswm roedd Morfudd yn bell oddi wrthi. Gallai glywed ei llais yn galw, 'Mam! Mam!'

* * *

Roedd Siôn allan o wynt yn lân ac roedd ganddo bigyn poenus yn ei ochr wrth iddo hercian ar ôl ei dad. Doedd o ddim wedi rhedeg fel hyn ers . . . ers pan oedd o'n blentyn, ar wahân i rai gwersi ymarfer corff yn Ysgol Botwnnog cyn iddo adael am y coleg chweched dosbarth.

Meddyliodd am ddefaid ac ŵyn. Pan oedd yn iau rhyfeddai'n aml sut y byddai yna ŵyn bach i'w gweld yn prancio'n fywiog mewn cae un diwrnod, ond drannoeth roedden nhw wedi troi'n ddefaid bôring, yn gwneud dim byd ond cnoi â'u pennau i lawr. Fel tasa fo wedi digwydd dros nos. Oedd yr un peth yn digwydd gyda phobol? Oedden nhwytha, un diwrnod – dydd Llun, dyweder – yn rhedeg yn wyllt o gwmpas y lle, ond ar y dydd Mawrth yn cerdded yn barchus i bobman? Ai dyna pryd roedd plentyn yn troi'n oedolyn – pan oedd o'n rhoi'r gorau i redeg?

Safai ei dad a'i gefn ato, yn rhythu ar graig oedd ryw droedfedd neu ddwy o'r lan, yn y môr. Wrth iddo nesáu ati gallai Dyfrig daeru fod rhywun yn eistedd arni, ond roedd yr haul yn ei lygaid a phan gyrhaeddodd y graig doedd neb arni, neb ar ei chyfyl ychwaith.

Trodd a gweld Siôn yn dod tuag ato. Gwenodd.

'Fel'na'n union o'n inna nes i mi ddechra arfar. Paid â phoeni, mi fyddi di'n tshampion mewn . . . o, ryw chwe mis?'

Suddodd yr haul o'r golwg y tu draw i'r gorwel.

* * *

Ym Mhenrallt, eisteddai Awel ar y gadair wrth ddesg y stydi. Daethai yma i nôl y copi o'r *A to Z* oedd yn rhywle ar un o'r silffoedd. Llundain, ac nid Caer: pan grybwyllodd Awel y trip siopa, dywedodd Rhiannon fod gan Dyfrig syniad a fyddai'n apelio, efallai – Llundain, dros yr hanner tymor.

Gwelodd y llyfr ar y silff uchaf, wrth gwrs, a reit yn y gornel bellaf. Dringodd ar y ddesg a phenlinio arni er mwyn gallu ei gyrraedd, a tharo ei choes yn erbyn pentwr o ffeiliau a berthynai i'w thad. Rhegodd wrth iddyn nhw syrthio oddi ar y ddesg.

Dododd yr *A to Z* ar y ddesg ac aeth i'w chwrcwd i godi'r ffeiliau. Roedd nifer o bapurau wedi syrthio ohonyn nhw. Yn eu plith roedd amlen wen a 'Dyfrig' wedi'i sgwennu ar y blaen. Roedd y llawysgrifen yn gyfarwydd.

Yn gyfarwydd iawn. Llawysgrifen yr oedd Awel wedi'i gwylio'n datblygu o flwyddyn i flwyddyn, ers yr ysgol gynradd.

Roedd ei bysedd yn crynu wrth iddi agor yr amlen. Y tu mewn roedd dwy dudalen o bapur, a cherdd wedi'i hysgrifennu arnynt. Yr un llawysgrifen eto. Enw'r gerdd, darllenodd, oedd 'Yearn On' gan Katie Donovan.

'I want you to feel the unbearable lack of me,' darllenodd Awel. 'I want your skin to yearn for the soft lure of mine . . .'

'Awel! Ti wedi'i ga'l o?'

Neidiodd. Ei mam, yn galw o waelod y grisiau.

'Do. Dwi'n dŵad rŵan.'

Cododd weddill y ffeiliau oddi ar y llawr a'u dodi'n ôl ar y ddesg. Aeth â'r amlen a'r gerdd gyda hi i'w hystafell a'u stwffio i mewn i un o'i droriau. Yn yr ystafell ymolchi, taflodd ddŵr oer dros ei hwyneb.

Yna aeth i lawr y grisiau a'r *A to Z* yn ei llaw.

Roedd arogl y bwyd yn coginio yn codi pwys arni.

* * *

'Mam! Mam!' galwodd Esyllt, a deffrodd Morfudd o'i breuddwyd. Roedd ei gwddf yn brifo ac roedd blas drwg yn ei cheg. Trodd am ei bag i chwilio am dda-da mint.

'Mam . . . ?'

Rhythodd Morfudd.

O'r gwely, rhythodd Leah yn ôl arni.

25
Y tonnau gwyllt

Erbyn dydd Sadwrn roedd hi'n gwybod y gerdd fwy neu lai air am air; gallai sefyll ar unrhyw lwyfan a'i hadrodd yn berffaith.

Ond ofnai y basa hi'n taflu i fyny cyn cyrraedd diwedd y cwpled cyntaf.

Ganol y bore, meddai wrth ei thad: 'Ma'n ddrwg gin i.'

Roedd Dyfrig yn eistedd yn y consyrfatori'n darllen: nofel dditectif gan awdur arall o un o wledydd Llychlyn.

'Be oedd hynna, pwt?'

Pwt . . .

'Mi wnes i lanast yn y stydi'r dwrnod o'r blaen.'

'Do?'

'Pan es i yno i chwilio am yr *A to Z*. Mi ddaru'r holl ffeilia 'na sgynnoch chi ar y ddesg syrthio. Papura dros y lle i gyd, ar draws 'i gilydd . . .'

'O, Duw, hidia befo.'

Roedd o'n ysu am gael dychwelyd at ei lyfr, sylweddolodd Awel. Roedd yr un paced creision gwag a welsai hi'n crwydro'n ddiog dros y lawnt rai dyddiau'n ôl yn cael ei chwythu drosti i bob cyfeiriad heddiw – os mai'r un paced oedd o, wrth gwrs. Dawnsiai dros y glaswellt, ac yna cael ei gipio o'r ddaear a'i daflu'n uchel i'r awyr. Rywsut neu'i gilydd, llwyddai'n ddi-ffael i ddod o hyd i'w ffordd yn ôl i'r ardd bob tro y câi ei chwythu allan ohoni.

'Y peth ydi, dwi'm yn siŵr iawn ydw i wedi rhoid y papura cywir yn y ffeilia cywir.'

'Dim ots. Rwtsh ydyn nhw i gyd, beth bynnag.'

‘Rwtsh?’

‘Rhyw hen, hen betha oedd yng ngwaelod un o’r cypyrdda ydyn nhw. Copïa o hen adroddiada a phapura arholiad a ballu.’ Ailagorodd ei nofel. ‘Ma’r plant sy yn y ffeilia yna’n rhieni eu hunain erbyn rŵan, dwi’n siŵr.’

‘O, reit. ’Sa dim ots gynnoch chi taswn i’n mynd trwyddyn nhw, felly?’

‘Pam ar wynab y ddaear fasat ti isio gneud peth felly?’

‘Ma papur sgrap wastad yn handi.’

‘Helpa dy hun. ’Mond eu hel nhw at ’i gilydd er mwyn eu lluchio nhw wnes i. Gwna di fel fynnot ti efo nhw.’

‘Ocê, diolch . . .’

Cychwynnodd allan, yna trodd yn ei hôl.

‘Sorri, ro’n i wedi meddwl gofyn i chi: pwy ydi Katie Donovan?’

Dododd ei lyfr i lawr eilwaith.

‘Pwy?’

‘Katie Donovan.’

‘Nefoedd, dwn ’im. Rhywun dwi wedi’i dysgu? Na, ’swn i’n cofio enw fel’na.’ Ysgydwodd ei ben. ‘Pam, beth bynnag?’

‘Clywad yr enw wnes i. Mae o’n swnio’n gyfarwydd, rywsut.’

‘Katie . . . Donovan . . .’ Ysgydwodd ei ben eto. ‘Ddim i mi, sorri.’ Daliodd ei lyfr i fyny. ‘Ga i fynd ymlaen efo Mr Nesbo rŵan, plis?’

* * *

Dim un awgrym o euogrwydd.

A doedd o ddim yn actor, ei thad: mi fasa hi wedi gweld trwyddo’n syth tasa fo wedi trio cymryd arno mewn unrhyw ffordd.

Doedd o ddim yn gwybod unrhyw beth am y gerdd ’na, felly. Roedd Awel wedi amau hynny, achos doedd yr amlen ddim wedi cael ei hagor na’r tudalennau wedi’u dadblygu a’u darllen.

Tyff titi, Leah Wyn, meddyliodd Awel. Faint o amser gymerodd hi i chdi gopïo'r gerdd yna yn dy sgwennu gora? A dydi hi ddim yn gerdd fer, chwaith.

Echnos, ar ddi-hun yn ei gwely, roedd hi wedi cofio fod Leah wedi galw yno'r noson cyn y parti – pan oedd Siôn a hi wedi gorffen, i fod. Lyfi-dyfi mawr yn y gegin efo Siôn druan, ac yna roedd hi wedi mynd i fyny i'r tŷ bach. Dyna pryd roedd hi wedi sleifio i mewn i'r stydi, mae'n rhaid. Mi welodd hi'r ffeiliau a chymryd bod Dyfrig ar ganol gweithio arnyn nhw, ac y byddai felly'n siŵr o ddarganfod yr amlen yn hwyr neu'n hwyrach.

Ond heblaw amdani hi, Awel, byddai'r ffeiliau wedi cael eu taflu.

A'r gerdd wedi mynd yn eu mysg.

* * *

Yn y prynhawn, aeth Awel am dro. Roedd y gwynt yn uchel a'r môr yn rowlio'n llwyd. Gorfu iddi wasgu ei llygaid ynghau yn dynn oherwydd yr holl dywod oedd yn yr aer wrth i'r gwynt ei chwipio.

Ond roedd cysgod reit dda wrth y creigiau; doedd y gwynt ddim yn gallu treiddio cystal i'r rhan yma o'r traeth.

Nid er eich mwyn chi dwi'n gneud hyn, Dad, meddyliodd. Plis peidiwch â meddwl hynny. Ddim am eiliad.

Dwi'n gneud hyn er ein lles ni fel teulu. Y teulu rydach chi wedi poeri arno fo, wedi piso arno fo, wedi cachu arno fo.

Tynnodd yr amlen o'i phoced a'i llenwi â cherrig bychain. Yna gwthiodd hi i mewn i'r paced creision gwag a fu'n dawnsio'n wallgof o gwmpas yr ardd yn gynharach, a thywallt rhagor o'r cerrig i mewn i hwnnw.

Dringodd ar y creigiau.

Lluchiodd y bag allan i'r môr â'i holl nerth.

Aeth yn bellach nag roedd hi wedi'i ddisgwyl, er gwaethaf pwysau'r cerrig. Rhaid bod y gwynt yn rhyfeddol o gryf.

Disgynnodd y bag i'r dŵr.

Diflannodd y bag a'r amlen a'r gerdd dan donnau gwyllt y môr.

Chei di ddim gwneud hyn i ni, Leah Wyn, meddyliodd.

Ddim rŵan.

Cerddodd i ffwrdd, ar hyd y traeth ac yn ôl tua'r pentref, gan wrando ar y môr yn ei hyrddio'i hun yn erbyn creigiau Aberdaron.

EPILOG

Roedd pawb wrth eu boddau efo hi – yn ddoctoriaid, nyrsys, ffrindiau a theulu.

Yn enwedig ei theulu.

Roedd ei mam yn methu peidio â'i chyffwrdd drwy'r amser, fel petai hi'n ceisio'i sicrhau ei hun fod Leah'n dal yno.

'Mam, dwi'n iawn,' chwarddodd. 'Wir.'

'Sorri, ond . . . ysti . . .'

'Wn i.'

Ac roedd ei thad yn methu peidio â gwenu fel giât. Gyda lwc, meddai wrthi, câi ddod yn ei hôl adref ymhen tua wythnos.

Er bod Alun a Morfudd wedi llwyr ymlâdd, doedden nhw ddim wedi gallu cysgu neithiwr nac echnos. Wedi gorflino, mae'n siŵr, ac wedi cynhyrfu gormod.

'Ond heno,' meddai Alun Warren, 'heno, dwi'n bwriadu cysgu fel y Sleeping Beauty. A Duw a helpo unrhyw bali tywysog a ddaw i drio fy snogio i tra dwi'n rhochian yn y gwely 'na!'

Aethant o'r diwedd.

Wedi iddyn nhw fynd, cofiodd nad oedd hi wedi gofyn iddyn nhw fynd â'i ffôn adref efo nhw i gael ei jarjio.

A, wel, dim ots, meddyliodd.

Mae 'na hen ddigon o amser.

Dwi'n eitha edrych ymlaen at wneud ambell alwad ffôn eto . . .